The Editor

•

The Publisher

The Collection

John A. Crow

•

Henry Holt and Company

Cuentos hispánicos

The Copyright

COPYRIGHT, 1939, BY HENRY HOLT AND COMPANY, INC.

No part of the material covered by this copyright may be used in any form without the written permission of the publisher.

PRINTED IN THE UNITED STATES OF AMERICA

June, 1940

The Editor

John A. Crow is a member of the Spanish department at the University of California at Los Angeles. He has previously taught at Davidson College, the University of North Carolina, and New York University.

The Collection

	PAGE
PREFACE	vi
INTRODUCTION	vii
LA **paella** DEL **roder,** *Vicente Blasco Ibáñez*	2
LA TUMBA DE ALÍ-BELLÚS, *Vicente Blasco Ibáñez*	10
LOS CIUDADANOS DE POYASTÁ, *Manuel Gálvez*	19
UNA ESPERANZA, *Amado Nervo*	27
PASTORAL, *Gregorio Martínez Sierra*	37
NAUFRAGIO, *Alfonso Hernández-Catá*	55
SOBRE LA CAMA, *Julio Camba*	63
LA NEURASTENIA Y LA LITERATURA, *Julio Camba*	66
BUCÓLICA BICARBONATADA, *Julio Camba*	69
ELIZABIDE EL VAGABUNDO, *Pío Baroja*	75
LOS TRES CUERVOS, *José Antonio Campos*	89
SARRIÓ, *Azorín*	97
EL PROFESOR AUXILIAR, *Ramón Pérez de Ayala*	107
EL DESQUITE, *Miguel de Unamuno*	125
LA MUERTE DE LA EMPERATRIZ DE LA CHINA, *Rubén Darío*	133
EL HIJO, *Horacio Quiroga*	145
TRES CARTAS... Y UN PIE, *Horacio Quiroga*	153
EL CACHORRO, *Manuel Rojas*	159
EL DOMADOR, *Javier de Viana*	173
UN CABECILLA, *Ramón del Valle-Inclán*	183
EXERCISES	189
VOCABULARY	i

Preface

The editor of this book has attempted to assemble a collection of short stories and sketches typical of the great variety manifest in this *genre* in both Spain and Spanish America. It is obvious that our attention must be turned more and more to the southern countries of this hemisphere, and this should be done without forgetting the close cultural and spiritual kinship of our southern neighbors with the mother country: hence the composite hispanic basis of the selections.

The editor believes that the student's interest is often dulled by too much vocabulary thumbing, and has endeavored to give a greater number of pages with less of the mechanical word-hunting usually involved. Many words and phrases which the student is likely not to know are translated at the bottom of the page on which they occur. However, no effort has been made to translate *all* such unknown expressions; the sole object has been to render the task of reading a little more enjoyable, and the turning of pages a little less tedious.

A word of gratitude should be expressed to the authors of the selections for their permissions so generously granted, and to Professors Barja, Corbató, González and Montau of the University of California at Los Angeles for their assistance on several occasions.

J. A. C.

THE UNIVERSITY OF CALIFORNIA
AT LOS ANGELES
September, 1939.

Introduction

1. THE SHORT STORY IN SPAIN

AFTER a generation of crying "*Out with the Bourbons!*" Spain finally engineered the Revolution of 1868 and put to flight the Spanish Queen, Isabel II. It was the nearest approach to the ideals of the French Revolution that Spain had made, and proved that in the social and political sphere, at least, the peninsula was nearly a century behind her northern neighbor. The Revolution of 1868 was succeeded by the provisional government of General Serrano, a period of King-hunting and ineffective restlessness that ended temporarily in 1870 when Amadeo of Savoy, one of many candidates, was elected to the Spanish throne. The Spaniards refused to co-operate with their new ruler, who was regarded by many dissatisfied elements as an intruder, so after an abortive reign of a little over two years, he abdicated in disgust. With sincere enthusiasm the too progressive Spanish *cortes* then proclaimed a Republic which lasted about two more years (1873–1874), and went through five changes of administration before it was abandoned in favor of inviting Alfonso XII, son of Isabel II, to return as King. Spain had proved herself politically incapable of keeping pace with her best spiritual development.

Spanish literature, which had remained more or less dormant since the end of the Romantic Period some twenty years previously, was aroused and given new life by this troubled transition era, and has kept vividly awake up to the present moment, always a generation or two ahead of the status of the nation as a whole.

The *cuento* or short story, neglected for more than two centuries until Romanticism paved the way for the works of Fernán Caballero, Antonio de Trueba, Antonio de Alarcón, and Gustavo Bécquer, now arose like the phoenix from its ashes and soared to great heights. It developed along the lines of the principal literary tendencies manifest in nineteenth century Spanish prose fiction, and consequently fell into one of the following groups: *regionalism* or *realism:* Valera, Pereda, Alarcón, Galdós, who began to write about the time of the Revolution of 1868; *naturalism*, still mainly regional, represented by Pardo Bazán, Leopoldo Alas, Palacio Valdés and Blasco Ibáñez; *modernism* of the generation of 1898 which appeared about the time of the Spanish-American War: Unamuno, Pío Baroja, Valle-Inclán, Martínez Sierra, Azorín.

The defeat of Spain by the United States in 1898 exposed the shallowness of Spanish glory which for so long a time had thrived in retrospection, and the young generation of writers turned their scrutiny inward, sloughed off the traditional phobias, and sought to discern the lines of a reality more in consonance with the philosophy of a modern nation. They were iconoclasts when it was necessary to destroy the impractical tenements of the past, and poets when it became necessary to build a creed for the future. For the very reason that they destroyed much of the past, they also were able to preserve the best of it which might otherwise have suffered an inglorious death.

These writers of the generation of 1898 all interpret their mission of spiritual rehabilitation in different ways — ways which are so dissimilar, in fact, that one can pick up a random page from Baroja, Azorín or Valle-Inclán and tell almost at a glance who is the author. Style became a fetish with some of them, indifferent phrasing characterized others; individualism is a religion to them all. Azorín, poet and literary archeologist, searches for mood and identity in the names of things, revives a veritable galaxy of archaic terms, and seeks to condense the reality of a life or a group of lives in the compass of a single episode. Valle-Inclán paints a Galicia haunted by the mystery, blood, and vestige perfumes of a medieval legend, and touches the latent passion and tragedy of his people with a magic wand which turns into exquisitely worked Toledo gold the fancies and characters of his over-wrought imagination. Pío Baroja's mind runs to more skeletal, basic ideas and emotions, and his language flows as best it may, haphazard, stumbling, direct. Fighting for life and a belief in life, his characters flit pathetically to and fro like shadows on a dingy sheet. Martínez Sierra, best known as a dramatist and poet, possesses an almost feminine sensitiveness to emotion and beauty which endues his world with the soft imagery of a woman's romantic idealism. Miguel de Unamuno, suspended halfway between orthodoxy and the scientific conception of life, struggles nobly to retain the Catholic soul that he finds still omnipresent in Spain's artistic heritage and inner life, despite the fact that, in practice, formalism has to a great extent displaced religious fervor and belief. In summary, each writer of the generation of 1898 is a school to himself, and the only characteristic applicable to them all is an epochal and vital restlessness, the same spirit of inquietude which pervades the most glorious pages of Spanish history and art.

On the other hand, if such anarchistic individualism does foster great literature, it may on occasion become the poison of its people, a national enemy, and a peril to civilization itself. The generation of 1898 was but another reflection of ubiquitous Spanish regionalism in modern garb. Divided provinces, divided thought, a divided people. The old unity of Catholicism was called into question, and no substitute has yet been found to take its place. Manuel Gálvez, an Argentine critic viewing the scene with an objective eye, expresses this criticism: "The exacerbation of individualism has logically created a sort of anarchy and undone the unity of the past. The culture of Spain lacks method, and is like one of those huge rivers flooded with water, which, if it is ever to be a source of future growth and life, demands urgent canalization."*

On considering the literary production of the generation of 1898 one is confronted with somewhat this same feeling. Novels, dramas, and short stories alike often reveal a disquieting lack of technique, unity, and development as we Anglo-Saxons have come to conceive these essential elements of the writer's craft. Slow growth of character or the laborious unfolding of logical thought

* Manuel Gálvez, *El solar de la raza*, 1913.

are rarely to be found among them. Perhaps concentration as we interpret it is generally lacking in the Spanish mind. But if the slow effort of coherent thought is missing, the pervading unity of feeling is not. Spain has never produced a great philosopher, nor a *thinker*, but in the words of her nearest philosopher and thinker, Miguel de Unamuno, her contribution to the world is none the less vital: "Other peoples have left institutions, books — we have left souls."*

In reading these contemporary Spanish short stories, then, we should not look for highly complex plots or a superabundance of incident, but rather should exercise our emotions in attempting to follow the mood which gave them being and traced their literary as well as their emotional development. The widely appreciated stories of Katherine Mansfield, once turned down by nearly every editor in London and now regarded as among the finest in our own language, are a living proof that this is not asking too much.

The generation of 1898 is followed by many groups of young writers whose work is as yet a little difficult to classify. Pérez de Ayala has had the rare fortune to succeed in the three fields of poetry, the novel, and the short story in addition to his stimulating and controversial excursions into literary criticism. Hernández-Catá, born in Cuba, but Spanish by virtue of extended residence in Madrid, is one of the most prolific novelists and short story writers in the Spanish language. He delves into occult psychological crevices where abnormal experiences or feelings lie well wrapped and buttoned until some unexpected shock suddenly rips them bare. Julio Camba, journalist, traveller and humorist, pokes fun in a typical Spanish fashion with frequent tinges of chastisement for his materially backward nation. His is "a real smile — the flower of irony and sympathy which bears no relation to the greasy laughter of a Rabelais."*

These writers, their contemporaries, and the generation just

---

* Miguel de Unamuno, *Essays and Soliloquies*, trans. by J. E. Crawford Flitch, New York, 1925.

* A characterization of Spanish humor by the Venezuelan, Díaz Rodríguez, in *Camino de perfección*, 1907.

younger than they, gave promise of keeping Spain in the front rank of literary achievement for several years to come. Now that their work and their enthusiasm have been turned from the civilized channel of literature into the bestial slough of physical conflict and spiritual intolerance by the horrors of civil war, it may well take Spanish literature more than our lifetime to recover the sane perspective prerequisite to any enduring appeal. On the other hand, the holocaust of war might possibly purge Spanish writers of hidden and accumulated emotional wastes whose existence they themselves would have been the first to deny, and thus set their physically wrecked but morally aroused nation on a new path to literary glory.

2. THE SHORT STORY IN SPANISH AMERICA

The short story does not really begin in Spanish-American literature until Ricardo Palma commences to write his unique series of *Tradiciones peruanas* around the year 1863. However, the first collection of these sketches was not published until 1872, being followed by nine more volumes scattered over the period from 1872–1910. The *tradición*, as Palma tells it, is a mixture of history, anecdotes, bold strokes of character sketching, occasional bursts of popular poetry and song, and a never overweening suggestion of moral which nearly always is an effective plea for justice, tolerance and moderation. Yet Palma never suggests a dyed-in-the-wool conservative; his liberal and golden mean, as Marcus Aurelius put it so well so long ago, is: "moderation in all things including moderation."

The rich storehouse of these *Tradiciones peruanas* is filled with the innumerable conflicts between Spaniards consequent to the epic clash between Indian and Spanish civilizations. It is a grand historic framework set with the smaller personal clashes of which the larger history of epochs is composed, enlivened constantly with a spark of biting irony, and pervaded with the conviction of a great writer's sincerity. Taken as a whole the *tradiciones* present an inimitable cross-section view of Peru under the Spanish Viceroys, a sort of series of highly colored word murals depicting all the adventure, passion, human foibles, and individual prowess characterizing those picturesque and lusty days. Palma has had many imitators, but no writer has equalled, nor even approximated the work of the master. His sketches stand apart from the main stream of Spanish-American literature during the last third of the nineteenth century (1863-1898) like a mighty torrent clearing the native channel which most of his compatriots of the twentieth century were to follow. This despite the fact that the greater part of his writing was done during a period marked by strong French influences.

As a matter of record the current of French influence had been significant in the political and philosophical side of Spanish-American life ever since the time of the French Revolution, but in literature it was not focussed until 1888 when Rubén Darío, the great Nicaraguan poet, published in Chile his famous collection of poems and prose sketches entitled *Azul*. After the appearance of this work, Darío quickly became the genius and messiah of all Spanish America, brandishing his prolific and sceptered pen successively in Nicaragua, Chile, Argentina, Spain, France, and finally in America again. He was the cosmopolite par excellence, the epitome of that supremely American characteristic of taking from all nations whatever one likes and moulding all that is taken into one. Darío followed the usual road marked out for writers, beginning as an imitator of unduly admired models. His poetry smacked of Hugo and Verlaine, and his short stories very strongly suggested those of Catulle Mendès. Albeit, the ivory tower retreat of disillusioned youth has never been given a more polished or more complete expression than in the early pages of this young poet; and even in this apprentice period, Darío's strength, sense of music and susceptibility to beauty burn through all the accumulated proofs and pedantries of outward and manifest Frenchification. *Azul*, being among his first works, was, intrinsically speaking, one of the weakest, yet with it the stream of Spanish-American belles lettres entered for the first time into the currents of world literature. Among the first European critics to direct foreign attention toward Darío was the Spaniard, Juan Valera. Writing in the Monday supplement of Madrid's *El imparcial*, Valera praised the style of *Azul* excessively, and classified the content as *galicismo mental* in Spanish raiment. This criticism was well taken, but later on in Darío's life when mental gallicism merges with the clothes it wears and the language it speaks, the poet becomes in his own right Spanish America's greatest single cultural figure, who after showing the way to his American contemporaries strikes a sonorously responsive chord in far off France and Spain. The coin borrowed is thus repaid with high interest, and the early critics who had disparagingly referred to Darío and other young Spanish-American writers as *modernistas*, found that their term of reproach had changed into a label of triumph.

Among other recent short story writers of Latin America are the Venezuelan critic and novelist, Díaz Rodríguez, and the excellent Mexican poets, Gutiérrez Nájera and Amado Nervo. The first two of these authors composed a series of delicately wrought symbolic fantasies in which the nuances of style frequently overwhelm the ordinary essentials of short story technique. The stories of Nervo, on the other hand, are written with more directness and simplicity, and fit more easily into our Anglo-Saxon conception and appreciation. Although the writer lived in Spain for many years as his country's minister to Madrid, a Mexican touch is always present in his pages, sometimes in incident, sometimes in his plastic, almost Indian expression of humility and resignation.

The course of Spanish-American letters changed after the defeat of the mother country in 1898, when a "quiver of racial sympathy ran through Spain's former colonies."* Darío abandons his restrictive ivory tower to sing the glories of America, the Mexican González Martínez urges his compatriots to "twist the neck of the deceptively plumaged swan," and the writers of Uruguay and Argentina — after a brief excursion toward France — return to their native pampas.

* Alfred Coester, *Anthology of the modernista movement in Spanish America*, 1924.

In these two latter countries the development of a literary tradition had been far different from that followed by Mexico and Peru, where one civilization rapidly dominated another, and where gold and agriculture formed a nucleus around which the amenities and arts might quickly and easily thrive. Argentina and Uruguay had offered the Spanish conquerors only barren untilled soil and poor, semi-savage Indian tribes, which being scattered and unorganized could not be summarily challenged and overcome like the more unified Empires of Mexico and Peru. This led to a long period of frontier life, and later of frontier literature, lacking in the northern Viceroyships where the transplanted old world and not the new pioneer spirit predominated. The frontiersman has no time for artistic pursuits, hence literature in these two pioneer countries was some two hundred years behind that of their wealthier sister nations, and could not begin at all until life had at least been made reasonably secure, and a certain measure of leisure had been won. In the first period of its development this frontier literature attained prose expression in Argentina's immortal *Facundo** (1845), and in many romantic or popular poems scattered throughout the nineteenth century employing native and gaucho themes. During this century, as the frontier was pushed slowly but steadily forward the literature of these nations reflected the ever-present conflict between the city and the hinterland, between civilization and barbarism, between the European and the American way of life. It was not a case of Spanish culture being superimposed; out of these conflicts it had to be created anew.

The poetic phase of Argentina and Uruguay's gaucho literature culminated in José Hernández's epic masterpiece of the Argentine pampas, *Martín Fierro*, the first part of which appeared in 1872, the same year that the first volume of Ricardo Palma's traditions was printed in Peru. *Martín Fierro* is an epic summarizing, in the portrayal of the idealized "gaucho", a frontier spirit which had al-

---

* The celebrated *Facundo, o Civilización y barbarie en la República Argentina*, by Domingo F. Sarmiento, presents a picture of life in the Argentine under the *caudillos* (tyrants) who control the country for several years after it frees itself from Spain.

ready largely disappeared. Like many other famous epics before it, Hernández's poem preceded the development of the succeeding literary *genres* whose roots it nourished. Such had been the case with Homer's *Iliad*, the *Poem of the Cid*, the *Song of Roland*, the saga of *Beowulf*. The summarized feeling embodied in an epic perspective is in almost all nations the beginning of a national literature, which later refines and breaks this feeling up again into its secondary elements. Hence, the gaucho drama, novel, and short story did not commence to hold much sway until a generation after the appearance of *Martín Fierro*, that is, around the year 1900.

The best of these early gaucho prosists was Javier de Viana of Uruguay, whose writing reveals a strength and clarity of talent that has no peer in all Spanish-American literature. Unfortunately, Viana was plagued with a case of too restricted Americanism, indeed of too restricted provincialism. This limited viewpoint, a plethora of local terms, and a fatal love of detail which often leads him to write entire pages naming each blade of grass and herb on the countryside, tend to narrow the channels of this excellent writer's appeal. He possesses every quality that immortal writing demands except perspective.

José Antonio Campos of Ecuador is another interpreter of the provincial scene, but as he depends largely on humor for effects his sketches are considerably easier to follow than those of Viana, without, however, suggesting the latter's scope.

Horacio Quiroga, of Uruguay and Argentina, overshadows every other Spanish-American short story writer except Ricardo Palma whom he surpasses in variety and perhaps in psychological penetration. Quiroga started his prose career imitating Edgar Allan Poe, next he studiously took up the great Russians, then finally found the touchstone of his own greatness and developed into the finest interpreter of both city and frontier life that Latin America has produced. Perhaps not endowed with the precocious talents of Viana, Quiroga put his literary bent to a better advantage, and has achieved distinction in every conceivable type or style of short narrative. His jungle tales for children are unique in their language, his local color sketches set in the northern Argentine province of Misiones are unexcelled, and his fantasies, stories of love, interpretations of abnormality, madness, horror and death all show the workmanship of a consummate artist. As the Uruguayan critic, Alberto Zum Felde, remarks: "If, through historical adversity, this South America of ours did not live so on the margin of European attention, a short story writer like Quiroga would be famous; and his editions, translated into other languages, would succeed each other by the thousands. But our America is still an outpost of the world; and the glory of its personalities is sadly limited by uninformed indifference."* And indeed it is true that Spanish America does not have the backing of enough cannon or sufficient weight of material industry to push the names of her great down our material palates. It has become a tendency with us to admire only those artists who make so much noise and whose names are repeated so loudly and so often that their work cannot be passed by without a condescending and affirmative nod.

Manuel Gálvez, essayist and greatest of living Argentine novelists, is the South American writer who has attained greatest reputation abroad, books of his having been translated into eleven languages. Gálvez's novels present a complete panorama of Argentine life, each of them delineating a different phase or corner of his nation's being. He has also written a few short narratives, most of them at an early stage in his career, yet even so the remarkable concinnity of his style and thought make Gálvez a short story writer worthy to be remembered.

Manuel Rojas, who has divided his life between Argentina and Chile, struggled up the ladder of literary fame the hard way, working successively on the trans-Andean railway, as bargeman and port sailor in Santiago, as prompter for a troupe of travelling comedians, and finally as linotypist in both Santiago and Buenos Aires. His stories reflect this struggle for a livelihood and the often denied right of a man to stand before the world and assert his individuality whatever his station. In most of Rojas' stories the soaring Andes are a background which serve to make the author's

* Alberto Zum Felde, in his introduction to *Más allá*, by Horacio Quiroga, 1934.

characters stand out motivated only by their most basic emotions. Any shadow of pretense in front of that magnificent backdrop would be inconceivably ridiculous. The story included in this volume, "El Cachorro," is taken from *Hombres del sur*, a characteristic title and first of a series of several collections of excellent short stories by an author who promises many more for the future.

In summing up the position of the short story in Spain and Spanish America, we might say that while the end of an epoch has already definitely arrived in Spain without anyone's being able to predict what may follow, in Spanish America literature has just taken off its European swaddling clothes and at the present moment is in the midst of a period of intense energy and development which should certainly last for two or three generations to come. Europe and America are merged in this vast twentieth century crucible, and it is likely that the alloy may become as strong or stronger than any of the original elements from which it is being forged. The march of occidental civilization has always been westward, touching in turn Asia, Greece, Rome, Spain, France and England, and there must be one step more before the last movement is traced and the last song is sung.

Cuentos hispánicos

Vicente Blasco Ibáñez

BLASCO IBÁÑEZ, by far the most widely read of modern Spanish authors, was born in the province of Valencia in 1867 and died in exile in France in 1928. He was journalist, political reformer, deputy to the *cortes*, novelist, world traveller, and always wrote as he lived, the stormy figure of a lusty, blustering paladin lifting his vigorous pen to tilt against old traditions which he considered a blot on the national spirit. In spite of his slapdash spontaneity, Blasco Ibáñez is perhaps the best story teller which Spain has yet produced, but unfortunately, he seldom used his talents to the best advantage.

Blasco's works show a gradual progression away from the Valencian countryside and people which he knew so well, toward Madrid and other large Spanish cities, and even to France and Argentina. Consequently, from a literary standpoint his best efforts are his earlier ones, and in proportion as he draws away from his native habitat his writing generally weakens. *Los cuatro jinetes del apocalipsis*, 1916, a distinctly poor novel, brought him wide fame among the allied nations because of its treatment of the World War. Other lesser known but far better works are: *La barraca*, 1898; *Cañas y barro*, 1902; *La catedral*, 1903; *La bodega*, 1905; *La horda*, 1905; *Cuentos valencianos*, 1916; *La condenada*, 1919; *El préstamo de la difunta*, 1921; *Cuentos de la costa azul*, 1924, etc. Some thirty works of Blasco Ibáñez have been translated into English, and many of them have been made into moving pictures.

*La paella del roder**

FUÉ un día de fiesta para la cabeza* del distrito la repentina visita del diputado, un señorón de Madrid, tan poderoso para aquellas buenas gentes, que hablaban de él como de la Santísima Providencia. Hubo gran *paella* en
5 el huerto del alcalde; un festín pantagruélico,* amenizado por la banda del pueblo y contemplado por todas las mujeres y chiquillos, que asomaban curiosos tras las tapias.

La flor del distrito estaba allí: los curas de cuatro o
10 cinco pueblos, los alcaldes y todos los muñidores, pues el diputado era defensor del orden y los sanos principios.

Entre las sotanas nuevas y los trajes de fiesta oliendo a alcanfor y con los pliegues del arca,* destacábanse majestuosos los lentes de oro y el negro chaqué del diputado;
15 pero a pesar de toda su prosopopeya,* la Providencia del distrito apenas si llamaba la atención.

Todas las miradas eran para un hombrecillo con calzones de pana y negro pañuelo en la cabeza, enjuto bronceado, de fuertes quijadas, y que tenía al lado un pesado retaco,
20 no cambiando de asiento sin llevar tras sí la vieja arma, que parecía un adherente de su cuerpo.

Era el famoso Quico Bolsón,* el héroe del distrito, un

* la paella del roder, *the outlaw's picnic*. (Paella is a Valencian dish made of mixed meats and rice.)
  1. *main city.*
  5. *huge.* (Reference is to "Pantagruel", Rabelais' famous giant.)
 13. pliegues del arca, *wrinkles from the chest.*
 15. *splendor.*
 22. Quico, *Frank, diminutive of* Francisco; Bolsón, *proper name,* "*Big Purse*".

2

roder con treinta años de hazañas, al que miraba la gente joven con terror casi supersticioso, recordando su niñez, cuando las madres decían para hacerles callar: — ¡ Que viene Bolsón !

A los veinte años tumbó a dos * por cuestión de amores; y después, al monte con el retaco, a hacer la vida de *roder*, de caballero andante de la sierra. Más de cuarenta procesos estaban en suspenso, esperando que tuviera la bondad de dejarse coger. ¡ Pero bueno era él ! * Saltaba como una cabra, conocía todos los rincones de la sierra, partía de un balazo una moneda en el aire, y la Guardia civil, cansada de correrías infructuosas, acabó por no verle.

Ladrón... eso nunca. Tenía sus desplantes de caballero *; comía en el monte lo que le daban por admiración o miedo los de las *masías*,* y si salía en el distrito algún ratero, pronto le alcanzaba su retaco; él tenía su honradez y no quería cargar con robos ajenos.* Sangre... eso sí, hasta los codos. Para él, un hombre valía menos que una piedra del camino; aquella bestia feroz usaba magistralmente todas las suertes de matar al enemigo: con bala; con navaja; frente a frente, si tenían agallas * para ir en su busca; a la espera y emboscado, si eran tan recelosos y astutos como él. Por celos había ido suprimiendo a los otros *roders* que infestaban la sierra; en los caminos, uno hoy y otro mañana, había asesinado a antiguos enemigos, y muchas veces bajó a los pueblos en domingo para dejar tendidos en la plaza, a la salida de la misa mayor, a alcaldes o propietarios influyentes.

Ya no le molestaban ni le perseguían. Mataba por pasión política a hombres que apenas conocía, por asegurar

5. tumbó a dos, *he bowled two over.*
9. bueno era él, *he was a long shot away from that.*
14. desplantes de caballero, *ideas of gentlemanly conduct.*
15. masías, *dialect for* masadas, *farms, country houses.*
17. cargar con robos ajenos, *take the blame for robberies committed by others.*
21. si tenían agallas, *if they had any backbone, "guts".*

el triunfo de don José, eterno representante del distrito. La bestia feroz era, sin darse cuenta de ello, una garra del gran pólipo electoral que se agitaba allá lejos, en el Ministerio de la Gobernación.*

Vivía en un pueblo cercano, casado con la mujer que le impulsó a matar por vez primera, rodeado de hijos, paternal, bondadoso, fumando cigarros con la Guardia civil, que obedecía órdenes superiores, y cuando a raíz de * alguna hazaña había que fingir que le perseguían, pasaba algunos días cazando en el monte, entreteniendo su buen pulso de tirador.*

Había que ver cómo le obsequiaban y atendían durante la *paella* los notables del distrito. — Bolsón, este pedazo de pollo; Bolsón, un trago de vino. — Y hasta los curas, riendo con un ¡jo jo! bondadosote, le daban palmaditas en la espalda, diciendo paternalmente: — ¡Ay, Bolsonet, que mal eres!

Por él se celebraba aquella fiesta. Sólo por él se había detenido en la cabeza del distrito el majestuoso don José, de paso para Valencia. Quería tranquilizarle y que cesase en sus quejas, cada vez más alarmantes.

Como premio por sus atropellos en las elecciones, le había prometido el indulto, y Bolsón, que se sentía viejo y ansiaba vivir tranquilo como un labrador honrado, obedecía al señor todopoderoso, creyendo en su rudeza que cada barbaridad, cada crimen, aceleraba su perdón.

Pero pasaban los años, todo eran promesas, y el *roder*, creyendo firmemente en la omnipotencia del diputado, achacaba a desprecio o descuido la tardanza del indulto.

La sumisión trocóse en amenaza,* y don José sintió el miedo del domador ante la fiera que se rebela. El *roder* le

4. Ministerio de la Gobernación, *Department of the Interior.*
8. a raíz de, *shortly after.*
11. entreteniendo su ... tirador, *keeping his steady marksman's hand in trim.*
30. trocóse en amenaza, *changed into threats*

LA PAELLA DEL RODER 5

escribía a Madrid todas las semanas con tono amenazador. Y estas cartas, garrapateadas por la sangrienta zarpa de aquel bruto, acabaron por obsesionarle, por obligarle a marchar al distrito.

Había que verles,* después de la *paella*, hablando en un rincón del huerto: el diputado, obsequioso y amable; Bolsón, cejijunto y malhumorado.

— He venido sólo por verte — decía don José, recalcando el honor que le concedía con su visita —. Pero ¿ qué son esas prisas ? ¿ No estás bien, querido Quico ? Te he recomendado al gobernador de la provincia; la Guardia civil nada te dice... ¿ qué te falta ?

Nada y todo. Es verdad que no le molestaban, pero aquello era inseguro, podían cambiar los tiempos y tener que volver al monte. El quería lo prometido: el indulto, ¡ *recordóns* !* Y formulaba su pretensión tan pronto en valenciano como en un castellano de pronunciación ininteligible.

— Lo tendrás, hombre, lo tendrás. Está al caer; un día de éstos será.*

Sonrió Bolsón con ironía cruel. No era tan bruto como le creían. Había consultado a un abogado de Valencia, que se había reído de él y del indulto. Tenía que dejarse coger, cargarse con paciencia los doscientos o trescientos años que podrían salirle en innumerables sentencias, y cuando hubiese extinguido una parte de presidio, como quien dice de aquí a cien años,* podría venir el tal indulto. ¡ Recristo !* Basta de broma: de él no se burlaba nadie.

El diputado se inmutó viendo casi perdida la confianza del *roder*.

---

5. había que verles, *they were a sight to watch.*
16. ¡ recordóns ! *what the devil!* (A Valencian oath.)
20. está... será, *it's about ready; it'll be along soon now.*
27. como quien dice..., *a hundred years from now, as one might say...*
28. *Good Lord!*

— Ese abogado es un ignorante. ¿Crees tú que para el gobierno hay algo imposible? Cuenta con que pronto saldrás de penas: te lo juro.

Y le anonadó con su charla; le encantó con su palabrería, conociendo de antiguo * el poder de sus habilidades de parlanchín sobre aquella cabeza fosca.

Recobró el *roder* poco a poco su confianza en el diputado. Esperaría; pero un mes nada más. Si después de este plazo no llegaba el indulto, no escribiría, no molestaría más. Él era un diputado, un gran señor, pero para las balas sólo hay hombres.*

Y despidiéndose con esta amenaza, requirió el retaco y saludó a toda la reunión. Regresaba a su pueblo; quería aprovechar la tarde, pues hombres como él sólo corren los caminos de noche cuando hay necesidad.

Le acompañaba el carnicero de su pueblo, un mocetón admirador de su fuerza y su destreza, un satélite que le seguía a todas partes.

El diputado los despidió con afabilidad felina.

— Adiós, querido Quico — dijo estrechando la mano del *roder* —. Calma, que pronto saldrás de penas. Que estén * buenos tus chicos; y dile a tu mujer que aún recuerdo lo bien que me trató cuando estuve en vuestra casa.

El *roder* y su acólito tomaron asiento en la tartana * de su pueblo, entre tres vecinas que saludaron con afecto al *siñor Quico* y unos cuantos chicuelos que pasaban las manos por el cargado retaco como si fuese una santa imagen.

La tartana avanzaba dando tumbos * por entre los

---

5. conociendo de antiguo, *knowing of old* ...
11. para las balas sólo hay hombres, *to bullets all men are the same.*
22. que estén ..., *I hope they are* ...
25. *a long covered wagon with two wheels popular in the province of Valencia.*
30. dando tumbos, *tumbling along.*

LA PAELLA DEL RODER

huertos de naranjos, cargados de flor de azahar. Brillaban las acequias, reflejando el dulce sol de la tarde, y por el espacio pasaba la tibia respiración de la primavera impregnada de perfumes y rumores.

Bolsón iba contento. Cien veces le habían prometido el indulto, pero ahora era de veras. Su admirador y escudero le oía silencioso.

Vieron en el camino una pareja de la Guardia civil, y Bolsón la saludó amigablemente.

En una revuelta apareció una segunda pareja, y el carnicero movióse en su asiento como si le pinchasen.* Eran muchas parejas en camino tan corto. El *roder* le tranquilizó. Habían concentrado la fuerza del distrito por el viaje de don José.

Pero un poco más allá encontraron la tercera pareja, que, como las anteriores, siguió lentamente al carruaje, y el carnicero no pudo contenerse más. Aquello le olía mal.* ¡Bolsón, aún era tiempo! A bajar en seguida; a huir por entre los campos hasta ganar la sierra. Si nada iba con él,* podía volver por la noche a casa.

— Sí, *siñor* Quico, sí — decían las mujeres asustadas.

Pero el *siñor* Quico se reía del miedo de aquellas gentes.

— Arrea, tartanero ... arrea.*

Y la tartana siguió adelante, hasta que de repente saltaron al camino quince o veinte guardias, una nube de tricornios* con un viejo oficial al frente. Por las ventanillas entraron las bocas de los fusiles apuntando al *roder*, que permaneció inmóvil y sereno, mientras que mujeres y chiquillos se arrojaban, chillando, al fondo del carruaje.

— Bolsón, baja o te matamos — dijo el teniente.

11. comi si le pinchasen, *as if someone had jabbed him.*
17. le olía mal, *looked bad to him.*
20. si nada iba con él, *if they weren't after him.*
23. arrea, tartanero..., *keep going, driver.*
26. *three-cornered hat* (worn by the Civil Guards.)

Bajó el *roder* con su satélite, y antes de poner pie en tierra ya le habían quitado sus armas. Aún estaba impresionado por la charla de su protector, y no pensó en hacer resistencia por no imposibilitar su famoso indulto con un nuevo crimen.

Llamó al carnicero, rogándole que corriese al pueblo para avisar a don José. Sería un error, una orden mal dada.*

Vió el mocetón cómo se le llevaban a empujones * a un naranjal inmediato, y salió corriendo camino abajo por entre aquellas parejas, que cerraban la retirada a la tartana.

No corrió mucho. Montado en su jaco encontró a uno de los alcaldes que habían estado en la fiesta... ¡Don José! ¿Dónde estaba don José?

El rústico sonrió, como si adivinara lo ocurrido... Apenas se fué Bolsón, el diputado había salido a escape * para Valencia.

Todo lo comprendió el carnicero: la fuga, la sonrisa de aquel tío * y la mirada burlona del viejo teniente cuando el *roder* pensaba en su protector, creyendo ser víctima de una equivocación.

Volvió corriendo al huerto, pero antes de llegar, una nubecilla blanca y fina como vedija de algodón * se elevó sobre las copas de los naranjos, y sonó una detonación larga y ondulada, como si se rasgase * la tierra.

Acababan de fusilar a Bolsón.

El discípulo se mesó los cabellos. ¡Recristo! ¿Así se mataba a los hombres que son hombres?

El teniente le puso una mano en el hombro.

8. mal dada, *wrongly given.*
9. a empujones, *by pushing.*
17. a escape, *with all haste.*
20. *fellow.*
24. vedija de algodón, *tuft of cotton.*
26. como si se rasgase..., *as if the earth were rent asunder.*

—Tú, aprendiz de *roder*, mira como mueren los pillos. El "aprendiz" se revolvió con fiereza, pero fué para mirar a lo lejos, como si a través de los campos pudiera ver el camino de Valencia, y sus ojos, llenos de lágrimas, parecían decir:— Pillo, sí; pero más pillo es el que huye.

La condenada, 1919.

La tumba de Alí-Bellús

—Era en aquel tiempo —dijo el escultor García— en que me dedicaba, para conquistar el pan, a restaurar imágenes y dorar altares, corriendo de este modo casi todo el reino de Valencia. Tenía un encargo de importancia: restaurar el altar mayor de la iglesia de Bellús, obra pagada con cierta manda de una vieja señora, y allá fuí con dos aprendices, cuya edad no se diferenciaba mucho de la mía.

Vivíamos en casa del cura, un señor incapaz de reposo, que apenas terminaba su misa ensillaba el macho* para visitar a los compañeros de las vecinas parroquias o empuñaba la escopeta,* y con balandrán y gorro* de seda salía a despoblar de pájaros la huerta. Y mientras él andaba por el mundo,* yo, con mis dos compañeros, metidos en la iglesia, sobre los andamios del altar mayor, complicada fábrica del siglo XVII, sacando brillo a los dorados o alegrándoles los mofletes* a todo un tropel de angelitos que asomaban entre la hojarasca* como chicuelos juguetones.

Por las mañanas, terminada la misa, quedábamos en absoluta soledad. La iglesia era una antigua mezquita de blancas paredes; sobre los altares laterales extendían las viejas arcadas su graciosa curva, y todo el templo

10. *mule.*
12. empuñaba la escopeta, *he grabbed his shotgun.*
12. balandrán y gorro, *cassock and cap.*
14. andaba por el mundo, *he wandered over the countryside.*
17. *chubby cheeks.*
18. *leaf-work.*

LA TUMBA DE ALÍ-BELLÚS

respiraba ese ambiente de silencio y frescura que parece envolver a las construcciones árabes. Por el abierto portón veíamos la plaza solitaria inundada de sol; oíamos los gritos de los que se llamaban allá lejos, a través de los campos, rasgando la inquietud de la mañana, y de vez en cuando las gallinas entraban irreverentemente en el templo, paseando ante los altares con grave contoneo,* hasta que huían asustadas por nuestros cantos. Hay que advertir que, familiarizados con aquel ambiente, estábamos en el andamio como en un taller, y yo obsequiaba a aquel mundo de santos, vírgenes y ángeles inmóviles y empolvados por los siglos, con todas las romanzas aprendidas en mis noches de *paraíso*,* y tan pronto cantaba a la *celeste Aida* * como repetía los voluptuosos arrullos de Fausto en el jardín.

Por eso veía con desagrado por las tardes cómo invadían la iglesia algunas vecinas del pueblo, comadres descaradas * y preguntonas, que seguían el trabajo de mis manos con atención molesta y hasta osaban criticarme por si no sacaba bastante brillo al follaje de oro o ponía poco bermellón en la cara de un angelito. La más guapetona y la más rica, a juzgar por la autoridad con que trataba a las demás, subía algunas veces al andamio, sin duda para hacerme sentir de más cerca su rústica majestad, y allí permanecía, no pudiendo moverme sin tropezar con ella.

El piso de la iglesia era de grandes ladrillos * rojos, y tenía en el centro, empotrada en un marco * de piedra, una enorme losa con anilla * de hierro. Estaba yo una tarde imaginando qué habría debajo, y agachado sobre la losa

7. *waddling, strut.*
13. *top gallery.*
14. celeste Aida, *famous tenor aria from Verdi's opera "Aida".*
17. comadres descaradas, *impudent gossipers.*
27. *bricks.*
28. empotrada en un marco, *embedded in a frame.*
29. losa con anilla, *slab with a ring.*

rascaba con un hierro el polvo petrificado de las junturas, cuando entró aquella mujerona, la *siñá* Pascuala, que pareció extrañarse mucho al verme en tal ocupación.

Toda la tarde la pasó cerca de mí, en el andamio, sin hacer caso de sus compañeras, que parloteaban * a nuestros pies, mirándome fijamente mientras se decidía a soltar la pregunta que revoloteaba en sus labios. Por fin la soltó. Quería saber qué hacía yo sobre aquella losa que nadie en el pueblo, ni aun los más ancianos, habían visto nunca levantada. Mis negativas excitaron más su curiosidad, y por burlarme de ella me entregué a un juego de muchacho, arreglando las cosas de modo que todas las tardes, al llegar a la iglesia, me encontraba mirando la losa, hurgando en sus junturas.

Di fin a la restauración, quitamos los andamios; el altar lucía como un ascua de oro, y cuando le echaba la última mirada, vino la curiosa comadre a intentar por otra vez hacerse partícipe de «mi secreto.»

— *Dígameu,** pintor* — suplicaba —. *Guardaré el secret*.

Y el pintor (así me llamaban), como era entonces un joven alegre y había de marchar en el mismo día, encontró muy oportuno aturdir a aquella impertinente con una absurda leyenda. La hice prometer un sinnúmero de veces, con gran solemnidad, que no repetiría a nadie mis palabras, y solté cuantas mentiras me sugirió mi afición a las novelas interesantes.

Yo había levantado aquella losa por arte maravilloso que me callaba,* y visto cosas extraordinarias. Primero, una escalera honda, muy honda; después, estrechos pasadizos, vueltas y revueltas; por fin, una lámpara que debía estar ardiendo centenares de años, y tendido en una cama

5. *were chattering.*
19. Dígameu..., *Valencian dialect,* Dígame... guardaré el secreto.
29. *I would keep to myself.*

LA TUMBA DE ALÍ-BELLÚS

de mármol un *tío* muy grande, con la barba hasta el vientre, los ojos cerrados, una espada enorme sobre el pecho y en la cabeza una toalla arrollada con una media luna.*
— *Será un mòro* — interrumpió ella con suficiencia.
Sí, un moro. ¡ Qué lista era ! Estaba envuelto en un manto que brillaba como el oro, y a sus pies una inscripción en letras enrevesadas que no las entendería el mismo cura; pero como yo era pintor, y los pintores lo saben todo, la había leído de corrido.* Y decía... decía... ¡ ah, sí ! decía: « Aquí yace Alí-Bellús; su mujer Sarah y su hijo Macael le dedican este último recuerdo. »
Un mes después supe en Valencia lo que ocurrió apenas abandoné el pueblo. En la misma noche, la *siñá* Pascuala juzgó que era bastante heroísmo callarse durante algunas horas, y se lo dijo todo a su marido, el cual lo repitió al día siguiente en la taberna. Estupefacción general. ¡ Vivir toda la vida en el pueblo, entrar todos los domingos en la iglesia y no saber que bajo sus pies estaba el hombre de la gran barba, de la toalla en la cabeza, el marido de Sarah, el padre de Macael, el gran Alí-Bellús, que indudablemente habría sido el fundador del pueblo !... Y todo esto lo había visto un forastero, sin más trabajo que llegar, y ellos no. ¡ Cristo !
Al domingo siguiente, apenas el cura abandonó el pueblo para comer con un párroco vecino, una gran parte del vecindario corrió a la iglesia. El marido de la *siñá* Pascuala anduvo a palos * con el sacristán para quitarle las llaves, y todos, hasta el alcalde y el secretario, entraron con picos, palancas y cuerdas. ¡ Lo que sudaron !...* En dos siglos lo menos no había sido levantada aquella losa, y los mozos más robustos, con los bíceps al aire y el cuello

    3. toalla arrollada... luna, *a towel decorated with a crescent wound around his head.*
    9. de corrido, *right off; with no trouble at all.*
    27. anduvo a palos, *almost had to fight with...*
    29. ¡ Lo que sudaron ! *How they sweated!*

hinchado por los esfuerzos, pugnaban inútilmente por removerla.

— ¡ Fòrsa,* fòrsa! — gritaba la Pascuala capitaneando aquella tropa de brutos —. ¡ Abaix * está el mòro!

Y animados por ella redoblaron todos sus esfuerzos, hasta que después de una hora de bufidos,* juramentos y sudor a chorros, arrancaron, no sólo la losa, sino el marco de piedra, saltando tras él una gran parte de los ladrillos del piso. Parecía que la iglesia se venía abajo. ¡ Pero buenos estaban ellos * para fijarse en el destrozo!... Todas las miradas eran para la lóbrega sima * que acababa de abrirse ante sus pies.

Los más valientes rascábanse la cabeza con visible indecisión; pero uno más audaz se hizo atar una cuerda a la cintura y se deslizó, murmurando un credo. No se cansó mucho en el viaje. Su cabeza estaba aún a la vista de todos, cuando sus pies tocaban ya en el fondo.

— ¿ Qué veus? * — preguntaban los de arriba con ansiedad.

Y él se agitaba en aquella lobreguez, sin tropezar con otra cosa que montones de paja arrojada allí hacía muchos años, después de un desestero,* y que putrefacta por las filtraciones despedía un hedor insufrible.

— ¡ Busca, busca! — gritaban las cabezas formando un marco gesticulante en torno de la lóbrega abertura. Pero el explorador sólo encontraba coscorrones,* pues al avanzar su cabeza chocaba contra las paredes. Bajaron otros mozos, acusando de torpeza al primero, pero al fin tuvieron que convencerse de que aquel pozo no tenía salida alguna.

    3. *Valencian for* fuerza; *bear down on it!*
    4. *Valencian for* abajo; *underneath.*
    6. *puffing and blowing.*
    10. buenos estaban ellos, *they were in no frame of mind to* ...
    11. lóbrega sima, *dark pit.*
    18. *Valencian for* ¿ Qué ves ? *What do you see?*
    22. *season or act of taking mats off the floor.*
    26. sólo encontraba coscorrones, *only got bumped for his pains.*

LA TUMBA DE ALÍ-BELLÚS

Se retiraron mohinos entre la rechifla de los chicuelos, ofendidos porque les habían dejado fuera de la iglesia, y el griterío de las mujeres, que aprovechaban la ocasión para vengarse de la orgullosa Pascuala.

— ¿ *Cóm* * *está Alí-Bellús?* — preguntaban —. ¿ *Y su hijo Macael?* Para colmo * de sus desdichas, al ver el cura roto el piso de su iglesia y enterarse de lo ocurrido, púsose furioso; quiso excomulgar al pueblo por sacrílego, cerrar el templo, y únicamente se calmó cuando los aterrados descubridores de Alí-Bellús prometieron construir a sus espensas un pavimento mejor.

— ¿ Y no ha vuelto usted allá ? — preguntaron al escultor algunos de sus oyentes.

— Me guardaré mucho.* Más de una vez he encontrado en Valencia a alguno de los chasqueados; * pero ¡ debilidad humana ! al hablar conmigo se reían del suceso, lo encontraban muy gracioso, y aseguraban que ellos eran de los que, presintiendo la jugarreta, se quedaron a la puerta de la iglesia. Siempre han terminado la conversación invitándome a ir allá para pasar un día divertido; cuestión de comerse una *paella*... ¡ Que vaya el demonio ! * Conozco a mi gente. Me invitan con una sonrisa angelical, pero instintivamente guiñan el ojo izquierdo como si ya estuvieran echándose la escopeta a la cara.

Cuentos valencianos, 1916.

5. *Valencian for* **Cómo**.
6. *the last straw*.
14. me guardaré mucho, *I'll think twice before doing that*.
15. *persons tricked*.
21. ¡ Que vaya el demonio ! *Like the devil I'll go !*

Manuel Gálvez

BORN in the city of Paraná, Republic of Argentina, on July 18, 1882, Manuel Gálvez began to write at the age of eighteen, and in 1903 founded the magazine *Ideas* in collaboration with Ricardo Olivera. The younger writers of Argentina gathered around this magazine, and a few years later Gálvez considered his literary career so successful that in 1917 he established a large publishing house, the *Cooperativa Editorial de Buenos Aires*. The life work of Gálvez is to portray all of Argentina in his writings by presenting a different phase of the national life in each of his novels. He has already attained this ambition, is known today as Argentina's greatest living novelist, and examples of his work have been translated into eleven foreign languages. Only two of his weaker efforts, however, *Nacha Regules* and *Holy Wednesday* (*Miércoles santo*), appear in English.

In addition to his long and varied list of novels Gálvez has written two books of short stories: *Luna de miel y otras narraciones*, 1920; and *Una mujer muy moderna*, 1927. He also has one finely done analytical work on the Spanish background of Argentine culture, *El solar de la raza*, 1913, and a recent analysis along more national lines entitled, *La Argentina en nuestros libros*, 1935.

Among his novels the best are: *La maestra normal*, 1914, perhaps his masterpiece, in which Gálvez the inspector of secondary education makes several appearances; *La sombra del convento*, 1917; and *La tragedia de un hombre fuerte*, 1922, his most extensive effort. Other representative novels are: *El mal metafísico*, 1916; *Nacha Regules*, 1919; *Historia de arrabal*, 1922; *El cántico espiritual*, 1923; and *Cautiverio*, 1935.

Gálvez is the easiest to read of all Spanish American prosists. He writes in a style which seems absolutely effortless, natural, limpid and simple. Neither flowery ornamentation nor too many local terms mar the clarity of his language. As a student of modern psychology, particularly of feminine psychology, he has no equal in the Spanish idiom, and his ideas are invariably suggestive, well put, completely alive, flowing like clear water from a facile spring.

Los ciudadanos de Poyastá

I

AQUELLA mañana estival de 1880, el pueblo de Poyastá, habitualmente pacífico y aburrido, amaneció inquieto. Por las calles transitaba mayor número de personas que de costumbre, y en la plaza y en las puertas se formaban pequeños grupos. Cuando dos conocidos se encontraban, en seguida poníanse a conversar en voz baja y mirando hacia todos lados. Se susurraba que un nefasto régimen político iba a comenzar para Poyastá. Hacía dos semanas que una revolución triunfante en la capital de la provincia había constituído un gobierno arbitrario y que este gobierno acababa de nombrar como jefe político y comisarios de Poyastá a individuos desconocidos en el pueblo, y de alguno de los cuales comenzábanse a contar cosas siniestras.

En la plaza, dos hombres, bajo un copudo paraíso,* conversaban sobre los díceres* circulantes. El más joven, un individuo melenudo y bocón, que se comía los bigotes y accionaba como energúmeno, se llamaba Antonio Diez, era redactor en jefe de *La Justicia* y escribía tropicales acrósticos* a las niñas de Poyastá. Su interlocutor era el jefe de la receptoría. Tenía ojos saltones, barriga formidable* y alma entusiasta.

15. un copudo paraíso, *a heavy leafed (Paradise) tree.*
16. los díceres circulantes, *the news (which was being spread about).*
20. *acrostics* (compositions in which one or more sets of letters taken in order form words).
22. ojos saltones, barriga formidable, *pop eyes, a formidable paunch (barrel).*

Ninguno de los dos creía posible que se estableciera en la provincia un régimen dictatorial. La nobleza, la valentía, la independencia de aquellos argentinos no lo permitirían jamás. Por su parte, ambos se declaraban indignados contra el nuevo gobierno, y hablaban hasta de ofrecer sus vidas en defensa de la libertad y la justicia. Iban a separarse, cuando un amigo se les acercó. Era un hombre canoso y erguido, de mirada enérgica.

— ¡Es una infamia, una vil infamia lo que ocurre! — exclamó el recién llegado.

— Baje la voz, don Juan — suplicó el periodista.

Don Juan se indignó. A él, Juan García, no le importaba que le oyeran. Los hombres del gobierno eran unos asesinos y ladrones, y él no se callaría.

— Pero, ¿qué hay? ¿Se sabe algo? — preguntó el receptor.

— ¿No saben? esta noche o mañana serán fusilados dos pobres diablos que dieron vivas al gobierno caído. Los infelices estaban ebrios.

Los dos interlocutores de don Juan García manifestaron franca y noblemente su cólera. Don Juan se excitaba cada vez más, y poco a poco comenzó a acercárseles la gente que pasaba. En un momento llegaron a reunirse hasta ocho personas, con gran enojo de Diez y del receptor, que no consideraban política ni útil semejante manifestación. Y como don Juan, dirigiéndose a su auditorio, continuase perorando, ellos se marcharon sin despedirse.

— Sí, señores, es una infamia — decía don Juan a los que lo rodeaban. — Es preciso echar abajo a este gobierno que...

Un comisario que se acercara * y había oído sus últimas palabras, le interrumpió, enarbolando su talero*:

32. *had drawn near* (the *-ra* form of the past subjunctive used as the pluperfect).
33. enarbolando su talero, *swinging his club*.

LOS CIUDADANOS DE POYASTÁ

— ¡Dése preso,* viejo insolente!
Y a empujones y lonjazos,* como un criminal, don Juan fué llevado a la comisaría.

II

Al atardecer, el director de la escuela, sabedor de la prisión de don Juan, fué a visitar a Zapata, el médico del pueblo. Zapata era un hombrecillo pequeño y sutil. Escribía en *La Justicia* artículos sobre sociología, que lo habían consagrado — según decía aquel diario — como *una de las primeras cabezas de Poyastá*. Se hallaban en su casa el receptor y Diez.

— ¡Qué injusticia la prisión de don Juan! — exclamó el maestro apenas entró. — ¡Es necesario que nos levantemos como un solo hombre, que digamos a esos forajidos quién es Juan García y lo que ha hecho por la patria y por la localidad!

Todos aceptaron, frenéticos de entusiasmo y amor a la justicia. El maestro de la escuela entonces, al ver la generosidad de sus amigos, les leyó una carta dirigida al director de *La Justicia*, y que Diez se encargaría de hacer publicar. Era una valiente página, en la que se invocaba la nobleza de la raza y el espíritu de justicia que siempre moviera* a los ciudadanos. Hablaba con entusiasmo de don Juan García, el guerrero del Paraguay, el amigo de los pobres, el buen patriota a quien Poyastá debía tantos progresos. ¿Era posible que Poyastá dejase en la cárcel a uno de sus hijos predilectos?

— ¡Bravo, notable! — exclamó el receptor, levantándose de su asiento y desbordando de un entusiasmo justiciero y terrible.

1. (*Surrender!*) *you are under arrest!*
2. a empujones y lonjazos, *with pushes and clubbings.*
22. See note to page 20, line 32.

Diez, tumultuoso y generoso, saltó hacia el maestro y le arrebató el artículo.

— Esto sale mañana en *La Justicia*. Es un monumento, una página imperecedera, que debiera quedar grabada con caracteres indelebles en...

El maestro interrumpió al exuberante poeta de los acrósticos, para expresar la conveniencia de reunir aquella noche a unos cuantos amigos, a los intelectuales de Poyastá, con el fin de firmar una nota de protesta y enviarla a la capital de la provincia. El médico ofreció su casa.

— Bien pensado — dijo el receptor. — Desde luego podemos invitar al cura, que le debe el curato a don Juan, y a Priola, que es su amigo y...

— ... le debe buenos pesos — agregó risueñamente el médico, que era un espíritu maligno y chacotón.*

Luego mencionaron a cinco personas más, y todas fueron aceptadas. Podría afirmarse que la intelectualidad en masa de Poyastá iría aquella noche a la casa del médico. Sería un espectáculo enaltecedor y reconfortante, que revelaría el despertar de la conciencia nacional, de la hidalguía y la nobleza de la raza. Así lo iba pensando, para su artículo de la mañana siguiente, Antonio Diez, mientras, con el sombrero en la mano, desmelenado, heroico y genial, recorría, en dirección a su casa, las calles dormidas de Poyastá.

III

En el escritorio del médico, nueve personas se hallaban reunidas aquella noche. Iracundos e importantes, anatematizaban a las autoridades. El maestro propuso redactar la protesta, y, como gozaba fama de literato,* fué designado casi por unanimidad. En un momento,

---

16. *given to noisy mirth.*
30. fama de literato, *reputation as a writer.*

con la mano temblando, llenó una página de papel de oficio. Y en seguida comenzaron a firmar. El maestro, modestamente, colocó su rúbrica emocionada al final de otra hoja en blanco. Luego estampó el receptor su firma, desordenada y recia. También se hallaba en el papel la firma de Diez, que, habiendo hablado con el maestro, con motivo del artículo, antes de ir al diario, quiso adherirse incondicionalmente.

Pero de pronto el maestro notó que el entusiasmo se había enfriado. El médico, rodeado del cura y de Priola, hablaba misteriosamente.

—¡A ver, doctor Zapata! ¡A firmar! — exclamó el maestro.

Zapata, entonces, declaró que él se adhería a la nota, pero que, en su concepto, la protesta debía quedar como una simple manifestación verbal.

—Si la redacción no le satisface... — empezó el maestro, dispuesto a ceder a otro la gloria de ser autor del documento.

—No es eso — dijo Zapata, en cuyas mejillas habían aparecido vagas tonalidades rosadas.* — Pero debemos pensar el caso. Yo tengo argumentos en contra. Por ejemplo, no soy enemigo de la pena de muerte, y no quiero que el gobierno crea que...

— Tiene razón — exclamó el cura, con voz más recia. — Firmar esto es lo mismo que adherirse a las ideas de don Juan, que ha condenado la pena de muerte. Y yo, como sacerdote no puedo...

— Yo, señores — tartamudeó Priola, — quiero como un hermano a don Juan. Más, lo quiero como a un padre. Pero hay esto... Tengo hijos, tengo mujer, soy el sostén de mis padres, y, señores, lamentaría que... por una cosa así... por amistad... me fusilasen a mí también.

El maestro, estupefacto, no sabía qué decir. Pero en

---

21. tonalidades rosadas, *red spots*.

ese instante se abrió la puerta y apareció Diez, demudado *
y trémulo.

— El director se niega a publicarlo — dijo, entregando
el artículo al maestro. — Dice que es una imprudencia, que
eso puede matar al diario, que él no tiene derecho a privar
a la sociedad de un órgano de cultura y progreso como *La
Justicia*.

Estas palabras acabaron de decidir a todos. El médico
aconsejó esperar, y declaró que, en caso de continuar en
la cárcel don Juan, o de ser fusilado, él sería el primero en
escribir un artículo de protesta.

— Escuche, amigo — le dijo el receptor al maestro,
llamándole aparte. — Por lo que más quiera en este
mundo, no haga uso de mi firma, no diga a nadie que
yo... ¡ Mire que puedo perder mi empleo, que es el pan
de mis hijos !

El maestro, con la nota en la mano, la miraba, sonriente
y triste, cuando sintió que alguien se la arrebataba y la
hacía pedazos. Era Diez, el poeta de los acrósticos, que
exclamó resueltamente:

— ¡ Dejémonos de lirismos ! *

Y entonces el maestro, que no sabía cómo salir de
aquella casa ni qué decir a aquellos hombres, tomó su
sombrero, y, parado en el umbral,* antes de salir, exclamó, con los ojos llenos de lágrimas :

— ¡ Son ustedes unos cobardes y unos desagradecidos !

Luna de miel y otras narraciones, 1920

1. *his color and expression changed.*
21. ¡ Dejémonos de lirismos ! *Let's drop our high-flown words !*
24. parado en el umbral, *standing in the doorway.*

Amado Nervo

AMADO NERVO (1870-1919), one of the greatest modern Mexican poets and prose writers, carried on the work of his precursor and compatriot, Manuel Gutiérrez Nájera. He wrote for both the *Revista Azul* and the *Revista Moderna*, Mexico's modernist journals, served later in the Mexican legations of Madrid and Buenos Aires, and died in Montevideo in 1919.

In Nervo's pages one sees a wavering between doubt and questioning, on the one hand, and serenity and resignation on the other. He suggests mysticism without being a mystic, expresses serenity without being serene. Among his sketches and short stories some of the best are found in *Almas que pasan*, 1906; some of his best volumes of verse are: *En voz baja*, 1904; *Serenidad*, 1914; *Elevación*, 1917; *La amada inmóvil*, 1920. One of his last works, *Plenitud*, 1918, written in prose, has recently been translated into English.

Perhaps we may find in Nervo's writing a symbol of modern Spanish America gradually progressing away from the European cradle, away from the first tottering dubious steps of insecure national art, toward a final realization and fulfillment of self. And his personal philosophy, a kind of Catholic pantheism, expresses a final humility before the beginning and the end of life over which one may ponder and write much without ever coming to understand or ever be able to alter.

Una esperanza

EN UN ángulo de la pieza, habilitada de capilla,* Luis, el joven militar, abrumado por todo el peso de su mala fortuna, pensaba.

Pensaba en los viejos días de su niñez, pródiga en goces y rodeada de mimos, y en la amplia y tranquila casa paterna, uno de esos caserones de provincia, sólidos, vastos, con jardín, huerta y establos, con espaciosos corredores, con grandes ventanas que abrían sobre la solitaria calle de una ciudad de segundo orden (no lejos por cierto de aquélla en que él iba a morir), sus rectángulos cubiertos por encorvadas y potentes rejas, en las cuales lucía discretamente la gracia viril de los rosetones * de hierro forjado.

Recordaba su adolescencia, sus primeros ensueños, vagos como luz de estrellas, sus amores (cristalinos, misteriosos, asustadizos como un cervatillo en la montaña y más pensados que dichos), con la *güerita* * de enagua corta, que apenas deletreaba los libros y la vida...*

Luego desarrollábase ante sus ojos el claro paisaje de su juventud fogosa, sus camaradas alegres y sus relaciones, ya serias, con la rubia de marras,* vuelta mujer, y que ahora porque él volviese con bien,* rezaba ¡ay! en vano, en vano...

1. habilitada de capilla, *fixed up as a chapel*.
12. *rosette*, (circular architectural design).
16. *little blonde* (Mexican).
17. apenas deletreaba los libros y la vida, *who was still at the babbling age*.
20. de marras, *before mentioned; of long ago*.
21. porque él volviese con bien, *in order that he might return safely*.

Y, por último, llegaba a la época más reciente de su vida, al período de entusiasmo patriótico, que le hizo afiliarse al partido liberal, amenazado de muerte por la reacción, a la cual ayudaba en esta vez un poder extranjero; y tornaba a ver el momento en que un maldito azar de la guerra, después de varias escaramuzas, le había llevado a aquel espantoso trance.

Cogido con las armas en la mano, hecho prisionero y ofrecido con otros compañeros a trueque de las vidas de algunos oficiales reaccionarios, había visto desvanecerse su última esperanza, en virtud de que la proposición de canje llegó tarde, cuando los liberales, sus correligionarios, habían fusilado ya a los prisioneros conservadores.

Iba, pues, a morir. Esta idea, que había salido por un instante de la zona de su pensamiento, gracias a la excursión amable por los sonrientes recuerdos de la niñez y de la juventud, volvía de pronto, con todo su horror, estremeciéndole de pies a cabeza.

Iba a morir... ¡a morir! No podía creerlo, y, sin embargo, la verdad tremenda se imponía: bastaba mirar en rededor: aquel altar improvisado, aquel Cristo viejo y gesticulante sobre cuyo cuerpo esqueletoso caía móvil y siniestra la luz amarillenta de las velas, y, allí cerca, visibles a través de la rejilla de la puerta, los centinales de vista...

Iba a morir, así: fuerte, joven, rico, amado... ¡Y todo por qué! Por una abstracta noción de Patria y de partido...

¡Y qué cosa era la Patria!... Algo muy impreciso, muy vago para él en aquellos momentos de turbación; en tanto que la vida, la vida que iba a perder, era algo real, realísimo, concreto, definido... ¡era su vida!

—¡La Patria! ¡Morir por la Patria!—pensaba— Pero es que ésta, en su augusta y divina inconciencia, no sabrá siquiera que he muerto por ella...

—¡Y qué importa, si tú lo sabes!—le replicaba allá dentro un sobconsciente misterioso—. La Patria lo sabría por tu propio conocimiento, por tu pensamiento propio, que es un pedazo de su pensamiento y de su conciencia colectiva: eso basta...

No, no bastaba eso... y, sobre todo, no quería morir: su vida era «muy suya», y no se resignaba a que se la quitaran. Un formidable instinto de conservación se sublevaba en todo su ser y ascendía incontenible torturador y lleno de protestas.

A veces, la fatiga de las prolongadas vigilias anteriores, la intensidad de aquella sorda fermentación de su pensamiento, el exceso mismo de la pena, le abrumaban, y dormitaba un poco; pero entonces, su despertar brusco y la inmediata, clarísima y repentina noción de su fin, un punto perdida,* eran un tormento inefable; y el cuitado, con las manos sobre el rostro, sollozaba con un sollozo que, llegando al oído de los centinelas, hacíales asomar por la rejilla sus caras atezadas, en las que se leía la secular indiferencia del indio.

II

Se oyó en la puerta un breve cuchicheo, y en seguida ésta se abrió dulcemente para dar entrada a un sombrío personaje, cuyas ropas se diluyeron casi en el negro de la noche, que vencía las últimas claridades crepusculares.

Era un sacerdote.

El joven militar, apenas lo vió, se puso en pie y extendió hacia él los brazos como para detenerlo, exclamando:

— ¡Es inútil, padre; no quiero confesarme!

Y sin aguardar a que la sombra aquella respondiera, continuó con exaltación creciente:

— No, no me confieso; es inútil que venga usted a molestarse. ¿Sabe usted lo que quiero? Quiero la vida, que no me quiten la vida: es mía, muy mía, y no tienen derecho de arrebatármela... Si son cristianos, ¿por qué me matan? En vez de enviarle a usted a que me abra las puertas de la

13. un punto perdida, *forgotten for a moment.*

vida eterna, que empiecen por no cerrarme las de ésta...
No quiero morir, ¿ entiende usted ? Me rebelo a morir:
soy joven, estoy sano, soy rico, tengo padres y una novia
que me adora; la vida es bella, muy bella para mí...
Morir en el campo de batalla, en medio del estruendo del
combate, al lado de los compañeros que luchan, enardecida la sangre por el sonido del clarín... ¡ bueno, bueno !
Pero morir obscura y tristemente, pegado a la barda mohosa de una huerta, en el rincón de una sucia plazuela, a
las primeras luces del alba, sin que nadie sepa siquiera que
ha muerto uno como los hombres... ¡ padre, padre, eso
es horrible !
Y el infeliz se echó en el suelo, sollozando.
— Hijo mío — dijo el sacerdote cuando comprendió que
podía ser oído — : yo no vengo a traerle a usted los consuelos de la religión; en esta vez soy emisario de los
hombres y no de Dios, y si usted me hubiese oído con calma
desde un principio, hubiera usted evitado esa exacerbación
de pena que le hace sollozar de tal manera. Yo vengo a
traerle justamente la vida, ¿ entiende usted ? esa vida que
usted pedía hace un instante con tales extremos de angustia... ¡ La vida que es para usted tan preciosa !
Óigame con atención, procurando dominar sus nervios y
sus emociones, porque no tenemos tiempo que perder: he
entrado con el pretexto de confesar a usted y es preciso
que todos crean que usted se confiesa: arrodíllese, pues, y
escúcheme. Tiene usted amigos poderosos que se interesan
por su suerte; su familia ha hecho hasta lo imposible por
salvarle, y no pudiendo obtenerse del Jefe de las Armas *
la gracia de usted, se ha logrado con graves dificultades e
incontables riesgos sobornar al jefe del pelotón encargado
de fusilarle. Los fusiles estarán cargados sólo con pólvora
y taco; al oír el disparo, usted caerá como los otros, los
que con usted serán llevados al patíbulo, y permanecerá
inmóvil. La obscuridad de la hora le ayudará a represen-

29. *Commandant.*

tar esta comedia. Manos piadosas — las de los hermanos de la Misericordia, ya de acuerdo — le recogerán a usted del sitio en cuanto el pelotón se aleje, y le ocultarán hasta llegada la noche, durante la cual sus amigos facilitarán su huída. Las tropas liberales avanzan sobre la ciudad, a la que pondrán sin duda cerco dentro de breves horas. Se unirá usted a ellas si gusta. Conque... ya lo sabe usted todo: ahora rece en voz alta el «Yo pecador»,* mientras pronuncio la fórmula de la absolución, y procure dominar su júbilo durante el tiempo que falta para la ejecución, a fin de que nadie sospeche la verdad.

— Padre — murmuró el oficial, a quien la invasión de una alegría loca permitía apenas el uso de la palabra — ¡que Dios lo bendiga!

Y luego, presa súbitamente de una duda terrible:

— Pero... ¿todo esto es verdad? — añadió, temblando —. ¿No se trata de un engaño piadoso, destinado a endulzar mis últimas horas? ¡Oh, eso sería inicuo, padre!

— Hijo mío: un engaño de tal naturaleza constituiría la mayor de las infamias, y yo soy incapaz de cometerla...

— Es cierto, padre; ¡perdóneme, no sé lo que digo, estoy loco de contento!

— Calma, hijo, mucha calma y hasta mañana; yo estaré con usted en el momento solemne.

III

Apuntaba apenas el alba, una alba desteñida y friolenta de Febrero, cuando los presos — cinco por todos — que debían ser ejecutados, fueron sacados de la prisión y conducidos, en compañía del sacerdote, que rezaba con ellos, a una plazuela terregosa y triste, limitada por bardas semiderruídas * y donde era costumbre llevar a cabo las ejecuciones.

8. Yo pecador, *a prayer beginning "I, miserable sinner..."*
31. bardas semiderruídas, *half fallen low walls.*

Nuestro Luis marchaba entre todos con paso firme, con erguida frente, pero llena el alma de una emoción desconocida y de un deseo infinito de que acabase pronto aquella horrible farsa.

Al llegar a la plazuela, los cinco reos fueron colocados en fila, a cierta distancia, y la tropa que los escoltaba, a la voz de mando, se dividió en cinco grupos de a siete hombres, según previa distribución hecha en el cuartel.

El coronel del Cuerpo, que asistía a la ejecución, indicó al sacerdote que vendara a los reos y se alejase luego a cierta distancia. Así lo hizo el padre, y el jefe del pelotón dió las primeras órdenes con voz seca y perentoria.

La leve sangre de la aurora empezaba a teñir * con desmayo melancólico las nubecillas del Oriente, y estremecían el silencio de la madrugada los primeros toques de una campanita cercana que llamaba a misa.

De pronto una espada rubricó * el aire, una detonación formidable y desigual llenó de ecos la plazuela, y los cinco cayeron trágicamente en medio de la penumbra semirrosada del amanecer.

El jefe del pelotón hizo en seguida desfilar a sus hombres con la cara vuelta hacia los ajusticiados, y con breves órdenes organizó el regreso al cuartel, mientras que los hermanos de la Misericordia se apercibían a recoger los cadáveres.

En aquel momento, un granuja de los muchos mañaneadores que asistían a la ejecución gritó con voz destemplada, señalando a Luis, que yacía cuan largo * era al pie del muro:

—¡Ése está vivo! ¡Ése está vivo! Ha movido una pierna...

13. teñir con... Oriente, *to tinge with melancholy faintness the small clouds of the East.*
17. rubricó el aire, *flourished in the air, split the air.* (A *rúbrica* is the particular mark or flourish added to one's signature.)
28. yacía cuan largo era, *was lying flat.*

UNA ESPERANZA

El jefe del pelotón se detuvo, vaciló un instante, quiso decir algo al pillete; pero sus ojos se encontraron con la mirada interrogadora, fría e imperiosa del coronel, y desnudando * la gran pistola de Colt, que llevaba ceñida, avanzó hacia Luis, que, presa del terror más espantoso, casi no respiraba, apoyó el cañón * en su sien izquierda, e hizo fuego.

Almas que pasan, 1906.

4. i.e. *taking it out of the holster.*
6. apoyó el cañón, *placed the barrel.*

Gregorio Martínez Sierra

BORN in Madrid in the year 1881, Martínez Sierra started on his literary career as a poet, then turned his pen to poetic prose and produced *Diálogos fantásticos*, 1899, and *Flores de escarcha*, 1900. Between 1900 and 1904 he produced four fair novels, and in 1905 appeared his first truly fine work, *Teatro de ensueño*. From this time on he dedicates himself more and more to the drama, and with the aid of his wife has succeeded in presenting the most convincing interpretation of feminine idealism that has come out of contemporary Spain. *Canción de cuna*, 1911, gained him wide recognition, and brought him to the attention of the American theatre-goer through the version of Eva Le Gallienne. In Spain, Martínez Sierra organized his own theatrical troupe, and when this group played in the United States a few years later many New Yorkers attended the performances for the perfection of the acting even though they understood little of the language. Two volumes of Martínez Sierra's plays have been translated into English by John Garrett Underhill; this edition includes a critical study of the author's works by H. Granville Barker. As drama, most of the author's productions are probably a bit too sentimental to endure, but as fantasy and poetry his *Teatro de ensueño*, and perhaps a few other pieces, have won for themselves a permanent place in contemporary Spanish literature.

Pastoral

Tiempo de Nieve

Es la noche del último día del año. El bosque está cubierto de nieve, y sobre su blancura surgen los troncos negros de los árboles, como columnas de ébano; las copas desnudas cruzan su ramaje bajo el cielo, que está sereno. Aparece la luna y pinta su luz pálida, sobre la nitidez del suelo, sombras azules. Todo es silencio y parece llegado el reino de la paz. Sobre el techo inclinado de la cabaña, que tiene nieve encima de las pajas y diamantea bajo la claridad de la luna, hay un penacho de humo, y su sombra, como sombra de alas, inquieta y ligera, es lo único que vive en la calma tenaz del paisaje, dormido por la noche y el invierno.

Dentro de la cabaña, junto al hogar que hace fiesta de * llamas y chispas, Eudoro, el pastor viejo, y Alcino, el pastor mozo, tienen una charla en la que el viejo dice las amables mentiras de un cuento.

Eudoro. Érase * una reina blanca y rosa, como una rosa que hubiese caído en la nieve; tenía los ojos azules como el azul del cielo en noche de agosto, y cabellos dorados y lucientes como el dorado musgo que nace entre las peñas.
Alcino. ¿Has visto alguna vez a esa reina, abuelo?
Eudoro. Sí, muchas veces... cuando he soñado.
Alcino. ¿Iba vestida de blanco?
Eudoro. Iba vestida del color del sueño.
Alcino. ¿Tienen color los sueños?

12. hace fiesta de, *makes a merry display of.*
16. érase, *once upon a time there was ...*

Eudoro. Tiénenle:* los sueños de los niños son blancos y llevan lentejuelas de plata; los sueños de los mozos tienen el carmín de las rosas y están recamados de oro; los sueños de los hombres son púrpura y topacio, del color de las puestas de sol; los sueños de los viejos tienen el color indeciso de las hojas que van a caer, color en que se funden y se anegan todos los colores que fueron, color de recuerdos: porque has de saber, hijo, que el soñar de los viejos es sólo recordar.

Alcino. Yo no quiero soñar con la reina que dices;* quiero verla. ¿No vive?

Eudoro. Dicen que vive.

Alcino. ¿No es posible encontrarla?

Eudoro. Dicen que hay quien* la encuentra.

Alcino. ¿La oíste hablar?

Eudoro. Hablaba como el agua que corre: con voz de cristal.

Alcino. ¿Y qué decía?

Eudoro. Nunca supe* entender sus decires, pero eran amables y sonaban a promesa.*

Alcino. ¿Y sonreía cuando tú la viste?

Eudoro. Siempre sonríe.

Alcino. ¿No quisieras tú hallarla?

Eudoro. Ya es tarde: soy viejo y moriré este año.

Alcino. ¿Por qué? Ya han caído las hojas y vives.

Eudoro. Los viejos no se mueren cuando caen las hojas, sino cuando las flores van a nacer.

Por la ventana entra un rayo de luna y las llamas del hogar palidecen.

1. tiénenle, *they do have it* (*color*). (Note that *le* is occasionally employed as the direct object pronoun referring to a thing.)
10. la reina que dices, *the queen to whom you refer.*
14. hay quien, *there are those who* ...
19. nunca supe, *I never could, I was never able.*
20. sonaban a promesa, *they sounded full of promise.*

PASTORAL

Alcino. Y dime, abuelo: ¿cómo se llama la reina de tu cuento?
Eudoro. Se llama reina Sol.
Alcino. ¡Sol! Es lindo nombre, y parece que cuando se pronuncia llueve paz.
Eudoro. Es que al oírlo se duermen en el alma los deseos.

En el hogar vase muriendo * el fuego: ya no hay llamas. Los troncos hechos ascua se cubren de ceniza que es como espuma gris; uno cae y se quiebra; suscítase un chisporroteo moribundo.

Eudoro. Hora es de recogerse, rapaz. Signémonos. « En el nombre del Padre y del Hijo y del Espíritu Santo: que el Señor Dios nos libre de los malos sueños y de la muerte súbita que viene callando, con paso de lobo *: que Santa María nos guarde bajo su manto, y el Ángel Custodio bajo la sombra de sus alas. »

Es la hora del alba. A oriente, rojo y formidable, surge de entre las nieblas del crepúsculo el sol. Las ramas altas se doran y la nieve desde ellas cae a tierra fundida en gotas de cristal. Con el primer rayo de sol levántase Alcino: tiene en el rostro rosetas de fiebre * y en los ojos fulgores extraños.

Alcino. Abuelo: dadme * la bendición. Márchome en busca de la reina Sol.
Eudoro. Ve que es invierno y ha cubierto la nieve los caminos.
Alcino. Acaso en la nieve encuentre sus huellas.
Eudoro. Mira que es frío el aire y son cortos los días.

8. vase muriendo, *is slowly dying*. (For a similar use of a verb of motion with the present participle, see line 15: *viene callando*, comes silently.)
15. con paso de lobo, *on padded feet*.
22. rosetas de fiebre, *the flush of fever*.
23. dadme: *Compare this solemn request, plural of the imperative, with the singular form* dime *used previously, page 39, line 1*.

Alcino. El frío es buen amigo del caminar y en las noches de invierno la luna es clara.

Eudoro. ¡Que Dios te bendiga!

Alcino. Es blanca y rosa; tiene voz de cristal, ojos color de cielo, y cabellos dorados como el musgo que crece entre las peñas. La encontraré.

Pasa junto al río, que está quieto y callado, porque el hielo tiene presas las aguas.* De los palos del puente cuelgan témpanos turbios que poco a poco se van fundiendo. Más allá del río hay una colina, y en las laderas crecen los pinos siempre verdes y siempre tristes. Bajo aquel pino hay una cabaña y junto a la cabaña un huerto: tiene cerca de piedras vestida de zarza, y en los espinos parece la nieve vellón de cordero. Rosa María está hilando a la puerta de la cabaña, y mientras hila, canta esta copla vieja:

> La Nochebuena se viene,
> la Nochebuena se va,
> y nosotros nos iremos
> y no volveremos más.

Alcino pasa, pero, absorto en su ensueño, no la ve.

Rosa María. ¿Dónde tan de mañana,* pastor?

Alcino. Marcho a peregrinar por el mundo hasta que encuentre a la reina Sol.

Rosa María. Iré contigo.

Rosa María deja la rueca y camina junta al pastor.

Tiempo de Rosas

En el reino de la Primavera. Hay un mullido tapiz de césped y en él las margaritas muestran sus corazones de oro circundados de coronas blancas; las borrajas yerguen* sus

---

8. tiene presas las aguas, *holds the waters imprisoned.*
21. ¿Dónde tan de mañana? *Whither away so early (in the morning)?*
28. yerguen (erguir), *they raise.*

corolas azules henchidas de miel; un boscaje de almendros floridos hace dosel al trono de la reina, que está coronada de violetas. Zephiros * guarda la entrada del boscaje escoltado por susurrante legión de abejas.

Alcino y Rosa María aparecen. Vienen de tierras en que reina el invierno y sus ojos se alegran mirando las flores.

Rosa María. ¿Dónde estamos, Alcino? ¿Cuál es este país donde no hay nieve y sobre el cual parece que han llovido flores?

Alcino. Acaso es el reino de la reina Sol. Acerquémonos.

Zephiros. ¿Quiénes sois?

Alcino. Somos peregrinos.

Zephiros. ¿Cumplís un voto?

Alcino. Vamos en busca de una promesa.

Rosa María. ¿Podremos descansar en este boscaje?

Zephiros. Sí, si hacéis homenaje a nuestra reina.

Alcino. ¿Se llama Sol?

Zephiros. Se llama Primavera. Entrad. Señora: ved estos peregrinos que traigo a vuestros pies.

La Primavera. ¿Dónde vais?

Alcino. Yo voy en busca de la dicha.

Rosa María. Yo voy con Alcino.

Alcino. Yo sé que es hermosa.

Rosa María. Yo sé que está lejos.

Alcino. Yo sé que su reino es triunfante.

Rosa María. Yo sé que en el camino de su reino hay flores y hay espinas.

Alcino. Y voy a él mirando a lo alto.*

Rosa María. Y voy junto a él quitando las espinas de su paso y cortando las flores para su frente.

---

3. Zephiros (Céfiro), *Zephyrus or Zephyr* (mythological personification of the west wind).

29. voy a él...alto, *I am going to it with my face raised toward Heaven.*

Alcino. Voy con mi ensueño.

Rosa María. Voy con Alcino.

La Primavera. Rapaza, tú tienes el secreto de la vida. Zephiros, coronadla de rosas, porque sabe amar. Y tú, pastor, ¿no sabes que es locura desdeñar el amor que pasa por la dicha que ha de venir?

Alcino. Señora, ¿conocéis a la reina Sol?

La Primavera. Conózcola.

Alcino. ¿Dónde es su reino?

La Primavera. No tiene reino, porque es inquieta como el agua que corre; donde quiera que va, reina y pasa.

Alcino. ¿Cómo encontrarla, entonces?

La Primavera. Dejándose encontrar por ella. Algunos, a la sombra de mis boscajes, gustaron el gozo de su visitación, porque es mi amiga y a menudo descansa entre la pompa de mis flores. Breve y fugaz es mi reinado; mientras dura, puedes vivir bajo mi cetro y esperar, si te place.

Alcino. Señora, soy vuestro esclavo.

Rosa María. Alcino, mira las rosas sobre mi frente.

Alcino. Así serán las rosas de su rostro: rosas caídas en la nieve.

Rosa María. Mira las borrajas azules que traigo prendidas en el pecho.

Alcino. Así serán sus ojos: azules como el cielo de agosto.

Rosa María. Mira el rayo del sol que me ha dado esta reina por corona.

Alcino. Dorados han de ser sus cabellos como el dorado musgo que crece entre las peñas.

La Primavera. ¿No piensas, Zephiros, que el pastor está loco?

Zephiros. Pienso que su alma no merece la dicha, puesto que desoye el amor y cierra los ojos a la Primavera.

Alcino y Rosa María descansan a la sombra del boscaje; viene la noche.

Rosa María. ¿Por qué no te duermes sobre mi corazón?

Alcino. No dormiré: es preciso que atisbe su venida. Duerme tú.

Rosa María. No dormiré; porque si pasa, huirás con ella y me quedaré sola.

Alcino. Duerme: dondequiera que vaya, vendrás conmigo.

Rosa María. ¿Y qué harás tú en la noche?

Alcino. Mientras duermes cantaré mi ensueño.

Rosa María. Y yo, durmiendo, soñaré que le cantas para mí.

Rosa María se reclina en el césped; un rayo de luna la besa en la boca y luego en los ojos y luego en la frente; después la sombra movediza de las ramas floridas la envuelve en los encajes de un velo. Un ruiseñor trina en lo alto de una copa; y ajustando estrofas a la música de sus trinos, Alcino canta su canción.

> Por el mes era de mayo,*
> cuando hace la calor,
> cuando canta la calandria
> y responde el ruiseñor:
> cuando los enamorados
> van a servir al amor.

Tiempo de Amapolas

Es mediodía. En la planicie, que está cubierta de mies madura, ponen las amapolas el triunfo de sus pétalos rojos; el cielo, placa de azul esmalte, está bañado en sol, y la planicie,

21. Por el mes era de mayo... *It was in the month of May.* (These are the first lines of an old Spanish ballad, given in full in *Primavera y flor de romances*, Wolf-Hofmann, 2 vols., Berlin, 1856, no. 114a.)

espejo de los cielos, refulge. Son los caminos polvorientos y la fatiga pesa sobre los caminantes; las cigarras, ásperamente, cantan la gloria del verano.

El pastor y su amiga van camino adelante.

Rosa María. ¿Estás triste?
Alcino. Pasó la Primavera y no vino. Aquella reina burlóse de nosotros.
Rosa María. Nos dió todas las flores de su jardín.
Alcino. Que se han caído.
Rosa María. Nos convidó con la frescura de sus arroyos.
Alcino. Que se han secado.
Rosa María. Nos halagó con sus promesas.
Alcino. Que han mentido.
Rosa María. Pero que estaban dichas con tan dulce voz... Escucha, Alcino: puesto que todo pasa, gocémoslo todo mientras vive; mira las espigas, que son de oro; mira la luz, que es como una cascada que cae del cielo; mira las amapolas, que son como bocas de niño que se ríen. ¿No te gustan los niños? Yo soy amiga de los niños y de los corderos. Cuando encontremos a tu reina Sol, le pedirás una cabaña con un jardín y un prado; en el jardín habrá una parra y en el prado un arroyo; las flores de la parra, cuando llega el verano, huelen a gloria* y la corriente del arroyo canta con voz de fiesta.* Nacerán en la orilla juncos felpudos y habrá piedras redondas y blancas, y cantarán los sapos y las ranas, como si fuesen flautas, con notas de cristal.* ¿No me escuchas, Alcino?
Alcino. ... Su vestidura es de color de ensueño.
Rosa María. ¡Ay de mí!

Siguen caminando; la planicie se puebla de gentes que trabajan: son segadores que van cortando la rubia mies; con las

24. huelen a gloria, *they give off a heavenly perfume.*
25. voz de fiesta, *merry voice.*
28. notas de cristal, *sharp, high-pitched notes.*

espigas caen las amapolas; el suelo, despojado,* se riza con la aspereza del rastrojo; el sudor diamantea en las frentes de los que trabajan, y uno de ellos canta.

> Viento, vientiño* del norte,
> viento, vientiño nortero:
> viento, vientiño del norte...
> ¡Arriba mi compañero!

ALCINO. ¿Oyes cómo canta ese hombre?
ROSA MARÍA. Acerquémonos.
ALCINO. Vos,* el que cantáis..., ¿queréis decirme quién sois y a quién servís?
SEGADOR. Estos campos son el imperio del Estío, poderoso señor que dora la mies y madura los frutos.
ALCINO. ¿Y decís que la reina Sol mora entre vosotros?
SEGADOR. La reina Sol es extranjera en todos los países; pero si hombres hay cerca de su trono y propicios ante su corazón,* somos nosotros, los trabajadores de la tierra, porque ella es amiga de la abundancia. ¿Queréis vivir a nuestro lado mientras dura el agosto?* Acaso venga y logréis su favor.
ALCINO. Viviremos a vuestro lado y esperaremos vuestra promesa.
SEGADOR. Tomad vuestras hoces; el trabajo es buen compañero de la esperanza.

Los peregrinos emprenden la tarea. Rosa María va y viene entre la mies, ligera y reidora como sirena entre las aguas; su hoz centellea, y sus brazos estrechan las espigas para formar el haz, como brazos de madre ciñen al hijo; y piensa con gozo en

1. *despoiled of its fruit.*
4. vientiño, *diminutive of* viento: *little wind.*
10. vos: *archaic and poetic subject pronoun used with second person singular or plural of the verb.*
18. propicios ante su corazón, *favored in her heart.*
20. *harvest season.*

la abundancia del hogar, en el pan blanco que saldrá de los granos dorados, y canta la canción de los segadores y se corona con las amapolas que caen también segadas.

Rosa María. Escucha, Alcino. En nuestra casa tendremos un horno para cocer el pan; yo amasaré la harina, y será gozo remover con los brazos su blancura, y respirar aquella fragancia de las cortezas que se van tostando, y ver como la pasta blanca se va haciendo morena. Mira, yo, que era blanca también, estoy morena, porque el sol me ha besado. ¿ Te gusta el sol ?

Alcino. A ti todo te place y a todas horas estás contenta.

Rosa María. Porque soy amiga de todo lo que veo. Parece que el alma se me rompe en pedazos y cada uno halla morada en un rincón del mundo. Si oigo cantar un pájaro, paréceme que tengo corazón del pájaro; si huelo una flor, paréceme que su aroma es mi alma; si miro al cielo, creo que soy el cielo; si me baño en las aguas, soy como las aguas y en ellas me pierdo: todo el mundo está en mí y todas sus alegrías son mi gozo.

Alcino. Yo estoy lejos del mundo y su alegría parece un insulto a mi añoranza.*

Rosa María. Acaso esa reina que buscas no existe.

Alcino. Existe y me llama.

Rosa María. Tal vez pasó junto a nosotros y no la conocimos.

Alcino. Mi corazón ha de reconocerla dondequiera que esté.

En la noche los pastores peregrinos duermen en la era, sobre el montón fragante de mies cortada; las estrellas tejen y destejen su eterno caminar bajo el azul perlino de los cielos; la Vía Láctea * se tiende en el espacio como blanca bandera de paz.

22. *longing.*
32. Vía Láctea, *Milky Way.*

PASTORAL

Cantan los grillos y parecen en su áspera salmodia burlarse del pastor enamorado de la reina de un cuento.

Tiempo de hojas secas

En el bosque, que comienza a vestirse de púrpura. Los vientos pasan, y las ramas, sintiéndolos * pasar, murmuran: « Estamos en el reino del Otoño. » Alcino y Rosa María caminan lentamente.

ROSA MARÍA. Mira, Alcino: la primera hoja que ha caído de un árbol; parece una mariposa. ¿Te has fijado? En todas las estaciones hay mariposas: en invierno son blancas y se llaman copos de nieve; en el otoño son las hojas que caen; en el verano... ¿Te acuerdas del verano?

ALCINO. En el verano no hay mariposas.

ROSA MARÍA. Sí que las hay.* ¿No has visto en las eras como revolotea el tamo al aventar la mies,* y como el sol le dora? Aquel polvillo de oro es un enjambre de mariposas.

ALCINO. No me hables de la mies ni de las eras; entre ellas ha caído el sudor de mi frente, y la reina Sol no ha querido venir.

Se oyen cantos, que vienen de lejos. Es un coro en que hombres y mujeres mezclan su voz para ensalzar el gozo de la vendimia.

ROSA MARÍA. Otros que cantan.
ALCINO. Otros que prometen.
ROSA MARÍA. Acaso estos digan la verdad.

Más allá de la linde del bosque se extienden los viñedos, surgen los sarmientos poblados de pámpanos, gallardamente

---

4. *feeling,* (sentir *may mean to perceive with any of the senses.*)
14. *sí que las hay, yes indeed there are.*
15. *como... la mies, how the chaff flies about while winnowing the grain.*

retorcidos como cuernos de sátiro. Cantan y danzan los vendimiadores, celebrando el fin de la tarea; en los labios rojos rebosa la miel del racimo y en los ojos se encienden chispas febriles.

<blockquote>
Por San Juan y San Pedro *
pintan las uvas;
por San Miguel Arcángel
ya están maduras.
</blockquote>

UNA MUJER (que agita un tirso * vestido de follaje). ¡ Viva la vida ! Cantad conmigo la alegría que ha puesto el sol en las uvas color de ámbar, en las uvas color de ajenjo * en las uvas color de púrpura. ¡ Venid a gustar su gozo en mis labios !

UN HOMBRE (que lleva en alto el último racimo). ¡ Viva la vida ! Cantad conmigo el placer que se encuentra en el vino color de oro, en el vino color de sangre; la vida que salta en la espuma.

Hombres y mujeres danzan, formando corro.

¡ Viva la vida !

ALCINO (adelantándose). ¿ Sabéis de la reina Sol ?
LOS VENDIMIADORES. ¡ Viva la vida !
ALCINO (ansiosamente). ¿ Digo que si sabéis de la reina Sol ?
ELLAS. La dicha está en las mieles de la uva.
ELLOS. La dicha está en la espuma y en el vino rojo, que es fuego y es sangre.
ELLAS. Probad nuestros labios.
ELLOS. Bebed nuestro vino.

5. por San Juan..., *Around St. John's (June 24th) and St. Peter's (June 29th) days.* (St. Michael's day is the 29th of September.)
9. *thyrsus.* (A staff surmounted by a bunch of vine with grapes. An attribute of those engaging in the rites of Bacchus, god of wine.)
12. *absinthe, absinthe green.*

ALCINO. ¿Y la hallaré?
TODOS. Está con nosotros.
ALCINO. Dadme vuestros labios y vuestras copas.
ROSA MARÍA. ¡Alcino, Alcino, vámonos de aquí...
huyamos de estas gentes, que están locas!
ALCINO. Dicen que la dicha mora con ellos.
ROSA MARÍA. ¡Vámonos de aquí!
ELLOS. Gusta nuestro vino.
ROSA MARÍA. ¡Huyamos; no saben lo que dicen!
ALCINO. Vuestro soy.

Entra en el corro, que se cierra en derredor suyo y que emprende nueva danza y canto nuevo. Rosa María huye y se pierde en el bosque; llega la noche; despiértanse los vientos y las hojas caen de prisa, más de prisa.
La voz de Alcino, que se escucha lejana:

¡Viva la vida!

Epílogo

En la cabaña de Eudoro. Alcino duerme. Rosa María le mira dormir y suspira. Ha vuelto el invierno y otra vez cae la nieve. Rosa María canta bajito su copla de Navidad.

ALCINO (despertándose). ¿Dónde estamos?
ROSA MARÍA. En nuestra tierra.
ALCINO. Y en nuestro invierno.
ROSA MARÍA. En el invierno del año.
ALCINO. ¿Y cómo hemos venido hasta aquí? No me acuerdo de nada.
ROSA MARÍA. Aquellas gentes te hicieron perder la razón.
ALCINO. Tampoco estaba con ellos mi sueño. ¿Por qué me abandonaron?
ROSA MARÍA. Una mañana, cuando salí del bosque, te

hallé a la orilla de la carretera: decías locuras como ellos. Te cogí de la mano como a un niño, y te he traído aquí.

ALCINO. ¿Quién te mostró el camino?

ROSA MARÍA. Nadie. Mi alma le sabía de haberle recorrido tantas veces... ¿Estás contento?

ALCINO. Mírame bien. Parece que hasta hoy no te he visto.

ROSA MARÍA. Acaso hasta hoy no quisiste mirarme.

ALCINO. Eres blanca y rosa.

ROSA MARÍA. ¿Nunca lo viste?

ALCINO. Y tienes los ojos azules.

ROSA MARÍA. Viniste a mi lado y nunca en ellos te miraste.

ALCINO. Y los cabellos dorados como musgo. ¿Por qué hasta hoy no me mostraste tus cabellos?

ROSA MARÍA. Junto a ti los peiné muchas veces; nunca me los viste peinar.

ALCINO. Tu eres la reina Sol.

ROSA MARÍA. Tal vez sí; tal vez tú sueñas que lo soy. ¿Qué importa?

ALCINO. Perdóname.

ROSA MARÍA. Yo no guardo rencores... Perdonado estás. Adiós.

ALCINO. ¿Qué dices?

ROSA MARÍA. Vuélvome a mi cabaña, a hilar mi rueca.

ALCINO. ¿Apenas conocida he de dejarte?*

ROSA MARÍA. Has de saber, pastor, que una vez en la vida soy compañera de cada mortal. Pasa por mi cabaña; voyme con él; si su amor me adivina, suya soy; si le ciega el orgullo de su sueño, finado el camino, me aparto de él. Adiós...

ALCINO. ¿Y no volveré nunca a encontrarte en la puerta de tu cabaña?

27. ¿Apenas conocida he de dejarte? *Now that you have just become known to me, must I let you go?*

Rosa María. Acaso; pero sabe que jamás hilo la misma rueca ni canto la misma canción.

La reina Sol desaparece.

Alcino. ¡Ay de mí!

Teatro de ensueño, 1905.

Alfonso Hernández-Catá

HERNÁNDEZ-CATÁ, born in Santiago, Cuba, in 1885, went to a military school in Toledo, Spain, at the age of fourteen, but soon tired of the place and ran away to become a journalist. He was from a well-to-do, influential family, and later had little difficulty in entering the Cuban diplomatic service working at different times in England, Denmark, France, Portugal, and Spain. In this latter country he has lived the greater part of his life. Although known primarily as a writer of short stories, Hernández-Catá has produced one outstanding critical work, *Mitología de Martí*, 1930, and in collaboration with Eduardo Marquina he wrote the excellent drama, *Don Luis Mejía*, 1924, which presents Mejía's side of the Don Juan legend. Among his collections of short stories are *Los frutos ácidos*, 1915; *Cuentos pasionales*, 1920; *Piedras preciosas*, 1927. At present the writer is serving in the Cuban legation at Rio de Janeiro.

Hernández-Catá is primarily interested in episodes which suddenly reveal the body of an abnormal emotional weed whose roots have grown in the innermost recesses of the subject's being, frequently without his knowledge. The author's short stories along these lines place him among the best writers of that *genre* in contemporary Spanish American literature.

Naufragio

MIENTRAS el trasatlántico se iba separando lentamente del muelle y el alarido de la sirena echaba sobre la multitud pulverizada lluvia, comentábase el repentino amor de la pareja que iban a despedir.

— ¡Así sí vale la pena de quererse! — suspiraba una muchacha ojerosa.

— El verdadero amor sólo surge de raro en raro; lo demás son imitaciones — añadió un profesor calvo de cansada sonrisa.

Y, bajo la toldilla,* un grupo formado por el busto herculeo contra el cual se apretaba la cabeza femenina envuelta en el velo que fingía flotante cabellera azul, respondía en silencio, afirmativamente, a los comentarios.

Ella era alta, de hermosura violenta, boca de gula * y ojos donde hasta los ensueños sugerían formas corporales; él era bello, de fuerza multiplicada en los deportes y de voluntad irritada ante los obstáculos. Había en los dos una exuberancia fisiológica que los hizo tiranos de sus familias desde niños. Faltóles siempre el espacio y el tiempo;* y un ansia indómita de ser protagonistas y de usurpar a los otros su parte de botín de la vida, envolviólos, a partir de los bancos * de la escuela, en una atmósfera

10. *round-house.*
14. boca de gula... corporales, *with a voluptuous mouth and eyes which even in dreams would suggest the physical.*
20. faltóles siempre... tiempo, *they never had enough room or enough attention.*
22. a partir de los bancos..., *beginning with their early school days...*

de admiración veteada de miedo. Y al conocerse luego en el predestinado azar de un baile, fueron el uno hacia el otro, rasgando la multitud, con la fuerza fatal de dos corrientes ávidas de unirse.

La fiesta quedó un momento interrumpida. Una hora después se hablaban en el tono alternativamente sumiso e imperioso de la pasión. Y cuando las miradas empezaron a murmurar con parpadeos malignos, ellos las desafiaron con mirar de reto diciéndoles que esa actitud sería la de los dos frente a todos los futuros obstáculos.

La batalla fué dura; mas la oposición de las familias al ver rotos de súbito sus lentos cálculos, estrellóse contra estas dos palabras inexorablemente sencillas: «Nos queremos.» Y el dolor de un muchacho enteco * embriagado durante muchos meses por el efluvio de la beldad un poco gigantesca, y la pena de una pobre anémica fascinada años y años por la apolínea * belleza de él, hubieron de borrarse, casi ruborosos de su insignificancia, ante la fuerza de aquel amor. Cuanto se puso entre ambos fué roto.

La boda hubo de ser decidida en pocos meses. El excepcional amor exigía abreviaciones excepcionales. Todos comprendieron que de aprisionarlos en la malla de la dilación, despedazarían sus hilos. Las dos familias doblegáronse por temor al escándalo, y empero, la boda tuvo algo de escandaloso. La iglesia se llenó de gente, de cuchicheos, de curiosidad. La marcha de esponsales de Mendelssohn parecía débil para celebrar tal unión, digna de los bronces de Wagner. Ante el altar, a pesar de las luces y de la figura del sacerdote, la pareja pujante de juventud sugería una visión pagana.

Ahora, apoyados lánguidamente contra la barandilla, la visión, libre de místicas trabas, adquiría fuerza plena. Lentamente el buque se alejaba y los pasajeros retirá-

14. *weak, sickly.*
17. *Apollo-like, Apolline.*

NAUFRAGIO

banse de la borda para ir a ordenar las vidas provisionales que iban a comenzar. Cual si las miradas fijas en tierra fueran cadenas invisibles, al disminuir creció la velocidad del navío.* Cuando ya no se veía el destellar del faro * y el buque sólo era entre el cielo y el mar leve mancha salpicada de luces, en la ciudad hablábase de ella aún.

— ¡Feliz la que logra ser querida así! — suspiraba la muchacha ojerosa.

Y el profesor, alzando de sus papelotes la vista para fijarla en su compañera que, al sentir el mirar, levantó la cabeza de la humilde labor de la aguja y sonrió dulcemente, pensó otra vez:

— El verdadero amor sólo surge de tarde en tarde...* Lo demás son imitaciones despreciables, argucias del instinto en favor de la especie...

Durante ocho días la pareja constituyó para marinos y pasajeros un espectáculo donde * el instinto ponía envidia * y la inteligencia cólera. Medio tendidos en las sillas extensibles pasaban el día cara al mar, envueltos por la misma manta, con las cabezas muy juntas, las manos y los ojos entrelazados, y una dejadez melosa y ardorosa en todos sus movimientos. Desaparecían a la hora de la siesta, se retiraban muy temprano, y no volvían a surgir hasta el día siguiente. Las muchachas los miraban desde lejos; los jóvenes sonreían y cuchicheaban señalándoles; los oficiales, desde el puente, los atisbaban como otro peligro.* Y un matrimonio inglés, viejo, que daba después de cada comida veinte vueltas en torno a la cubierta, no

4. al disminuir... navío, *in adverse proportion to their diminishing the boat picked up speed.*
4. el destellar del faro, *the flashing of the lighthouse.*
14. de tarde en tarde, *from time to time, at rare intervals.*
18. *in regard to which.*
19. ponía envidia, *felt envy.*
28. los atisbaban como otro peligro, *watched them closely as if they were an added risk.*

dejaba de pronunciar al unísono* ni una sola vez la palabra *Shocking*, cuando se cruzaba con ellos.

La noche anterior a la llegada al primer puerto, mientras en el salón hervían las risas de la fiesta, se jugaba y bebía* en el bar, y subía del sollado * el rumor de los emigrantes hecho de palabrotas ingenuas, de voces de niño y de cantos de acordeón y guitarra, la pareja feliz quedóse sola en el sitio de siempre. Fosforecía el mar y era dulce besarse en aquella inmensidad de silencio... De pronto, las cabezas se juntaron demasiado, hubo un crujido * terrible, apagáronse todas las luces, y, tras un lapso de estupor, ayes, blasfemias y desorden, empezaron a brotar de las entrañas del buque.

En menos de dos minutos desnudáronse las almas y el egoísmo humano mostró su faz abominable. Los gritos imperativos de los oficiales naufragaban ya en el oleaje del pánico. Bajo la claridad estelar viéronse las corteses manos trocarse en garras y las sonrisas en muecas. Hachas frenéticas cortaron los sostenes de los botes prematuramente. En torno a cada salvavidas, a cada madero, riñóse una refriega; y antes de que el mar causase la primera víctima, ya había sangre a bordo.

— ¡Orden! ¡Calma!... ¡Cada uno a su bote, que hay tiempo de salvarse!

La reacción tardó en sobrevenir.* El salvamento inicióse, y los niños y las mujeres empezaron a obtener sus derechos. Ante una escotilla * la vieja inglesa se negaba a separarse del compañero de toda su vida, y acabó por renunciar a dejar el buque y por abrazarse al anciano con

1. *in unison.*
5. *passengers were playing and drinking.*
5. *orlop, lowest deck.*
11. *crash.*
25. la reacción tardó en sobrevenir, *the reaction was slow in asserting itself.*
27. *hatchway.*

suave y heroica firmeza. Una mujer alta, de boca de gula y ojos llenos de terror, donde hasta los ensueños tomaban imágenes carnales, reclamó presurosa su turno.

— ¡Quiero vivir! — gritaba, enloquecida, en el hacinamiento* del bote.

El pavor de la muerte habíale oscurecido la inteligencia por completo. Sólo mucho después, cuando el ritmo de los remos, al castigar el agua, impuso a las almas un sosiego atónito, recordó que la catástrofe la había separado de alguien que, echándola a un lado, fué a disputarse a golpes terribles la posesión de un cinturón de corcho.

Miró hacia atrás y vió al buque encabritarse* en un imponente esfuerzo para escapar, y hundirse en seguida entre torbellinos de espuma. En derredor quedaron despojos, gemidos dominados por el fragor del oleaje, puntitos ya móviles, ya inertes, que eran esfuerzo angustioso y resignación a sucumbir. «¡Allí estaría él!» Y, al pensarlo, la mano recogía la greca* del vestido, para que no se mojara en el fondo del bote, y el ser íntimo se esponjaba* en la cruel dulzura de ir proa a* la vida, dejando el horror de la nada detrás.

Dos días después, los periódicos fueron revelando e hilvanando los episodios de la tragedia. Fuera de las mujeres y los niños, sólo un hombre que se arrojó al agua en el primer instante, consiguió salvarse. Gracias a su complexión hercúlea y al salvavidas, logró sostenerse hasta recibir auxilio.

Cuando se encontraron cara a cara en las oficinas de la casa consignataria, ambos bajaron la cabeza y palidecieron.

6. *mad swarm.*
13. *to rear up (of an animal); lift itself up on its stern.*
19. *fret, hem (of dress).*
21. el ser íntimo se esponjaba..., *her inner being felt a pleasant glow...*
21. de ir proa a, *of heading toward.*

Ahora que se conocían bien se saludaron casi como dos desconocidos. ¡Qué diferencia de aquel primer encuentro en el baile! Poco tiempo después, por divergencias fútiles, se separaron para siempre.

Piedras preciosas, 1927.

Julio Camba

THIS famous Spanish humorist and journalist was born in the province of Galicia, in the little town of Villanueva de Arosa, in 1884. At the age of thirteen he went to Buenos Aires, and soon after arriving began to try his hand at journalism. The authorities finally expelled him from the country as a dangerous foreigner, due perhaps to an excess of critical zeal in his pages. But according to one story at least the joke was on the government and not on Camba. He was supposed to have been down and out, homesick, and unable to find the wherewithal to pay for his transportation back to Spain, so on hearing that the government had recently declared for the expulsion of all anarchists, Camba went down the main streets shouting at the top of his lungs: " Long live anarchy ! "

Back in Spain he quickly attained success, becoming successively correspondent of *El País, El Mundo, La Correspondencia de España, La Tribuna, A B C* and *El Sol*. Representing these periodicals he has travelled extensively and spent periods of several months, and even years, in nearly every country from Turkey to the United States. He does not travel tourist fashion traipsing from pillar to post like an unleashed puppy, but resides for quite a stretch in each place visited.

Camba's purpose in life is to enjoy it as much as possible, to work as little as possible, and to poke fun at all manner of human foibles. He has made his living and his reputation doing just these things. As his friend Federico de Onís says, to Camba work is the greatest enemy of pure and disinterested joy. Work is not, as the moralists would have us believe, a holy mission, but a punishment imposed on man when he was expelled from the Garden of Eden. And « Camba — como los pícaros españoles clásicos, y como los más de los españoles, que todos tenemos algo de pícaros — no se rebela abiertamente contra la orden divina, pero no la sigue con entusiasmo: hace todo lo que puede para burlarla. »

Among Camba's collected writings are: *Londres*, 1916; *Playas, ciudades y montañas*, 1916; *Un año en el otro mundo*, 1917; *La rana viajera*, 1920; *Sobre casi todo*, 1928; and *Sobre casi nada*, 1928.

The humor in these works is tolerant and intelligent; it is not mere chatter, and it never wounds. To laugh at an individual weakness would suggest contempt, would hurt and be in bad taste, but to laugh at a general weakness is the beginning of wisdom, and the very basis of tolerant civilized society. The ability to laugh is given to man, but not to the animal. Only the capacity to create reveals a higher degree of genius than intelligent laughter.

Sobre la cama

DE LONDRES a París el viaje es corto, y, sin embargo, ¡qué bien descansa el viajero en una de estas camas francesas, tan muelles,* tan hondas, tan amplias! Porque las camas inglesas son duras y chicas. En el salón de un hotel o en un *Boarding house* inglés, uno hace amistad con míster Tal o míster Cual, uno de esos hombres muy grandes que hay en Inglaterra. Días después, uno sube a su cuarto y ve allí una camita que parece de juguete. Pues en aquella camita tan pequeña duerme aquel inglés tan grande.

Se ve que en Inglaterra la gente se acuesta por necesidad, así como en Francia se acuesta por placer. Un inglés está en la cama el tiempo estrictamente necesario para dormir. El inglés se acuesta y se duerme, se despierta y se levanta. Así, aun en las mejores casas inglesas, las alcobas son pobres y chicas. «¿Para qué voy a arreglar mi habitación de una manera muy bonita — se dice el inglés —, si en cuanto llegue allí me voy a quedar dormido?» En una casa inglesa la alcoba es la habitación menos importante. En una casa francesa lo principal es la alcoba.

Las camas francesas son verdaderamente admirables, sobre todo para los españoles. Un español se encuentra tan bien en una de estas camas francesas, que, por su gusto, no la abandonaría nunca. Pero en España no conviene hacer elogio de las camas francesas, sino más

3. *soft, springy.*

bien el de las inglesas. A nosotros nos convienen unas camas muy incómodas, donde no se puede permanecer más que estando profundamente dormido. Las camas francesas, como la moral francesa, nos perjudican mucho. Nosotros necesitamos unas camas y una moral muy duras y muy desagradables. Necesitamos madrugar y trabajar. Si las camas inglesas fuesen camas francesas, Inglaterra no sería lo que es. Para juzgar un pueblo hay que ver su comedor y su alcoba antes que su palacio parlamentario. Ya * hablaremos del comedor inglés. Por lo que respecta a la alcoba inglesa, de ella se deriva la mitad, por lo menos, de la energía británica. Viendo una alcoba inglesa se comprende que Inglaterra sea un pueblo activo, que no duerme más que el tiempo necesario para recobrar las fuerzas perdidas durante el día, y un pueblo práctico, que no sueña jamás. En las camas inglesas no hay edredones,* ni doseles, ni apenas colchón. No sintiendo verdaderamente sueño, a ningún inglés se le ocurre meterse en la cama. Estando despierto, ninguno permanece en ella. La oficina es más cómoda que la alcoba, y el inglés prefiere irse a la oficina. En la alcoba inglesa, la luz está siempre en el lado más lejos de la cama, de tal modo, que, desde la cama, es completamente imposible leer. Esto libra a Inglaterra de toda esa literatura de alcoba que tanto daño ha hecho en Francia y en España. En fin, el inglés se va a la oficina y trabaja; se va a la cama y duerme, y cuando el inglés duerme, como cuando trabaja, lo hace íntegramente, de un modo eficaz, rotundo, definitivo. Nosotros consultamos nuestros asuntos con la almohada, dormimos en la oficina y nunca estamos ni completamente despiertos ni completamente dormidos.

A mi me encantan la blandura, la elasticidad, la amplitud y el calorcito de las camas francesas; pero yo les recomiendo a ustedes las camas inglesas. Si todos los españoles

10. *in a moment.*
17. (*eider-down*), *feather-pillow.*

nos dedicáramos a dormir en camas inglesas, España podría salvarse. Al principio nos dolerían los huesos, y amenazaríamos *courbaturées;* * pero esto es lo mismo que ocurre con la gimnasia; pronto nos acostumbraríamos, y luego nos haríamos un poco más enérgicos y más fuertes.

Playas, ciudades y montañas, 1916.

3. amenazaríamos "courbaturées," *we would run the risk of getting curved spines.*

La neurastenia* y la literatura

La NEURASTENIA ¿es una enfermedad o una superstición? El médico me ha dicho que es una enfermedad moderna, y, en efecto, parece que los sabios la han inventado últimamente.

— Hace apenas un siglo que se conoce la neurastenia — me dijo el doctor —. La ciencia ha tardado mucho en descubrirla.

¡Loemos la paciencia de la ciencia! Gracias a ella, yo puedo envanecerme de mis achaques tanto como de mis calcetines. Entre mi dolor de cabeza y el de un hombre primitivo hay una diferencia enorme, que no es únicamente la diferencia de las cabezas. El dolor del salvaje era un dolor anónimo, mientras que el mío es un dolor civilizado, tiene una base científica y se pronuncia con un nombre en el que hay nada menos que dos diptongos: ¡neurastenia!

— ¿Y qué? ¿Hay muchos neurasténicos, querido doctor?

— Muchísimos.

La neurastenia debe de estar muy bien inventada cuando se ha impuesto* en tan poco tiempo. A mi doctor le ha ido tan bien con ella,* que ya no se dedica a otra cosa. Por eso he ido a verle.

* *nervous prostration, breakdown.*
21. se ha impuesto, *it has become popular.*
22. le ha ido... ella, *he has made out so well with it.*

LA NEURASTENIA Y LA LITERATURA

— No se preocupe usted — me dijo —. Usted es un neurasténico.

— Sin embargo, doctor, con un nombre o con otro, lo cierto es que yo estoy enfermo.

Me recetó unos glicerofosfatos * y me mandó al campo. Campo. Mar. Un aire puro. Una alimentación sana. Una vida tranquila.

— Duerma usted mucho y trabaje poco — añadió —. Mientras tanto * no se pondrá usted bien.

— Ay, ¡ doctor! — exclamé —. Entonces ya sé de qué estoy enfermo.

— ¿ De qué ?

— De no tener dinero.

— Seguramente — me contestó, con una pérfida sonrisa de acreedor.

Yo no podía haber sospechado que la falta de dinero se llamase nunca neurastenia, y las palabras del especialista me sorprendieron un poco. Anteriormente, la neurastenia me parecía superchería de los médicos para designar todas aquellas enfermedades que ellos no acertaban a conocer. Sin embargo, parece que la neurastenia tiene una personalidad tan clara como cualquier enfermedad antigua, ya consagrada por el uso. Su origen consiste en una debilidad de los centros nerviosos, para cuya curación es indispensable un perfecto reposo mental. No hay que pensar en nada, ni siquiera en el dinero. ¡ Aviado estaría * mi ilustre amigo el joven y distinguido pensador Sr. Zancada con una enfermedad como la mía ! Por fortuna, yo soy un escritor decorativo * y me dedico a una literatura fácil, superficial y pintoresca.

— ¿ Puedo seguir cultivando mi literatura ?

Un especialista en especialidades nerviosas es siempre

5. glicerofosfato, *pill of glyceric phosphate.*
9. mientras tanto, *otherwise.*
27. aviado estaría, *he would be in a fine fix.*
29. *for entertainment.*

un hombre de mundo, y el mío, con una vaga inflexión de ironía en las palabras, me contestó:

— Si quiere usted que su curación sea rápida y completa, hágase discípulo del señor Pérez Zúñiga.*

¡ No pensar ! Decirle a un hombre inteligente que se abstenga de pensar es lo mismo que aconsejarle a un idiota el ejercicio de la filosofía, cosa que, por otro lado, han ejercido algunos idiotas sin que se lo aconsejara nadie. Hacerse bárbaro no es menos difícil que hacerse inteligente. Yo estoy en el primer caso — se lo digo a los que estén en el segundo —, y bien me puedo permitir la inmodestia de reconocerme inteligente, en desquite de mi enfermedad. Procuraré hacerme bárbaro, y nadie mejor que el lector podrá observar hasta qué punto lo consigo. Al mar y al campo, que siempre sirvieron para inspirar a los artistas, se les confía ahora la tarea de embrutecerlos.

— Y diga usted — le pregunté al doctor —, ¿ no cree usted que yo podría irme embruteciendo poco a poco* en Madrid ? Muchos lo han hecho y les ha salido muy barato...

¡ El mar ! ¡ El campo ! Yo iré a ellos — si no son curativos, tienen bastante con ser hermosos —, y sobre las toscas mesas aldeanas diré, repitiendo unas admirables palabras de Eça de Queiroz:* « Dejadme saborear esta comida en perfecta inocencia de espíritu, como en tiempos del rey Don Juan V, antes de la Democracia y de la Crítica. »

Playas, ciudades y montañas, 1916.

4. Pérez Zúñiga, *a Spanish humorist and rival of the author of this selection at whom Camba has taken many a crack.*

19. podría irme... poco, *I could gradually coarsen my fiber.* See note on page 39, line 8.

25. Eça de Queiroz, *a famous Portuguese novelist of the late nineteenth century.*

Bucólica bicarbonatada*

A CABABA de fundarse *El Mundo* cuando el Centro Gallego * de Madrid organizó un banquete en homenaje a D. Casimiro Gómez. Mi ilustre director de entonces, Julio Burell, me llamó y me dijo:
— ¿ Quiere usted ir a una comida del Centro Gallego ? Como usted es gallego...
Un escrúpulo de mi honrada conciencia me llevó a interrumpir las palabras del maestro.
— Iré al banquete con mucho gusto; pero no por esa razón de regionalismo que usted insinúa, sino por otra, de carácter gastronómico. Estoy a la disposición del periódico para representarle en todos los banquetes, cualesquiera que sean los platos regionales que en ellos se sirvan. Tengo un estómago unitario y un apetito federal...
Ya en el Centro Gallego, me hicieron sentar ante una larga mesa, en la cual tenía don Casimiro Gómez un sitio de honor. Yo no sabía a ciencia cierta * quién era don Casimiro Gómez, a quien, por aquellos días, habían llamado algunos periódicos «el ilustre filántropo». A fin de enterarme comencé a sobornar con aceitunas a un comensal contiguo, y, de pronto, le pregunté a media voz: *
— Esta comida, ¿ nos la da a nosotros don Casimiro o se la damos nosotros a él ?

* bucólica bicarbonatada, *bicarbonated pastoral sketch.*
2. Centro Gallego, *Galician Club.*
17. a ciencia cierta, *for certain.*
22. a media voz, *in a low voice.*

Mi vecino pinchó con el tenedor una aceituna y me la ofreció, dándome, a la vez, el *hors d'œuvres* y la respuesta.

— Esta comida la costeamos nosotros en homenaje del ilustre filántropo.

— Ahí tiene usted * — repuse yo —. Precisamente como don Casimiro es un filántropo, yo me había figurado que iba a pagar el banquete...

El comedor se había instalado en una sala muy alegre, con vistas a la calle de la Bolsa. La pared de frente a mí se hallaba decorada con un friso de gallegos ilustres. Allí estaban el retrato de Concepción Arenal * junto al de Matías López.*

— Esos retratos — me dijo mi reciente amigo — valen mucho dinero.

— El de Matías López — le contesté — pagará bastante.

— ¿Cómo que pagará bastante?*

— Pues que pagará bastante. ¿No es un anuncio?

— No, señor; es un retrato como los otros. Todos son hombres ilustres.

— ¡Ah! ¿Y cómo no está ahí el retrato de don Casimiro? Debieran ponerle junto al de Rosalía de Castro.*

A todo esto * ya habíamos comenzado a comer. Los camareros iban de uno a otro lado haciendo juegos de equilibrio con unas enormes fuentes de buey a la financiera,* plato indicadísimo para obsequiar a un hombre de

---

5. Ahí tiene usted, *There you are!*
11. Concepción Arenal, *a Galician poetess.*
12. Matías López, *a manufacturer of chocolate candy famous for his nation-wide ads of* Antes *and* Después. *Under the word* Antes *always appears the picture of a man slender as a rail, but under* Después *the same man appears fat, healthy and happy.*
17. ¿Cómo que pagará bastante? *What do you mean it will pay quite well?*
22. Rosalía de Castro, *poetess of Galicia.*
23. a todo esto, *while all this was going on.*
26. buey a la financiera, *beef "à la financière".*

BUCÓLICA BICARBONATADA

negocios como don Casimiro Gómez. El vino era malo; pero, en cambio, la mesa estaba llena con botellas de las aguas del Lérez.*

— Tome usted de estas aguas — me dijo mi amigo —; son las aguas de don Casimiro.

¡ Aguas bicarbonatado-sódico-cloruradas, fluorado-líticas,* cuya historia parece la historia de un milagro bíblico ! Don Casimiro llegó de América con una fortuna típicamente indiana: * una fortuna hecha en la industria de los cueros. Aquí, en Pontevedra, compró por 100.000 pesetas una finca cuyos árboles valían solos más de 150.000. « Buen negocio »— se dijo don Casimiro —. Un día, recorriendo los campos que acababa de adquirir, vió un fresco manantial que brotaba dulcemente entre unas peñas. Un poeta hubiera hecho taza de sus manos para gustar el líquido cristalino, y luego se hubiera puesto a oír el tímido murmurio de las aguas. Pero don Casimiro se ha enriquecido con los cueros. ¿ Un manantial ? Pues una industria. Inmediatamente la finca de Monte Porreiro se transformó. Don Casimiro hizo obras,* trajo máquinas, empleó gente, y aquellas aguas bucólicas, en las que Garcilaso * no hubiese advertido nunca el sabor del bicarbonato ni del cloruro, adquirieron de pronto una personalidad científica y un gusto desagradable.

Por todo esto se le llama filántropo a don Casimiro Gómez. Yo recuerdo con cierta indignación aquel banquete del Centro Gallego en el que don Casimiro bebió champagne para hacer un discurso, mientras los demás bebíamos sidra.

— ¿ Y dice usted — exclamé tristemente, dirigiéndome

3. el Lérez, *a spring-fed brook in Galicia.*
7. bicarbonatado-sódico-cloruradas, fluorado-líticas, *bicarbonated-sodaic-chlorated fluoric-lithic.*
9. (*from the*) *New World, American.*
20. hizo obras, *started working (constructed buildings, made repairs).*
22. Garcilaso de la Vega, *a Spanish poet of the Renaissance, celebrated for his pastoral verse.*

al comensal que tenía a mi vera — dice usted que don Casimiro es un filántropo?

Pero ya don Casimiro había empezado a hablar con una dulzura tan americana como filantrópica. «Yo no repararé* en gasto ni sacrificio alguno — decía — para que Galicia tenga un manantial bicarbonatado como los mejores de Europa.» Un espíritu zumbón murmuró cerca de mí:

— Le va a echar todo el bicarbonato que haga falta.

Mientras tanto, don Casimiro proseguía: «Las aguas del Lérez — gritaba — son las mejores aguas digestivas que se conocen, y es un deber de todos los gallegos el proclamarlo así. Por mi parte, estoy dispuesto a todo para que esas aguas se beban en las mejores mesas.

Hacía bien, porque las aguas eran suyas, y cuanto más se bebiesen más ganaría él.

— ¡ Viva don Casimiro ! — gritó una voz.
— ¡ Viva ! ...
— ¡ Viva el ilustre filántropo !
— ¡ Viva ! ...

Y vive. Aquí, en las márgenes del Lérez, tiene su establecimiento, al que yo me propongo hacer una grata excursión.

Playas, ciudades y montañas, 1916.

5. reparar en, *to spare* (*an expense*).

Pío Baroja

PÍO BAROJA y Nessi, most prolific and best known of contemporary Spanish novelists, was born in the Basque province of Guipúzcoa, city of San Sebastián, in 1872. He studied medicine, was a practicing physician for a brief period, owned a Bakery Shop in Madrid in partnership with an older brother, and around the year 1900 began to devote his entire time to journalistic and literary pursuits. His novels are generally novels of ideas; they show little character delineation and are couched in a careless, rambling prose which withal seems to possess the terseness of condensed conversation, of basic emotion and concentrated thought. Many of his works are full of the wandering restlessness characteristic of the Basque race which has spread to the four corners of the earth as sailors and vagabonds. The struggle for life, with no beginning and no end, with no apparent cause and no particular goal, yet pervaded somehow with a fundamental humility, is Baroja's concern as a writer. The only remedy he suggests for too much pessimism is constant activity, about which he naïvely says: " It is a cure as old as the world, and it may be as useful as any other, and doubtless it is as futile as all the rest. As a matter of fact it is no remedy at all."

Intercalated here and there in Baroja's novels are bits of philosophy, and even of lyricism, which appear with startling suddenness. They may not improve the coherence of the work in question, but the reader soon finds himself looking for them with a feeling of eagerness.

The American critic, H. L. Mencken, makes an interesting

comparison between Baroja and Blasco Ibáñez * whom he calls fundamentally a romantic of the last century, with more than one plain touch of the downright operatic:

"Baroja is a man of a very different sort. A novelist undoubtedly as skilful as Blasco and a good deal more profound, he lacks the quality of enthusiasm and thus makes a more restricted appeal. In place of gaudy certainties he offers disconcerting questionings; in place of a neat and well-rounded body of doctrine he puts forward a sort of generalized contra-doctrine. Blasco is almost the typical Socialist — iconoclastic, oratorical, sentimental, theatrical — a fervent advocate of all sorts of lofty causes, eagerly responsive to the shibboleths of the hour. Baroja is the analyst, the critic, almost the cynic. If he leans toward any definite doctrine at all, it is toward the doctrine that the essential ills of man are incurable, that all the remedies proposed are as bad as the disease, that it is almost a waste of time to bother about humanity in general."

Among Baroja's works are two volumes of short stories: *Vidas sombrías*, 1900; and *Idilios vascos*, 1901. His novels, over fifty in number, perhaps reach their height in the following titles: *El mayorazgo de Labraz*, 1903; the trilogy of *La lucha por la vida*, published in 1904 (*La busca; Mala hierba; Aurora roja); César o nada*, 1910; *El árbol de la ciencia*, 1911. All of the preceding novels, and several others, have been translated into English. Many of the facts and fancies of Baroja's life are expressed in his brief spiritual autobiography, *Juventud, egolatría*, 1917, also translated into English and published with an excellent introductory study on Baroja by H. L. Mencken.

* Two selections by Blasco Ibáñez are given on pages 2–9, and 10–15, of this volume.

Elizabide el vagabundo

¿ Cer zala usté cenuben
enamoratzia ?
Sillan ishiri eta
guitarra jotzia.*
Canto popular

MUCHAS veces, mientras trabajaba en aquel abandonado jardín, Elizabide el Vagabundo se decía al ver pasar a Maintoni;* que volvía de la iglesia:
— ¿ Qué pensará ? ¿ Vivirá satisfecha ?
¡ La vida de Maintoni le parecía tan extraña ! Porque era natural que quien como él había andado siempre a la buena de Dios rodando* por el mundo, encontrara la calma y el silencio de la aldea deliciosos; pero ella, que no había salido nunca de aquel rincón, ¿ no sentiría deseos de asistir a teatros, a fiestas, a diversiones, de vivir otra vida más espléndida, más intensa ? Y como Elizabide el Vagabundo no se daba respuesta* a su pregunta, seguía removiendo la tierra con su azadón filosóficamente.
— Es una mujer fuerte — pensaba después —; su alma es tan serena, tan clara, que llega a preocupar. Una preocupación científica, eso claro. Y Elizabide el Vagabundo, satisfecho de la seguridad que se concedía a sí mismo de que íntimamente no tomaba parte en aquella

4. Canto popular vasco: — ¿ Qué creías tú que era el enamorar ? Sentarse en la silla y tocar la guitarra ?
7. *Contraction of* María Antonia.
11. a la buena de Dios rodando, *roving aimlessly*.
16. no se daba respuesta, *couldn't find the answer*.

preocupación, seguía trabajando en el jardín abandonado de su casa.

Era un tipo curioso el de Elizabide el Vagabundo. Reunía todas las cualidades y defectos del vascongado de la costa: era audaz, irónico, perezoso, burlón. La ligereza y el olvido constituían la base de su temperamento: no daba importancia a nada, se olvidaba de todo. Había gastado casi entero su capital en sus correrías por América, de periodista en un pueblo, de negociante en otro, aquí vendiendo ganado, allá comerciando en vinos. Estuvo muchas veces a punto de hacer fortuna, lo que no consiguió por indiferencia. Era de esos hombres que se dejan llevar * por los acontecimientos sin protestar nunca. Su vida, él la comparaba con la marcha de uno de esos troncos que van por el río, que si nadie lo recoge se pierde al fin en el mar.

Su inercia y su pereza eran más de pensamiento que de manos; su alma huía de él muchas veces: le bastaba mirar el agua corriente, contemplar una nube o una estrella para olvidar el proyecto más importante de su vida, y cuando no lo olvidaba por esto, lo abandonaba por cualquier otra cosa, sin saber por qué muchas veces.

Últimamente se había encontrado en una estancia del Uruguay, y como Elizabide era agradable en su trato * y no muy desagradable en su aspecto, aunque tenía ya sus treinta y ocho años, el dueño de la estancia le ofreció la mano de su hija, una muchacha bastante fea... Elizabide, a quien no le parecía mal la vida salvaje de la estancia, aceptó, y ya estaba para casarse cuando sintió la nostalgia de su pueblo, del olor a heno * de sus montes, del paisaje brumoso de la tierra vascongada. Como en sus planes no entraban las explicaciones bruscas, una mañana, al amanecer, advirtió a los padres de su futura

12. se dejan llevar, *let themselves be carried along.*
24. *conversation and conduct, manner.*
30. olor a heno, *odor of hay.*

ELIZABIDE EL VAGABUNDO

que iba a ir a Montevideo a comprar el regalo de boda; montó a caballo, luego en el tren; llegó a la capital, se embarcó en un transatlántico, y después de saludar cariñosamente la tierra hospitalaria de América se volvió a España.

Llegó a su pueblo, un pueblecillo de la provincia de Guipúzcoa; abrazó a su hermano Ignacio, que estaba allí de boticario, fué a ver a su nodriza, a quien prometió no hacer ninguna escapatoria más, y se instaló en su casa. Cuando corrió por el pueblo la voz de que * no sólo no había hecho dinero en América, sino que lo había perdido, todo el mundo recordó que antes de salir de la aldea ya tenía fama de fatuo,* de insustancial y de vagabundo.

Él no se preocupaba absolutamente nada por estas cosas; cavaba en su huerta, en los ratos perdidos * trabajaba en construir una canoa para andar por el río, cosa que a todo el mundo indignaba.

Elizabide el Vagabundo creía que su hermano Ignacio, la mujer y los hijos de éste le desdeñaban, y por eso no iba a visitarles más que de cuando en cuando; * pronto vió que su hermano y su cuñada le estimaban y le hacían reproches porque no iba a verlos. Elizabide comenzó a acudir a casa de su hermano con más frecuencia.

La casa del boticario estaba a la salida del pueblo, completamente aislada; por la parte que miraba al camino tenía un jardín rodeado de una tapia, y por encima de ella salían ramas de laurel de un verde oscuro que protegían algo la fachada del viento del Norte. Pasando el jardín estaba la botica.

La casa no tenía balcones, sino sólo ventanas, y éstas abiertas en la pared sin simetría alguna; lo que era debido a que algunas de ellas se hallaban tapiadas.

10. corrió... la voz de que, *the rumor spread that.*
13. fama de fatuo, *reputation of being a ne'er-do-well.*
15. ratos perdidos, *idle moments.*
20. de cuando en cuando, *from time to time.*

Al pasar en el tren o en el coche por las provincias del Norte, ¿no habéis visto casas solitarias que, sin saber por qué, os daban envidia ? Parece que allá dentro se debe vivir bien, se adivina una existencia dulce y apacible;
5 las ventanas con cortinas hablan de interiores casi monásticos, de grandes habitaciones con arcas y cómodas de nogal,* de inmensas camas de madera; de una existencia tranquila, sosegada, cuyas horas pasan lentas, medidas por el viejo reloj de alta caja que lanza en la noche su
10 sonoro tic-tac.

La casa del boticario era de éstas: en el jardín se veían jacintos, heliotropos, rosales, y enormes hortensias que llegaban hasta la altura de los balcones del piso bajo. Por encima de la tapia del jardín caían como en cascada
15 un torrente de rosas blancas, sencillas, que en vascuence llaman *choruas* (locas) * por lo frívolas que son * y por lo pronto que se marchitan y se caen.

Cuando Elizabide el Vagabundo fué a casa de su hermano, ya con más confianza, el boticario y su mujer,
20 seguidos de todos los chicos, le enseñaron la casa, limpia, clara y bien oliente;* después fueron a ver la huerta, y aquí Elizabide vió por primera vez a Maintoni, que, con la cabeza cubierta con un sombrero de paja, estaba recogiendo guisantes en la falda. Elizabide y ella se
25 saludaron fríamente.

— Vamos hacia el río — le dijo a su hermana la mujer del boticario —. Diles a las chicas que lleven el chocolate allí. Maintoni se fué hacia la casa, y los demás, por una especie de túnel largo formado por perales que tenían
30 las ramas extendidas como las varillas de un abanico, bajaron a una plazoleta que estaba junto al río, entre árboles, en donde había una mesa rústica y un banco de

---

7. cómodas de nogal, *walnut bureaux.*
16. *wild and fragile.*
16. por lo frívolas que son, *because they are so easily shattered.*
21. bien oliente, *clean smelling.*

piedra. El sol, al penetrar entre el follaje, iluminaba el fondo del río y se veían las piedras redondas del cauce y los peces que pasaban lentamente brillando como si fueran de plata. El tiempo era de una tranquilidad admirable; el cielo azul, puro y sereno.

Antes del caer de la tarde las dos muchachas de casa del boticario vinieron con bandejas en la mano trayendo chocolate y bizcochos. Los chicos se abalanzaron sobre los bizcochos como fieras. Elizabide el Vagabundo habló de sus viajes, contó algunas aventuras, y tuvo suspensos de sus labios * a todos. Sólo ella, Maintoni, pareció no entusiasmarse gran cosa * con aquellas narraciones.

— Mañana vendrás, tío Pablo, ¿ verdad ? — le decían los chicos.

— Sí, vendré.

Y Elizabide el Vagabundo se marchó a su casa y pensó en Maintoni y soñó con ella. La veía en su imaginación tal cual * era: chiquitilla, esbelta, con sus ojos negros, brillantes, rodeada de sobrinos, que la abrazaban y besuqueaban.

Como el mayor de los hijos del boticario estudiaba el tercer año del bachillerato,* Elizabide se dedicó a darle lecciones de francés, y a estas lecciones se agregó Maintoni.

Elizabide comenzaba a sentirse preocupado con la hermana de su cuñada, tan serena, tan inmutable; no se comprendía si su alma era un alma de niña sin deseos ni aspiraciones, o si era una mujer indiferente a todo lo que no se relacionase con las personas que vivían en su hogar. El vagabundo la solía mirar absorto. — ¿ Qué pensará ? — se preguntaba. Una vez se sintió atrevido, y la dijo:

11. suspensos de sus labios, *hanging on his words.*
12. gran cosa, *very much.*
18. *just as.*
22. *course leading to the bachelor's degree required for entrance to the University.*

— ¿ Y usted no piensa casarse, Maintoni ?
— ¡ Yo ! ¡ casarme !
— ¿ Por qué no ?
— ¿ Quién va a cuidar de los chicos si me caso ? Además yo ya soy *nesca-zarra* (solterona) — contestó ella riéndose.
— ¡ A los veintisiete años solterona ! Entonces yo, que tengo treinta y ocho, debo de estar en el último grado de la decrepitud.

Maintoni a esto no dijo nada; no hizo más que sonreír.

Aquella noche Elizabide se asombró al ver lo que le preocupaba Maintoni.

— ¿ Qué clase de mujer es ésta ? — se decía —. De orgullosa no tiene nada,* de romántica tampoco, y sin embargo...

En la orilla del río, cerca de un estrecho desfiladero,* brotaba una fuente * que tenía un estanque profundísimo; el agua parecía allí de cristal por lo inmóvil.* Así era quizá el alma de Maintoni — se decía Elizabide — y sin embargo... — Sin embargo no se desvanecía;* al revés, iba haciéndose mayor.*

Llegó el verano; en el jardín de la casa del boticario, reuníase toda la familia, Maintoni y Elizabide el Vagabundo. Nunca fué éste tan exacto como entonces, nunca tan dichoso y tan desgraciado al mismo tiempo. Al anochecer, cuando el cielo se llenaba de estrellas y la luz pálida brillaba en el firmamento, las conversaciones se hacían más íntimas, más familiares, coreadas por el canto de los sapos. Maintoni se mostraba más expansiva, más locuaz.

14. de orgullosa no tiene nada, *she isn't at all proud.*
16. estrecho desfiladero, *narrow defile.*
17. brotaba una fuente, *there bubbled a spring.*
18. por lo inmóvil, *it was so still.*
20. no se desvanecía, *her image didn't grow faint and vanish.*
21. iba haciéndose mayor, *it kept getting larger.*

A las nueve de la noche, cuando se oía el sonar de los cascabeles de la diligencia que pasaba por el pueblo con un gran farol sobre la capota del pescante,* se disolvía la reunión y Elizabide se marchaba a su casa haciendo proyectos para el día de mañana, que giraban siempre alrededor de Maintoni.

A veces, desalentado se preguntaba: — ¿ No es imbécil haber recorrido el mundo para venir a caer en un pueblecillo y enamorarse de una señorita de aldea ? ¡ Y quién se atrevía a decirle nada a aquella mujer, tan serena, tan impasible !

Fué pasando el verano, llegó la época de las fiestas, y el boticario y su familia se dispusieron a celebrar la romería * de Arnazabal como todos los años.

— ¿ Tú también vendrás con nosotros ? — le preguntó el boticario a su hermano.

— Yo no.

— ¿ Por qué no ?

— No tengo ganas.

— Bueno, bueno; pero te advierto que te vas a quedar solo, porque hasta las muchachas vendrán con nosotros.

— ¿ Y usted también ? — dijo Elizabide a Maintoni.

— Sí. ¡ Ya lo creo ! A mí me gustan mucho las romerías.

— No hagas caso, que no es por eso — replicó el boticario —. Va a ver al médico de Arnazabal, que es un muchacho joven que el año pasado le hizo el amor.

— ¿ Y por qué no ? — exclamó Maintoni sonriendo.

Elizabide el Vagabundo palideció, enrojeció; pero no dijo nada.

La víspera de la romería el boticario le volvió a preguntar a su hermano:

— ¿ Conque vienes o no ?

— Bueno, iré — murmuró el vagabundo.

3. capota del pescante, *top of the driver's seat.*
14. *pilgrimage* (there is usually a picnic connected with it. Arnazabal is a small Basque village where there is a neighborhood shrine.)

Al día siguiente se levantaron temprano y salieron del pueblo, tomaron la carretera, y después, siguiendo veredas, atravesando prados cubiertos de altas hierbas y de purpúreas digitales, se internaron en el monte. La mañana estaba húmeda, templada; el campo mojado por el rocío; el cielo azul muy pálido, con algunas nubecillas blancas que se deshilachaban en estrías tenues.* A las diez de la mañana llegaron a Arnazabal, un pueblo en un alto, con su iglesia, su juego de pelota * en la plaza, y dos o tres calles formadas por casas de piedra.

Entraron en el caserío, propiedad de la mujer del boticario, y pasaron a la cocina. Allí comenzaron los agasajos y los grandes recibimientos de la vieja, que abandonó su labor de echar ramas al fuego y de mecer la cuna de un niño; se levantó del fogón bajo, en donde estaba sentada, y saludó a todos, besando a Maintoni, a su hermana y a los chicos. Era una vieja flaca, acartonada, con un pañuelo negro en la cabeza; tenía la nariz larga y ganchuda, la boca sin dientes, la cara llena de arrugas, y el pelo blanco.

— ¿Y vuestra merced es el que estaba en las Indias? *
— preguntó la vieja a Elizabide, encarándose con él:
— Sí; yo era el que estaba allá.

Como habían dado las diez, y a esta hora empezaba la misa mayor, no quedaba en casa más que la vieja. Todos se dirigieron a la iglesia.

Antes de comer, el boticario, ayudado de su mujer y de los chicos, disparó desde una ventana del caserío una barbaridad de cohetes,* y después bajaron todos al comedor. Había más de veinte personas en la mesa,

7. se deshilachaban en estrías tenues, *were breaking up into tiny filaments.*
9. juego de pelota, *pelota court.* (*Pelota*, or *jai-alai*, is a Basque game, popular in Spain and Hispanic America, which was introduced in this country several years ago.)
21. las Indias, *America (New World).*
29. una barbaridad de cohetes, *a huge number of rockets.*

ELIZABIDE EL VAGABUNDO

entre ellas el médico del pueblo, que se sentó cerca de Maintoni, y tuvo para ella y para su hermana un sin fin de galanterías y oficiosidades.

Elizabide el Vagabundo sintió una tristeza tan grande en aquel momento, que pensó en dejar la aldea y volverse a América. Durante la comida Maintoni le miraba mucho a Elizabide.

— Es para burlarse de mí — pensaba éste —. Ha sospechado que la quiero, y coquetea con el otro. El golfo de Méjico tendrá que ser otra vez conmigo.

Al terminar la comida eran más de las cuatro; había comenzado el baile. El médico, sin separarse de Maintoni, seguía galanteándola, y ella seguía mirando a Elizabide.

Al anochecer, cuando la fiesta estaba en su esplendor,* comenzó el *aurrescu.** Los muchachos, agarrados de las manos, iban dando vuelta a la plaza, precedidos de los tamborileros; dos de los mozos se destacaron, se hablaron, parecieron vacilar, descubriéndose,* con las boinas * en la mano, invitaron a Maintoni para ser la primera, la reina del baile. Ella trató de disuadirles en vascuence; miró a su cuñado, que sonreía; a su hermana, que también sonreía, y a Elizabide, que estaba fúnebre.

— Anda, no seas tonta — le dijo su hermana.

Y comenzó el baile con todas sus ceremonias y saludos, recuerdos de una edad primitiva y heroica. Concluído el *aurrescu,* e' boticario sacó a bailar * el fandango a su mujer, y el médico joven a Maintoni.

Obscureció: fueron encendiéndose hogueras en la plaza, y la gente fué pensando en la vuelta. Después de tomar chocolate en el caserío, la familia del boticario y Elizabide emprendieron el camino hacia casa.

14. en su esplendor, *at its height.*
15. *Basque dance for eight persons.*
18. *taking off their caps.*
18. (Basque) *cap.*
26. sacó a bailar, *took out to dance.*

A lo lejos, entre los montes, se oían los *irrintzis* * de los que volvían de la romería, gritos como relinchos salvajes. En las espesuras brillaban los gusanos de luz * como estrellas azuladas, y los sapos lanzaban su nota de
5 cristal en el silencio de la noche serena.

De vez en cuando, al bajar alguna cuesta, al boticario se le ocurría que se agarraran todos de la mano, y bajaban la cuesta cantando:

Aita San Antoniyo Urquiyolacua. Ascoren biyotzeco
10 *santo devotua.**

A pesar de que Elizabide quería alejarse de Maintoni, con la cual estaba indignado, dió la coincidencia de que * ella se encontraba junto a él. Al formar la cadena, ella le daba la mano, una mano pequeña, suave y tibia. De
15 pronto, al boticario, que iba el primero, se le ocurría pararse y empujar para atrás,* y entonces se daban encontronazos * los unos contra los otros, y a veces Elizabide recibía en sus brazos a Maintoni. Ella reñía alegremente a su cuñado, y miraba al vagabundo, siempre
20 fúnebre.

— Y usted, ¿ por qué está tan triste ? — le preguntó Maintoni con voz maliciosa, y sus ojos negros brillaron en la noche.

— ¡ Yo ! no sé. Esta maldad del hombre que sin querer
25 le entristecen las alegrías de los demás.

— Pero usted no es malo —, dijo Maintoni, y le miró tan profundamente con sus ojos negros, que Elizabide el Vagabundo se quedó tan turbado que pensó que hasta las mismas estrellas notarían su turbación.

1. (Basque) *sharp cries.*
3. gusano de luz, *firefly, glow-worm.*
10. El padre San Antonio de Urquiola es santo a quien tienen devoción muchos corazones. (*Author's note.*)
12. dió la coincidencia de que, *it happened that.*
16. empujar para atrás, *to push back.*
17. se daban encontronazos, *they bumped against each other.*

— No; no soy malo — murmuró Elizabide —; pero soy un fatuo, un hombre inútil, como dice todo el pueblo.

— ¿Y eso le preocupa a usted, lo que dice la gente que no le conoce?

— Sí, temo que sea la verdad, y para un hombre que tendrá que marcharse otra vez a América, ése es un temor grave.

— ¡Marcharse! ¿Se va usted a marcharse? — murmuró Maintoni con voz triste.

— Sí.

— ¿Pero por qué?

— ¡Oh! A usted no se lo puedo decir.

— ¿Y si yo lo adivinara?

— Entonces lo sentiría mucho, porque se burlaría usted de mí, que soy viejo...

— ¡Oh, no!

— Que soy pobre.

— No importa.

— ¡Oh, Maintoni! ¿De veras? ¿No me rechazaría usted?

— No; al revés.

— Entonces... ¿me querrás como yo te quiero? — murmuró Elizabide el Vagabundo en vascuence.

— Siempre, siempre... Y Maintoni inclinó su cabeza sobre el pecho de Elizabide y éste la besó en su cabellera castaña.

— ¡Maintoni! ¡Aquí! — le dijo su hermana, y ella se alejó de él; pero se volvió a mirarle una vez, y muchas.

Y siguieron todos andando hacia el pueblo por los caminos solitarios.

En derredor vibraba la noche llena de misterios; en el cielo palpitaban los astros.

Elizabide el Vagabundo, con el corazón anegado de sensaciones inefables, sofocado de felicidad, miraba con los ojos muy abiertos una estrella lejana, muy lejana, y le hablaba en voz baja...

Idilios vascos, 1901.

José Antonio Campos

THE Ecuadorean *costumbrista* and journalist, Antonio Campos, was born in 1868. On reaching maturity he became interested in the educational system of his country, and was at one time Minister of Education. Most of his writing, and he has produced very little indeed, was done for newspapers and signed under the pen-name of " Jack the Ripper." His humor is blessed or cursed with outbursts of naturalism which sometimes make it a bit hard to swallow and enjoy. The story, *Los tres cuervos*, is considered to be his masterpiece, and is one of the most widely reprinted sketches of all Spanish American literature. There is in existence no better summary of the Hispanic tendency to exaggeration than this brief humoristic gem. Antonio Campos has collected a few of his writings in the two following works: *Cintas alegres (Proyecciones cómicas de la vida culta y de la vida rústica)*; and *Rayos catódicos y fuegos fatuos* (2 vols.). He has also written a reader for use in the Ecuadorean schools entitled: *El lector ecuatoreano*.

Los tres cuervos

— ¡MI GENERAL!*
— ¡ Coronel !
— Es mi deber comunicarle que ocurren cosas muy particulares en el campamento.
— Diga usted, coronel.
— Se sabe, de una manera positiva, que uno de nuestros soldados se sintió ligeramente indispuesto, en un principio; luego creció su malestar; más tarde experimentó una terrible angustia en el estómago y por fin vomitó tres cuervos vivos.
— ¿ Vomitó qué ?
— Tres cuervos, mi general.
— ¡ Cáspita !
— ¿ No le parece a mi general que éste es un caso muy particular ?
— ¡ Particular, en efecto !
— ¿ Y qué opina usted de ello ?
— ¡ Coronel, no sé qué opinar ! Voy a comunicarlo en seguida al Ministerio. Con que * son ...
— Tres cuervos, mi general.
— ¡ Habrá alguna equivocación !
— No, mi general; son tres cuervos.
— ¿ Usted los ha visto ?
— No, mi general; pero son tres cuervos.
— Bueno, convengo en ello, aunque no me lo explico; ¿ quién le informó a usted ?

1. Omit *mi* in translating.
19. con que..., *so*...

— El comandante Epaminondas.
— Hágale usted venir en seguida, mientras yo transmito la noticia.
— Al momento, mi general.

* * *

— ¡Comandante Epaminondas!
— ¡Presente, mi general!
— ¿Qué historia es aquella de los tres cuervos que ha vomitado uno de nuestros soldados enfermos?
— ¿Tres cuervos?
— Sí, comandante.
— Yo sé de dos, nada más, mi general; pero no de tres.
— Bueno, dos o tres, poco importa. La cuestión está en averiguar si en realidad figuran verdaderos cuervos en el caso de que se trata.
— De figurar, figuran,* mi general.
— ¿Dos cuervos?
— Sí, mi general.
— ¿Y cómo ha sido eso?
— Pues la cosa más sencilla, mi general. El soldado Pantaleón dejó una novia en su pueblo, que, según la fama, es una muchacha morena con mucha sal y pimienta.* ¡Qué ojos aquéllos, mi general, que parecen dos estrellas! ¡Qué boca! Traviesa la mirada, juguetona la sonrisa, cimbreador el talle* y un hoyito delicioso en cada mejilla...
— ¡Comandante!
— ¡Presente, mi general!
— Sea usted breve y omita todo detalle inoficioso.
— ¡A la orden, mi general!
— ¿Qué hubo, al fin, de los cuervos?
— Pues bien: el muchacho estaba triste por la dolorosa

16. de figurar, figuran..., *as for figuring, they figure, all right.*
22. con mucha sal y pimienta..., *with a lot of wit and liveliness.*
25. cimbreador el talle, *graceful figure.*

LOS TRES CUERVOS

ausencia de aquella que sabemos, y no quería probar el rancho,* ni probar nada, hasta que cayó enfermo del estómago y... En una de ésas ¡puf!... dos cuervos.
— ¿Usted tuvo ocasión de verlos?
— No, mi general; soy referente.
— ¿Y quién le dió a usted la noticia?
— El capitán Aristófanes.
— ¡Acabáramos!* Dígale usted, que venga inmediatamente.
— ¡En seguida, mi general!
— ¡Capitán Aristófanes!
— ¡Presente, mi general!
— ¿Cuántos cuervos ha vomitado el soldado Pantaleón?
— Uno, mi general.
— Acabo de saber que son dos, y antes me habían dicho que tres.
— No, mi general, no es más que uno, afortunadamente; pero con todo, salvo la respetable opinión de mi jefe,* me parece que basta uno para considerar el caso como un fenómeno inaudito...
— Pienso lo mismo, capitán.
— Un cuervo, mi general, nada tiene de particular, si le consideramos desde el punto de vista zoológico. ¿Qué es el cuervo? No le confundamos con el cuervo europeo, mi general, que es el *corvus corax* * de Linneo.* La especie que aquí conocemos está incluída en la numerosa familia de las rapaces diurnas,* y yo tengo para mí * que se trata del verdadero y legítimo *Sarcoranfus*, puesto que repre-

2. probar el rancho, *to taste the rations.*
8. ¡Acabáramos! *Let's finish!, Let's get to the bottom of this!*
20. salvo la respetable... jefe, *unless my superior's opinion is to the contrary.*
26. corvus corax..., *read these terms as they appear.*
26. Carl Linnaeus, *1707-1778, distinguished Swedish naturalist.*
28. rapaces diurnas, *predatory birds that appear only during the day.*
28. tengo para mí, *it's my opinion...*

senta las respectivas carúnculas * alrededor de la base del pico, en lo cual se diferencia del *vultur papa*, del *catartus* y aun del mismo *californianus*. Difieren, no obstante, las ilustradas opiniones de los zoólogos en la palabra gallinazo.

— ¡ Capitán !
— ¡ Presente, mi general !
— ¿ Estamos en clase de Historia Natural ?
— No, mi general.
— Entonces, vamos al grano.* ¿ Qué hubo del cuervo que vomitó el soldado Pantaleón ?
— Es positivo, mi general.
— ¿ Usted lo vió ?
— Tanto como verlo no,* mi general; pero lo supe por el teniente Pitágoras, que fué testigo del hecho.
— Está bien. Quiero ver en seguida al teniente Pitágoras.
— ¡ Será usted servido, mi general !

* * *

— ¡ Teniente Pitágoras !
— ¡ Presente, mi general !
— ¿ Qué sabe usted del cuervo ? . . .
— Ya,* mi general; el caso es raro en verdad; pero ha sido muy exagerado.
— ¿ Cómo así ?
— Porque no es un cuervo entero el de la ocurrencia, sino parte de un cuervo, nada más. Fué una ala de cuervo, mi general. Yo, como es natural, me sorprendí mucho y corrí a darle aviso a mi capitán Aristófanes; pero parece que él no me oyó la palabra *ala* y creyó que era un cuervo entero; a su vez llevó el dato a mi comandante Epaminondas, quien entendió que eran dos cuervos

1. *caruncle*, (a fleshy bulge at base of a bird's beak).
10. vamos al grano, *let's get to the point*.
14. tanto como verlo . . . *well, not so far as to see it*.
22. (*Expletive*) *Oh yes ! Yes, indeed !*

LOS TRES CUERVOS

y pasó la voz * al coronel Anaximandro, quien creyó que eran tres.

— Pero... ¿ y esa ala o lo que sea ?
— Yo no la he visto, mi general, sino el sargento Esopo. A él se le debe la noticia.
— ¡ Ah diablos ! ¡ Que venga ahora mismo el sargento Esopo !
— ¡ Vendrá al instante, mi general !

* * *

— ¡ Sargento Esopo !
— ¡ Presente, mi general !
— ¿ Qué tiene el soldado Pantaleón ?
— Está enfermo, mi general.
— Pero ¿ qué tiene ?
— Está muy enfermo.
— ¿ Desde cuándo ?
— Desde anoche, mi general.
— ¿ A qué hora vomitó el ala del cuervo que dicen ?
— No ha vomitado ninguna ala, mi general.
— Entonces, pedazo de jumento,* ¿ cómo has relatado la noticia de que el soldado Pantaleón había vomitado una ala de cuervo ?
— Con perdón, mi general, yo desde chico sé un versito que dice:

> Yo tengo una muchachita
> Que tiene los ojos negros
> Y negra la cabellera
> Como las alas del cuervo !
> Yo tengo una muchachita
> . . . .

— ¡ Basta, majadero ! *

1. pasó la voz, *passed the word along*.
19. pedazo de jumento, *you idiot, jackass*.
29. majadero, *you meddling fool*.

— Bueno, mi general, lo que pasó fué que cuando vide*
a mi compañero que estaba tan triste por la ausencia de
su novia, me acordé del versito y me puse a cantar...
— ¡ Ah diantres !
— Eso fué todo, mi general, y de ahí ha corrido la
boquilla.*
— ¡ Retírate al instante, zopenco !
Dióse luego un golpe en la frente el bravo jefe y dijo:
— ¡ Buena la hemos hecho ! * Creo que puse cinco o
seis cuervos en mi información, como suceso extraordinario de campaña !

Los mejores cuentos americanos, coleccionados por
V. García Calderón, 1910.

1. vide *dial.* for vi.
6. ha corrido la boquilla, *the story has spread.*
9. ¡ Buena la hemos hecho ! *We've made a fine mess of it !*

José Martínez Ruiz
Azorín

AZORÍN is the pen-name of José Martínez Ruiz who was born in Monóvar (Alicante) in 1874. In many of his earlier works which are replete with personal memoirs the character *Azorín* is protagonist. Perhaps the best known of these writings are *La voluntad*, 1902, and *Las confesiones de un pequeño filósofo*, 1904. In these early sketches, as indeed in all of *Azorín's* work, there is an absence of action and a preponderance of description, thought, emotion, lyricism and symbolism regardless of the type of writing undertaken. *Azorín* is always the personal essayist, never the pure dramatist or novelist. An anecdote which the poet Pedro Salinas tells exemplifies his character well: Salinas, Juan Ramón Jiménez and *Azorín* were standing one day on a busy corner of Madrid waiting for the clamour of congested traffic to die down sufficiently to permit them to cross the street. While the first two querulously commented on the noise and rush, *Azorín* discovered a tiny escape of gas in the street lamp on the corner, and was listening to its faint sibilant sound fascinated. In his works somewhat the same attitude is present. As Federico de Onís says, he finds in small things a symbol of the great and large, and in great and large things he sees a projection and extension of the insignificant and small. In addition to his more purely creative and evocative works *Azorín* has also written several stimulating books of literary criticism: *Clásicos y modernos*, 1913; *Al margen de los clásicos*, 1915; *Rivas y Larra*, 1916, etc.

In his sketches of Spanish scenery and life, the works most

likely to bring him enduring fame, *Los pueblos*, 1905; and *Castilla*, 1912, he catches the air and spirit of the past in some vestige of the present which reveals the oneness and eternity of all time. Or, as he puts it so well in one of his essays, after the flower is dead there still hovers about the empty vessel a certain *fragancia del vaso*, timeless, rhythmic, eternal, indifferent to the sorrows of men, yet which is the very essence and being of life, of death, and of renewal. This conception gives *Azorín* a certain kinship in feeling with the contemporary American novelist, Thomas Wolfe, to whom " the minute-winning days, like flies, buzz home to death, and every moment is a window on all time." In the following sketch of *Sarrió*, who outlived his epoch, we see a symbol of decadent Spain among modern nations. Despite the pathos of the scene presented, *Sarrió* is glorified in literary eternity, his very fate "touched by that dark miracle of chance which makes new magic in a dusty world."

Sarrió

Los amigos y admiradores del hombre ilustrado quedarán consternados cuando pasen la vista por estas líneas. Sarrió está enfermo; Sarrió desaparece... Yo he llegado a media mañana * a este pueblecillo sosegado * y claro; el sol iluminaba la ancha plaza; unas sombras azules, frescas, caían en el ángulo de los aleros * de las casas y bañaban las puertas; la iglesia, con sus dos achatadas * torres de piedra, torres viejas, torres doradas, se levantaba en el fondo, destacando sobre el cielo limpio, luminoso. Y en el medio, la fuente deja caer sus cuatro caños,* con un son rumoroso, en la taza labrada.* Yo me he detenido un instante, gozando de las sombras azules, de las ventanas cerradas, del silencio profundo, del ruido manso del agua, de las torres, del revolar de una golondrina, de las campanadas rítmicas y largas del vetusto * reloj. Y luego he llamado en la casa del grande hombre: « tan, tan. » * La puerta estaba entreabierta; no era indiscreción el entrar. El zaguán se hallaba desierto; sobre una mesa he visto una palmatoria * con la vela a medio consumir, un vaso vacío — tal vez de algún medicamento — y un

4. a media mañana, *in the middle of the morning.*
4. *peaceful.*
6. *eaves.*
7. *flat.*
10. *spouts.*
11. taza labrada, *carved basin.*
15. *old.*
16. « tan, tan », an attempt to suggest the sound of his knock on the door.
19. *candlestick.*

rimero * de periódicos de la provincia con las fajas * intactas. Un profundo silencio reina en toda la casa; los muebles están llenos de polvo; una o dos sillas tienen el asiento desfondado. Y flota en el aire y se ve en todos los detalles algo como un profundo abandono, como una honda laxitud, como una irresistible desesperanza. « Es extraño » — pienso yo, y me siento un momento junto a la mesa, ya un poco triste, ya embargado * por esa melancolía indefinible que nos hace presentir las grandes catástrofes. « Es extraño » — torno a pensar. Y me levanto; en el fondo aparece la ancha puerta del huerto, y columbro por ella el verde claro de los naranjos y el verde oscuro de los granados.* Pero nadie aparece, ni se percibe el más ligero ruido en la casa. Yo entonces hago sonar unas fuertes palmadas * y pregunto, gritando, a uso de pueblo *:

— ¿ Quién está aquí ?

Y nadie sale. Yo ya conozco estas casas extrañas, que parecen abandonadas, en que vive uno de esos misántropos de pueblo; estas casas con los muebles rotos, viejos, con las salas cerradas y polvorientas, con la cocina * apagada siempre, con el pequeño huerto lleno de plantas silvestres; estas casas en que no hay nadie jamás, y en que de tarde en tarde se oye el chirrido de una puerta y se ve la silueta negra, sigilosa de su único morador, que pasa. Yo conozco estas casas, pero la casa de Sarrió no era de estas casas. Un presentimiento doloroso comienza a entrar en mi espíritu. Yo doy otras recias palmadas. Y entonces, al cabo de un breve rato, veo salir un criado por la puerta del huerto. ¿ No habéis reparado en el aire especial que tienen los criados de estas casas extrañas ? Son como hombres

1. *pile.*
1. *wrapping-band.*
8. *overwhelmed.*
13. *pomegranate-tree.*
15. hago sonar unas fuertes palmadas, *I clap my hands loudly.*
15. a uso de pueblo, *after the small town fashion.*
20. *kitchen-stove.*

que esperan y que temen algo al mismo tiempo; llevan en
su cara los signos de una preocupación, de una displicencia,* de un recelo misterioso; diríase que husmean *
por todos los escondrijos tesoros ocultos, que piensan en
mandas,* en legados,* y que se sienten secretamente 5
exasperados por algo que no llega.

Y le pregunto a este criado:

— ¿ Y don Lorenzo ?

Él me contesta:

— Está durmiendo. 10

Son las once de la mañana; estas sencillas palabras
producen en mí una estupefacción profunda.

— Pero ¿ está enfermo ? — torno yo a preguntar.

El no contesta directamente a mi pregunta.

— Se levanta a las tres de la madrugada — me dice — 15
y después se vuelve a acostar.

Yo estoy asombrado. ¿ Sarrió se levanta a las tres y
después se vuelve a acostar ? Esto es inaudito, absurdo.
Y entonces, cuando mi admiración * ha pasado un tanto,*
me acuerdo de las tres lindas hijas de mi ilustre amigo: 20
de Carmen, de Lola y de Pepita. Carmen era menuda *
y tenía el pelo castaño y los ojos azules.

— ¿ Y la señorita Carmen ? — pregunto.

— Se casó — me contesta el criado.

Yo siento una tenue desilusión. Y pregunto por Lola. 25
Lola era alta y tenía el cabello rubio y los dientes menu-
ditos y blancos.

— ¿ Y la señorita Lola ?

— Se casó también.

3. *fretfulness.*
3. diríase que husmean, *one would say that they are rummaging about for.*
5. *bequest.*
5. *legacy.*
19. *astonishment.*
19. un tanto, *somewhat.*
21. *small and slender.*

Yo vuelvo a experimentar otra decepción vaga. Y deseo saber qué se ha hecho de * Pepita. Pepita era la más linda de las tres. Pepita era mi amiga predilecta. Pepita tocaba en el piano, con gesto lento y melancólico, « La Prière des Bardes ».* Pepita tenía hermosas dos cosas que prestan a la mujer un encanto irresistible, avasallador: * Pepita tenía hermosas las manos y la voz. De la voz ha dicho un filósofo griego — Zenón — que « es la flor de la belleza »; de las manos no recuerdo ahora sentencia ninguna de ningún filósofo; pero no es necesario acudir a filosofías antiguas o modernas para sentirse subyugado por unos dedos largos, finos, blancos, sedosos, puntiagudos, guarnecidos de simétricas uñas combadas y rosadas.

— ¿ Y la señorita Pepita ? — vuelvo yo a preguntar, un poco indeciso, temeroso.

— Se murió — contesta el criado.

Y yo oigo estas palabras lleno de una intensa e indescriptible emoción. Ya, todo el misterio de este ambiente que flota en la casa abandonada aparece claro ante mí. ¿ Cómo los seres que hemos amado tanto pueden desaparecer de este modo tan rápido y brutal ? ¿ No habrá nada fijo, inconmovible,* en el mundo, de nuestros amores y de nuestras predilecciones ? Yo miro inconscientemente, anonadado por la tristeza, la bujía a medio consumir, el vaso vacío, el rimero de los periódicos intactos. Y de pronto oigo unos pasos sordos en el piso de arriba y percibo una voz ronca, una voz apagada, una voz doliente que llama al criado. Es la voz de Sarrió. Transcurren unos minutos; el grande hombre aparece en el rellano * de la escalera. ¿ Es él ? ¿ No es él ? Sarrió camina con los pies arras-

2. se ha hecho de, *has become of* . . .
5. La Prière des Bardes (*The Poets' Prayer*), a musical selection by Jean François Lessueur.
6. *enthralling.*
22. *changeless.*
29. *landing.*

SARRIÓ

trando. Antes iba pulcramente afeitado; ahora lleva una larga barba intensa, descuidada. Antes llevaba una estupenda cadena de plata con una gruesa muletilla *; ahora ya no la usa. Antes llevaba siempre, indefectiblemente, una refulgente camisa planchada, que hacía sobre el pecho un bombeo gallardo *; ahora trae una camisa blanda. Yo he dicho ya en otra ocasión que un hombre que no lleva camisa nítida y acerada * no puede tener talento ni energía; cuando esta proposición se publicó, algunas estimadas amigas mías se escandalizaron. Una mujer no puede persuadirse de que un hombre desprovisto * de esta indispensable prenda deje de tener energía y talento. Algunas, sin embargo, llegan a convencerse; pero es ya un poco tarde....

Sarrió, siempre tan atildado, no usa camisa. ¿Queréis un detalle que revele mejor toda su lamentable decadencia? Yo he sentido ante él una honda tristeza que ha venido a juntarse a la tristeza ya sentida. Sarrió va bajando, lentamente, apoyado en la barandilla, los peldaños de la escalera. Yo le miro absorto. Hay en los pueblos hombres y mujeres, vulgares, anodinos,* insignificantes, que os han encantado con su afabilidad, con sus palabras sencillas, y cuya desaparición os causa tanto pesar como la de un héroe o la de un gran artista. ¿Dónde están don Pedro, don Antonio, don Luis, don Rafael, don Alberto, don Leandro, a quienes conocimos en nuestra niñez o nuestra adolescencia? Tal vez todos han muerto mientras vosotros estabais ausentes, olvidados de * sus figuras amables; tal vez alguno de ellos — como este Sarrió — sobrevive a la ruina de su casa, a la muerte de sus amigos, a la desaparición

3. *charm (of a cross-piece).*
6. bombeo gallardo, *elegant bulge.*
8. nítida y acerada, *neat and starched.*
11. desprovisto de, *unprovided with.*
21. *nondescript.*
28. olvidados de, *forgetful of.*

de todo lo que constituía el ambiente de su época. Y entonces veis estas existencias trágicas, dolorosas, solitarias, que en los caserones de los pueblos van oscilando durante dos, tres, seis años, entre la vida y la muerte. Y la ponderación y el equilibrio se han perdido; acaso esta dolencia ha comenzado por una ligera indisposición; luego, las catástrofes morales, los disgustos, las calamidades, han venido a abrumar el espíritu. Y poco a poco, como acontece en las pesadillas, sentimos que vamos deslizándonos por un precipicio del que queremos salir * y del que, con todo,* no podemos librarnos. Así, un día es la indumentaria * lo que descuidamos; otro, es la limpieza de la casa; otro, es el orden de las comidas; otro, nuestras diversiones favoritas — la caza, la música —, que vamos olvidando...
Y la neurastenia va creciendo, creciendo, formidable, en el desorden de la casa, en el abandono de nuestra persona, y nosotros, ya perdidos, nos dejamos llevar anonadados de la corriente fatal que nos conduce a la anulación definitiva. Acaso los amigos, los parientes, intentan un supremo esfuerzo: se hace un viaje para consultar a un médico famoso; se ponen en práctica tales o cuales medios curativos... Pero todo es inútil; los años han ido pasando; las energías de la juventud se han perdido; el ambiente que nos ha de tragar ya está formado, y son vanos y estériles cuantos * esfuerzos hacemos por apartarnos de él.

¿Comprendéis ahora la tragedia de Sarrió? Cuando ha acabado de bajar la escalera, ha pasado junto a mí sin conocerme. Yo me he puesto ante él.

— ¡Sarrió! — le he gritado.

Entonces él ha permanecido un momento absorto, mirándome con sus ojos apagados, blandos; después ha

10. del que queremos salir, *from which we wish to escape.*
11. con todo, *however.*
12. *clothes.*
25. *all the* ...

SARRIÓ

abierto la boca como para decir algo que no acertaba a *
decir, y al fin ha exclamado con voz opaca, fría:
— ¡Ah, sí! Azorín....
Y de nuevo ha caído, terrible, un silencio denso en el
zaguán. No podíamos decirnos nada. ¿Qué íbamos a decirnos? No había necesidad de que habláramos nada.
Hay instantes en la vida — cuando os halláis, por ejemplo,
al cabo de muchos años, ante una persona que habéis
querido — hay instantes en la vida en que creéis que vais
a decir muchas cosas, que vais a expresar multitud de
sentimientos tumultuosos, y en que, sin embargo, os encontráis con que * no se os ocurre ni aun la más vulgar de
las palabras....
Yo he guardado silencio, triste y anonadado, ante el
gran hombre. Y cuando he salido de la casa, he vuelto a
ver en la plaza sosegada las sombras gratas y azules, las
torres achatadas, los balcones cerrados; y he vuelto a oír el
susurro del agua, los gritos de las golondrinas que cruzan
raudas * por el cielo, las campanadas del viejo reloj que
marca sus horas, rítmico, eterno, indiferente a los dolores
de los hombres....

Los pueblos, 1905.

1. que no acertaba a, *which he was not able to* ...
12. os encontráis con que, *you find that* ...
19. *swiftly.*

Ramón Pérez de Ayala

BORN in the province of Asturias in 1880, Pérez de Ayala first attended a Jesuit school, later studied under Clarín at the University of Oviedo, and when he began to write was influenced deeply by his friend, Pérez Galdós. Pérez de Ayala has travelled much, is better acquainted with English and American character and literatures than any of his contemporaries in Spain, is married to an American wife, and has resided for long periods in both England and the United States. He was Spanish Minister to London before the Spanish Civil War broke out. At times he is a caustic, psychological naturalist, and at others, an ironic philosopher flooded with curious and stimulating ideas. His novel, *Belarmino y Apolonio*, 1921, is one of the landmarks in modern Spanish literature; he has also distinguished himself in the field of literary criticism where he created quite a furor by setting Arniches up against Benavente as the greatest living Spanish dramatist, and in poetry where his beautifully chiselled lines show off his intellectualism to fine advantage: *La paz del sendero*, 1904; *El sendero inumerable*, 1916; *El sendero andante*, 1921. Among his better novels, aside from the masterpiece mentioned above, are many fine works: *La pata de la raposa*, 1912; *Tigre Juan*, 1926; both of which have been translated into English, and *Tinieblas en las cumbres*, 1907; *A. M. D. G.*, 1910; *Troteras y danzaderas*, 1913; and *Luna de miel Luna de hiel*, 1923. Among his short stories stand out the collection entitled, *Prometeo*, 1916, and *El ombligo del mundo*, 1924.

El profesor auxiliar

LO QUE voy a referir aconteció algún tiempo antes de que don Clemente, con sus seis hijas y su yerno, se avecindasen * en Reicastro. Los sucesos aquí narrados acaecen, como se verá, en Pilares, capital de la provincia, en cuya Universidad don Clemente fué cierto tiempo profesor auxiliar, por ventura o por desdicha.

Estaban las seis muchachas en el comedor de la casa. El aposento acusaba extremada pobreza; una mesa de pino, con tapete de hule,* diez sillas de enea,* una fatigada bombilla * eléctrica, sin pantalla; y nada más. Con la cabeza inclinada sobre la labor, las muchachas se afanaban a trabajar; unas bordaban, otras cosían, otras zurcían, otras hacían encajes. Eran hermanas las seis y llevaban nombre de virtudes: Clemencia, Caridad, Socorro, Esperanza, Olvido y Piedad. Iban vestidas con mucha humildad y con mucho aseo: iban peinadas con mucha lisura.

Clemencia, la mayor, se puso en pie:
— ¿ No habéis oído ?
Las cinco hermanas levantaron la mano con que trabajaban, dejándola en suspenso *; ladearon la cabeza; de-

3. *established themselves.*
9. tapete de hule, *cover of oil-cloth.*
9. *wicker.*
10. fatigada bombilla, *weak bulb.*
21. en suspenso, *in the air.*

jaron vagar la mirada y aguzaron el oído. Parecían cinco pájaros en un instante de sorpresa.

Clemencia, con el brazo extendido, señalaba la puerta, sin mover los labios. Al fin murmuró afirmativamente:
— Papá.

Abandonaron, atropelladas, las labores, y, en un grande y riente revuelo,* corrieron las seis hermanas a lo largo del pasillo, hasta la puerta de la escalera. Llegaba en aquel punto don Clemente Iribarne, con el sombrero en una mano y limpiándose el sudor, si bien * era invierno. Rodeáronle, disputándose la vez para abrazarle, y todas, a un tiempo, preguntaban:

— ¿Qué hay, qué hay, papá?
— Dejadme que tome aliento,* locas. Vayamos al comedor y allí os contaré.

Don Clemente colgó el sombrero de un clavo que había en el pasillo y se dirigió al comedor, seguido de sus seis hijas.

Tenía don Clemente una de esas cabezas enjutas, encendidas canas, que en la pintura española se repiten de continuo, como arquetipo del género masculino, lo mismo para representar un noble que un pícaro, un purpurado * que un lego, un magnate que un mendigo, un asceta que un borracho, un dios mitológico que un apóstol, un filósofo que un soldado; una de esas cabezas que no recordamos si pertenecen a la coronación de Baco, de Velázquez,* a un

7. riente revuelo, *laughing flurry.*
10. si bien, *although.*
14. tomar aliento, *get (catch) one's breath.*
22. un purpurado ... un lego ... un magnate, *a cardinal (one wearing purple robes) ... a layman ... a grandee.*
26. *The four famous painters referred to here are noted for their depiction of characteristic Spanish types.* Diego Rodríguez de Silva y Velázquez (*1599-1660*) *is considered the most original and perfect artist of the Spanish School; the best known works of* Francisco Zurbarán (*1598-1662*) *depict severe monkish types; the compositions of* José Ribera, "El Españoleto" (*1588-1656*), *for the most part of austere martyrs and saints, are veritable studies in wizened anatomy and*

monje, de Zurbarán, a un mártir, de Ribera, a un aguador
de Murillo; en suma, la fisonomía estoica. En el rostro
de don Clemente descubríase nobleza de carácter y estrechez de inteligencia. Por lo rapado y lustroso * del traje
y lo repasado de la camisa, adivinábase la escasez de sus
medios de fortuna y la dignidad de su vida.

Las seis hijas eran lindas, con una lindeza que no se
nutría de gracejo * o malicia de expresión, ni se originaba
por sutilidad de rasgos, sino que provenía de armoniosa
modestia y quietud del rostro, a modo de manifestación
sensible del espíritu. Eran como las imágenes de esas
vírgenes caseras, más dulces que bellas, que se ven en las
ermitas e iglesias aldeanas.

— Por fin, hijas mías — habló don Clemente —, soy
profesor de Universidad.

Las hijas palmotearon. Luego, con las yemas de los
dedos enviaban besos a su padre:

— Cuenta, cuenta.

— El Claustro * se prolongó bastante. Había intrigas... Pero la justicia prevaleció. Desde hoy soy auxiliar de la nueva Facultad de Ciencias. Mañana tendré
ya que explicar mi cátedra * de química.

— ¿ Y Ayuso ? — preguntó Clemencia.

— Ayuso ha renunciado a ella. Dice que tiene mucho
que hacer. La verdad es... que no sabe química. Era
absurdo. ¿ Cómo va Ayuso a explicar química superior ?

---

wrinkled skins, distinguished for the perfection of their technical execution; Bartolomé Esteban Murillo *(1617–1682) is equally famous for
his idealized treatments of religious subjects, and his sympathetic portrayal
of lower class types.* The Coronación de Baco *here referred to is one of
Velázquez's best known works:* "Los borrachos."

4. por lo rapado y lustroso... *from the frayed and shiny look.*

8. se nutría... expresión, *did not depend on witticism or a leading
on mischievousness of expression.*

19. el Claustro, *closed conference or examination.*

22. *professorial chair.*

Se había hecho catedrático por influencias, pero de química está en *albis*.*

— ¿ Y de sueldo ? — preguntó Clemencia.

— No sé todavía. Supongo que mil pesetas de gratificación.

— ¡ Mil pesetas ! — exclamaron las muchachas, deslumbradas.

— No es gran cosa — añadió don Clemente —, pero siempre son mil pesetas, que sumadas a las dos mil de mi auxiliaría * del Instituto y a lo que vosotras, hijas mías de mi alma, añadís con vuestra industria, nos proporcionarán un mediano y decoroso pasar.* Y ahora, basta de conversación, porque he de estudiar * y prepararme para mi clase de mañana.

Salió de la estancia y volvió a poco con un tomo de química. Se hizo el silencio. Las hijas trabajaban. El profesor estudiaba.

Es tradición de Universidades e Institutos españoles que los profesores auxiliares no sirven sino para tomarlos a chacota.* En las breves ausencias del profesor numerario * viene el profesor auxiliar a sustituírle. Hay un solo auxiliar para sinnúmero de asignaturas, todas ellas de muy varia naturaleza, por donde se supone que el profesor no es docto en ninguna. Por esta razón carece de autoridad científica. En la mayor parte de los casos, el profesor numerario no disimula el desdén en que tiene al profesor auxiliar. Este sentimiento se comunica a los alumnos. Y así, va el auxiliar a la cátedra, diez o veinte días al año, no a llenar los vacíos que el profesor numerario se ve obligado a poner en sus lecciones, sino para cumplir un pre-

2. en albis (*Latin*), *in utter ignorance*.
10. *assistantship*.
12. un pasar, *livelihood*.
13. he de estudiar..., *I have to study* ...
20. tomar a chacota, *to take as a joke*.
21. *regular*.

EL PROFESOR AUXILIAR

cepto del reglamento, que prohibe intersticios en el curso. Sucede también que el auxiliar carece de autoridad moral. Su juicio u opinión no cuentan a la hora de los exámenes, que es hora de penas y recompensas, de suerte que los alumnos saben que en la clase del auxiliar pueden cometer impunemente los mayores excesos. Cuando el bedel * anuncia que el profesor numerario no puede venir y aquel día dará clase el auxiliar, los escolares se relamen y aperciben a gozar un rato de holgorio.* Todos los auxiliares son víctimas de burlas, befas y escarnios,* en ocasiones cruelísimos. Pero ninguno, con ser tan fecunda la historia picaresco-escolar española, hubo de sufrir chanzas * tan extremadas y sañudas como don Clemente Iribarne. Era don Clemente infeliz y bondadoso a tal punto, que hasta los mocosos * de tercer año de Instituto se le mofaban en las barbas,* con todo desparpajo. Este menosprecio contrastaba con el amor y veneración de sus hijas.

Las muchachas ignoraban cuanto acontecía en el Instituto. Su padre les narraba mil mentiras piadosas y ellas creían que el profesor más respetado y querido era su padre. Estaban orgullosas de él. Habitaban un piso angosto y oscuro en un barrio de obreros. En la casa, a donde no llegaban los rumores del mundo académico, el profesor y sus hijas gozaban de alta estima. « ¡ Qué país éste ! », solían decir las comadres del barrio, en sus juntas y deliberaciones: « Todo un señor catedrático y en su casa

6. *beadle.* (Among the other duties of this combination guard-porter of Spanish colleges is to see that the professor always has a pitcher full of water and a glass on his desk. In many institutions, in lieu of a bell, he sticks his head in the door and tells the teachers when the end of the hour has arrived.)

9. (familiar) *hilarity, spree.*

10. befas y escarnios, *taunts and jeers.*

12. con ser tan ... chanzas, *in spite of the fecundity of Spanish picaresque-student history, had to endure jokes* ...

15. *small boy.*

16. se le mofaban en las barbas, *made fun of him to his face.*

se mueren de hambre.» No se morían de hambre, pero comían con increíble parvedad, y esto gracias al trabajo de las muchachas. Como las chicas juzgaban denigrante que las hijas de un profesor se empleasen en tan bajos menesteres, particularmente el zurcido de pantalones y otras prendas varoniles, en lo cual Clemencia era primorosa (la mejor zurcidora de Pilares), lo disimulaban usando una estratagema, y era, que otras chicas del barrio buscaban y entregaban el trabajo como cosa propia. Los atavíos de las hijas del profesor eran tan pobres, y por lo regular estaban tan raídos, que no se atrevían a salir a la calle de día, avergonzadas de mostrarlos en plena luz, no tanto por ellas cuanto por el respeto debido a la jerarquía social de su padre. Por vivir siempre retiradas en honesta penumbra, poseían el albor de las hostias,* así en el rostro como en el alma. Los domingos iban a misa, de madrugada, y los días de labor salían ya anochecido, por calles retiradas. Cubrían la cabeza con velillos, ocultando los ojos. Caminaban de dos en dos, y don Clemente al par de las dos últimas. Por no gastar el calzado, andaban con levidad, sin apenas fijar la planta,* de donde venía un gracioso donaire y cadencia de movimientos. En ocasiones, algún estudiante les saludaba en chanza, derribando el chapeo * con exagerado rendimiento,* y ellas, tomándolo en serio, sentían una emoción profunda de contento de sí mismas y ternura por su padre.

Tenía don Clemente los ojos clavados en la química, pero sus pensamientos vagaban por distinto rumbo. Pensaba: «Si los chavales * del Instituto se atreven conmigo, esos muchachotes de la Facultad * ¿qué no serán

15. el albor de las hostias, *the purity of communion wafers.*
21. fijar la planta, *to put down the sole of the foot.*
24. derribando el chapeo..., *doffing his hat...*
24. *obsequiousness.*
29. *small boy.*
30. *University.*

EL PROFESOR AUXILIAR

capaces de hacer? Si bien, lógicamente pensando, por ser más hombres serán más cuerdos y más respetuosos. Aparte de que a éstos he de examinarlos yo, y ya que no por respeto, por temor de perder el curso, mirarán lo que hacen.» Con éstos y otros congojosos pensamientos se le pasó el tiempo sin poder prepararse para la cátedra.

— ¿Cuándo cenamos? — preguntó, alzando los ojos del libro.

— Cuando quieras — respondió Clemencia. Y añadió:
— ¿Has preparado la lección?

— ¡Phs! He estudiado algo... Pero he decidido que lo mejor, lo que aconseja la tradición, es que mañana, al presentarme a los alumnos, pronuncie un pequeño discurso, a modo de saludo, y les perdone la clase.*

— ¡Qué bueno eres! — comentaron las hijas, conmovidas.

Luego cenaron unos restos fríos de la comida del mediodía, y por no gastar luz, se retiraron a dormir. Pero don Clemente no durmió.

Al día siguiente, al ir a la Universidad, le temblaban las piernas. Entró en clase, subió al estrado y se mantuvo en pie en tanto acudían los alumnos. Los escaños formaban un graderío, que se llenó al punto.* Don Clemente, con ojos espantados, miró aquel hormigueante y rumoroso concurso. Le pareció que se le caía encima. Todos los alumnos eran ya hombres hechos y derechos.* Algunos habían sido, en el Instituto, alumnos de don Clemente, pero ahora ostentaban terribles mostachos. Había uno con barba negra y copiosa. Don Clemente estaba como aterrado.

— Señores... — tartamudeó —, al recibir el alto honor de regentar esta cátedra y dirigirme a ustedes, ante todo

14. (que) les perdone la clase, (*that*) *I excuse them from the class;* (*that*) *I dismiss the class.*
23. al punto, *immediately.*
26. hechos y derechos, *full-grown.*

quiero... que no vean en mí un profesor, sino un compañero; más aún, un padre.

En esto, Pancho Benavides, un muchacho guapo, simpático y rico, cabecilla de todos los motines universitarios, se puso en pie y dijo:

— Esa declaración conmueve las fibras más sensibles de nuestra alma. ¡Viva nuestro padre!

La clase respondió: «¡Viva!»

— Aplaudamos a nuestro padre — concluyó Benavides. Y hubo un aplauso de cinco minutos.

A don Clemente le cabían serias dudas de que aquello fuese sincero. De todas suertes, se llevó la mano al corazón, se inclinó a saludar y se sintió dueño de la palabra. Continuó hablando. A cada frase se repetían los aplausos. Terminado el discurso, los alumnos acudieron en tropel * a rodear la mesa del profesor.

— Ahora, para celebrar esto, tiene usted que convidarnos a algo — dijo Acisclo Zarracina, que era el barbado y tenía aspecto y voz pavorosos.

— ¿Cómo convidarles? — balbució don Clemente, que nunca llevaba dinero en el bolsillo.

— Pues, convidándonos — afirmó Zarracina, dando un puñetazo sobre la mesa.

— No te excites, Zarracina — interrumpió Alejandrín Serín, rechoncho colorado y meloso.

— Convidarnos a pitillos. Pitillos sí los tendrá usted — añadió Zarracina.

Don Clemente no se atrevió a responder. Sí, tenía pitillos. Sus hijas le compraban una cajetilla cada cinco días. Aquella mañana le habían comprado una.

Varios alumnos comenzaron a palpar los bolsillos del profesor.

— Vaya, déjenme ustedes. Sí: les convidaré a pitillos. Tengo mucho gusto en ello. La ocasión lo merece — y

15. en tropel, *in a body*.

entregó su cajetilla a los alumnos, que se la repartieron en medio de gran algazara.

A favor de la confusión que se movió con esto, Pancho Benavides embadurnó con tinta la badana del sombrero de don Clemente y derramó dentro la salvadera,* dejando luego el sombrero boca arriba.

— Bien, bien — suspiraba don Clemente, abriéndose paso entre los alumnos. Tomó maquinalmente el sombrero y se lo llevó a la cabeza. Sobre los ojos le cayó una lluvia de arenilla,* verde. Se despojó del sombrero y descubrió la frente, toda entintada. Los alumnos escaparon, riéndose a carcajadas.

Llegó don Clemente a casa.

— ¿ Qué tal ? — le preguntaron, anhelosas, las hijas.

— ¿ No sabéis ? Resulta que soy un gran orador.

Y les refirió, a su modo, el éxito de su primera clase de profesor de Universidad. Sus hijas le escuchaban embelesadas.

Después de cenar, Clemencia preguntó a su padre:

— ¿ No fumas ?

— Nada, hija, que se me había olvidado. Me preocupa tanto esto de la cátedra...

— Por Dios, papá.

Y al cabo de un rato:

— Pero, ¿ no fumas ?

— Sí, sí... Calla... ¿ Dónde está mi cajetilla ? Sin duda la he olvidado en la sala de profesores. Bueno, no importa. Estudiaré la lección de mañana.

Y comenzó a estudiar la obtención del hidrógeno.

Al día siguiente fué temprano a la Universidad, a fin de preparar con tiempo los aparatos con que obtener el hidrógeno. Llegó la hora de clase.

Don Clemente se puso a explicar prácticamente la lección. Inclinado sobre la cubeta hidráulica, manipulaba

5. *powder-shaker* (used to dry ink).
10. *powder to dry writing.*

diligente. Llevaba puesto un gabán de Palma de Mallorca,* de tela de cobertor * y color pizarra, que le había costado cinco duros. Los alumnos le hacían corro,* examinando sus manipulaciones. Pancho Benavides colocó un trozo de yesca encendida sobre la espalda de don Clemente. El gabán comenzó a chamuscarse.

— Parece que huele a quemado * — insinuó don Clemente.

Los alumnos respondieron que nada olían. Hasta que la quemadura penetró del gabán a la chaqueta, al chaleco, y a través de las prendas interiores hasta el cuero, y aquí, don Clemente dió un salto y un alarido. Con un paño húmedo, Alejandrín Serín sofocó la chamusquina. Don Clemente no se quejó de nada.

— Retírense por hoy — suplicó, con labio trémulo y ojos llenos de amargura.

Al llegar a casa exclamó:

— Hijas mías; una gran desgracia —. Y mostró sus ropas agujereadas * por la espalda, explicando el accidente como casual, a causa de una operación de laboratorio. Continuó —: Pero lo grave es que ¿cómo salgo ahora de casa? Éste es el único traje que tengo. Y de dinero ¿de dónde voy a sacar yo dinero para otro traje? ¡Qué desgracia!

— No te preocupes, papá — dijo Clemencia, la zurcidora milagrosa, examinando de cerca los desperfectos —; zurcidos más difíciles he hecho que nadie podía notarlos.

Y así fué; las prendas de don Clemente aparecieron como nuevas al día siguiente en la clase, con gran maravilla de los alumnos, quienes, irritados por esta especie de in-

---

2. Palma de Mallorca, *a city on the island of Mallorca.*
2. *heavy covering material.*
3. le hacían corro, *surrounded him.*
7. huele a quemado, *something smells burnt (as if it's burning).*
19. *with a hole (in them).*

EL PROFESOR AUXILIAR 117

vulnerabilidad del profesor, se determinaron en emplear precedimientos más enérgicos.

Día por día, el escándalo y abuso de la clase aumentaban. Los alumnos se ensoberbecían * cada vez más, a tiempo que el profesor mostraba mayor resignación y tolerancia.

Pero el desenfreno de la clase llegó a términos que don Clemente comprendió que debía defenderse de alguna manera o renunciar a la cátedra. Y halló este arbitrio; una bomba con una a manera de pequeña manga de riego,* que había en el laboratorio, la cual cargó con tinta y colocó en su mesa a mano, antes de comenzar la clase. Era un día asoleado de primavera. Apenas entrados los alumnos, Pancho Benavides tomó la palabra:

— Habrá usted echado de ver,* señor profesor, el contraste entre la hermosura del día y la sordidez tenebrosa * de estos claustros y salas. Por lo cual, hemos resuelto que hoy no haya clase y consagrar esta hora a tomar el sol. Pero, como personas bien educadas, hemos venido a decirlo a usted. De manera que, buenos días.

Don Clemente, que tenía empuñada la manga de riego, consideró los finos y elegantes vestidos de Benavides y pensó que era un dolor echarlos a perder. Se contentó con replicar:

— No puedo, señor Benavides, tomar en cuenta sus palabras. Yo soy el profesor y aquí nadie manda sino yo. Empecemos la clase.

Zarracina se puso en pie y apretando los puños afirmó, dirigiéndose a sus compañeros:

— Aquí se hace lo que nosotros queremos, carape.* ¡A la calle!

— Nadie sale a la calle — gritó don Clemente, y, ya

4. ensoberbecerse, to become rowdy.
9. manga de riego, water-hose.
14. echar de ver, to notice.
15. sordidez tenebrosa, gloominess.
29. the dickens!

perdida la cabeza, apuntó con la manga al terrible Zarracina y le regó con tinta, de arriba abajo.

Zarracina permaneció un momento como alelado. Se recobró a seguida y adelantó, rabioso, hacia el pupitre del profesor; pero un nuevo chorro de tinta sobre la cara le detuvo en seco.* La clase se puso del lado de Zarracina. Llovieron diversos proyectiles, enderezados a la cabeza del profesor. Hubo repetidas embestidas. Pero siempre el chorro de tinta repelía las huestas asaltantes. El combate prosiguió en medio de gran vocerío. Abrióse la puerta de la clase y apareció el Rector.* La contienda cesó de repente.

— ¿ Qué es esto ? — preguntó el Rector, mirando a don Clemente, con fría severidad.

Don Clemente, la cabeza baja, pálido, titubeando, susurró algunas palabras de excusa.

— ¿ Qué idea tiene usted de la dignidad de la cátedra ? — interrogó el Rector ásperamente, mirando a don Clemente con mueca despectiva y asqueada.* Continuó —: Nos reuniremos en Claustro y veremos lo que se hace con usted.

Iba a salir el Rector, pero el rechoncho Alejandrín Serín se adelantó al centro de la clase y manifestó con serena entereza:

— Señor Rector; la culpa ha sido nuestra, nuestra, nuestra; un día y otro día y todos los días. A ver si hay un compañero que se atreva a contradecirme. ¿ Es nuestra la culpa, sí o no ? — gritó, encarándose con la clase.

Varias voces anónimas respondieron: « Nuestra. »

El Rector salió malhumorado.

Cuando don Clemente llegó a casa, sus hijas le preguntaron sobresaltadas:

— ¿ Qué tienes ? Parece que has llorado.

6. en seco, *flat, on the spot.*
11. *President (of the University).*
19. despectiva y asqueada, *contemptuous and hateful.*

— Sí, he llorado. Y todavía lloro — contestó, enjugándose los ojos.

Y refirió que, por intrigas de otros profesores, el Rector se había presentado en su clase y había comenzado a amonestarle, sin motivo, pero hubo de interrumpirse y rectificar porque los alumnos, como un solo hombre, se habían declarado ardorosamente en favor de don Clemente. Concluyó:

— ¡Esto conmueve!

— Sí, sí — decían las hijas, enterneciéndose.

No hubo Claustro para juzgar a don Clemente. Después del día del gran escándalo, los alumnos acordaron, en una entrevista amistosa con don Clemente, que la manera mejor de evitar nuevos y luctuosos lances * era que no asistiese a clase el que no quisiera. Desde entonces, sólo acudían a la cátedra media docena de alumnos. Sin embargo, algunos días que no tenían cosa mejor que hacer, se descolgaba en clase un buen golpe de muchachos y reanudaban las proezas del pasado. El cabecilla y director era invariablemente Pancho Benavides.

Llegó fin de curso. El día de los exámenes de química, Pancho Benavides se levantó temprano, compró una caja de cigarros habanos y se encaminó a casa de don Clemente. Llevaba aprendido al pie de la letra * lo que había de decirle: «querido don Clemente; yo no sé una palabra de química, pero necesito que usted me apruebe. Ésta es una caja de habanos. Ésta una pistola. Si me aprueba usted, le regalo la caja de habanos. Si me suspende usted, le pego un tiro.* Usted escogerá.»

Llamó Pancho a la puerta. Salió a abrir el propio don Clemente. A don Clemente le era Pancho sobremanera simpático, a pesar de sus diabluras. Pero, al verle en su casa, se llenó de zozobra, temiendo que le faltase al respeto en presencia de sus hijas.

14. luctuosos lances, *regretful incidents*.
24. al pie de la letra, *word for word, literally*.
29. pegar un tiro, *to shoot*.

— ¿ Qué quiere usted, señor Benavides ? Aguarde usted un momento, saldré con usted y hablaremos de camino. Me disponía a salir, precisamente.
— No, señor. Tengo que hablar con usted dentro de su casa.
— Pero si yo me disponía a salir...
— ¿ Me arroja usted de su casa ?
Don Clemente no sabía qué hacer ni qué decir. Las hijas habían asomado la cabeza por la puerta del comedor. Clemencia se acercó a su padre:
— ¿ Por qué no pasa este señor, papá ?
— Sí, sí, naturalmente. Con mucho gusto... — murmuró, fuera de sí,* don Clemente —. Es un alumno mío. Ésta es una de mis hijas.
Benavides y Clemencia se saludaron. Benavides penetró en la casa. El pasillo era sombrío; Benavides buscaba a tientas * la percha.
— ¿ Qué busca usted ? — preguntó don Clemente.
— La percha — respondió Benavides.
— No tenemos percha — observó, riéndose, Clemencia —. Ya ve usted... Nadie mejor que un alumno de papá, el profesor más distinguido, el que más quieren los alumnos, puede juzgar la injusticia del Estado, que le tiene postergado * y con un sueldo insignificante.
En este momento entraban en el comedor. Benavides sentía, oyendo a Clemencia, un a modo de calofrío o estremecimiento, que después de recorrerle la espalda se le fijó en la nuca y en los párpados.
— ¿ Qué sueldo tiene usted, don Clemente, si no es indiscreción ?
— Antes de la cátedra de química, dos mil pesetas. Ahora, tres mil. Con descuento, unas dos mil quinientas...

13. fuera de sí, *at his wit's end.*
17. a tientas, *groping.*
24. *kept back, behind, down.*

EL PROFESOR AUXILIAR

— Estas señoritas ¿ son hijas de usted ?
— Todas, señor Benavides. Son ángeles — bisbiseó *
don Clemente, casi sin aliento.
— ¡ Oh, papá ! — exclamaron las seis virtudes, doblando
la cabeza, con púdico decoro, como seis azucenas.

Las muchachas miraban con un a modo de arrobo a
aquel joven tan elegante, discípulo y, por lo tanto, subordinado de su padre. Benavides las observaba discretamente. Se detuvo más despacio a contemplar el rostro de
Clemencia.

— Desearía, don Clemente, hablar a solas con usted, en
su despacho, por ejemplo — rogó Benavides.
— Éste es mi despacho, querido Benavides.
— Me parecía haber oído que era el comedor ...
— Bueno ; hace a todo.*
— ¿ Y sus libros ?
— ¡ Ah, en un cajón, en mi alcoba !
— Diré entonces aquí lo que tenía que decirle. Le traigo
un pequeño obsequio, una caja de habanos. No, no me
diga usted que no. Es un obsequio desinteresado. No
pretendo que usted me apruebe. No estoy preparado para
examinarme, y, en consecuencia, por evitarle a usted el
enojo de suspenderme he resuelto no presentarme hasta
setiembre. He venido a decírselo a usted. Por otra parte,
ha sido usted tan bondadoso conmigo durante el curso,
que me he creído obligado a expresarle mi reconocimiento
de alguna manera.

Los ojos de Clemencia y los de las demás virtudes relucían húmedos.* Don Clemente inclinó la frente. Benavides sentía el corazón en la garganta, y dentro del corazón
un dolor mezclado de dulzura, remordimiento y revolución.

Pancho Benavides y Clemencia Iribarne se casaron a la
vuelta de dos años.

   2. (onomatopoetic) *muttered.*
  15. hace a todo, *it serves for everything.*
  29. relucían húmedos, *shone through their tears.*

Ahora, don Clemente es, en el Colegio de Segunda Enseñanza de los Reverendos Padres Magdalenistas, profesor particular de Psicología, Derecho usual, Álgebra, Francés segundo curso y Dibujo de escayola,* de todo lo cual está en *albis*. Pancho y Clemencia, con tres anejos filiales * ya, son felices, como en las novelas inocentonas.* Don Clemente frecuenta el trato de los *Escorpiones*,* quienes le tienen por un portento de sabiduría, pues nunca despliega los labios.

El ombligo del mundo, 1924.

4. dibujo de escayola, *sketching, modeling*.
6. anejos filiales, *children*.
6. *romantic*.
7. los Escorpiones, *members of a learned society* (*Scorpions*).

Miguel de Unamuno
(1864-1936)

MIGUEL DE UNAMUNO Y JUGO is another Basque who has distinguished himself in Spanish letters. Born in 1864, by virtue of his age he became dean of the group of writers who began to appear on the literary horizon in Spain around 1898. However, his deeply spiritual conception of life marked out for him a current somewhat apart from that followed by the other members of that group. Philosopher, critic, professor of Latin and Greek, Catholic, Rector of the University of Salamanca, Unamuno became a self-declared exile when the dictatorship of Primo de Rivera went into power in 1923. After the flight of the King in 1931 he returned to Spain in triumph and was welcomed with a parade and a salute of cannon. His *Vida de Don Quijote y Sancho*, 1905, is one of the best interpretations of Cervante's great novel; the novels *Niebla*, 1914, and *Abel Sánchez*, 1917, are both stirring spiritual essays. The first of these, translated into English under the title, *Mist*, is certainly unique in world literature, and is one of the most profoundly fascinating novels of the contemporary epoch. His most famous book of essays appeared in 1913 under the very characteristic title of *El sentimiento trágico de la vida*. An excellent symposium made up of these and other essays has been published in English with a fine introductory study by J. E. Crawford Flitch; it is entitled *Essays and soliloquies*.

In *El Cristo de Velázquez*, 1920, Unamuno has written the finest religious poem in the Spanish language since the days of Fray Luis de León and San Juan de la Cruz, and in *Tres novelas ejemplares y un prólogo*, 1921, he handles the short story successfully from an angle which no other short story writer has attempted. All of Unamuno's work is an effort to make harmony out of the dissonance of human life in the presence of death. The soul, he says, longs to be immortal so strongly that if it is annihilation which awaits us, let us so act that it shall be an injustice, and thus redeem ourselves from nothingness. In his philosophy of life he canonizes Don Quijote (faith) against the mandarins of reason, and declares that it is the Knight's new mission in our world to cry aloud in the wilderness, for the wilderness will hear, " though men do not hear, and one day it will be transformed into a sounding forest... which with its hundred thousand tongues will sing an eternal hosanna to the Lord of life and of death."

Unlike Goethe, Unamuno does not cry out for light, but prays: " Warmth, warmth, more warmth, for we die of cold not of darkness. It is not the night but the frost that kills." In this he distinguishes the Latin from the Nordic temperament.

*El desquite**

Después de cavilar muy poco he rechazado el uso que emplea la voz galicana * revancha, y me atengo al abuso, quiero decir, al purismo que nos manda decir desquite. Que nadie me lo tenga en cuenta.*

Esto del desquite es de una actualidad feroz, ahora que todos estamos picados de internacionalismo belicoso.

* * *

Luis era el gallito de la calle y el chico más roncoso del barrio. Ninguno de su igual le había podido,* y él a todos había zurrado la badana.* Desde que dominó a Guillermo no había quien le aguantara. Se pasaba el día cacareando y agitando la cresta *; si había partida, la acaudillaba; se divertía en asustar a las chicas del barrio por molestar a los hermanos de éstas, se metía en todas partes, y a callar todo Cristo,* ¡ a callar se ha dicho !

¡ Qué se descuidara uno ! *

— ¡ Si no callas te inflo los papos * de un revés ! . . .*

---

* *revenge* (the approved Spanish word, standing in contrast to *revancha*, used below, which is derived from the French word "revanche.")
  2. voz galicana, *French term.*
  4. me lo tenga en cuenta, *hold it against me.*
  8. le había podido, *had been able to whip him.*
  9. zurrar la badana, *to tan one's hide.*
 11. agitando la cresta, *strutting.*
 14. callar todo Cristo, *to shut up everybody, to domineer.*
 15. descuidara, *let one just make a slip.*
 16. inflar los papos, *to hit on the chin,* "*to sock.*"
 16. backhand blow, "*sock.*"

Era un mandarín, un verdadero mandarín!* Y como pesado,* ¡ vaya si era pesado ! Al pobre Enrique, a Enrique el tonto, no hacía más que darle papuchadas,* y vez hubo en que se empeñó en hacerle comer greda y beber tinta.

¡ Le tenían una rabia los de la calle !

Guillermo, desde la última felpa,* callaba y le dejaba soltar cucurrucús y roncas,* esperando ocasión y diciéndose: ya caerá ese roncoso.

A éste, los del barrio, aburridos del gallo, le hacían « chápale, chápale »,* yéndole y viniéndole con recaditos a la oreja.*

— Dice que le tienes miedo.

— ¿ Yo ?

— ¡ Dice que te puede !

— ¡ Dice que cómo rebolincha ! ...*

— ¡ Sí, las ganas ! *

Se encontraron en el campo una mañana tibia de primavera; había llovido de noche y estaba mojado el suelo. A los dos, Luis y Guillermo, les retozaba la savia * en el cuerpo, los brazos les bailaban, y los corazones a sus acompañantes que barruntaban morradeo.*

Sobre si fué el uno o fué el otro quién derribó un cochorro * de una pedrada, tuvieron palabras.

El cochorro estaba en el suelo, panza arriba suplicando

1. *tyrant.*
2. como pesado, *as for being unbearable.*
3. dar papuchadas, *to wallop.*
7. *licking.*
8. cucurrucús y roncas, *boasts and challenges.*
11. ¡ chápale ! *Sick him !* (hacer « — », *to goad, dare.*)
12. recaditos a la oreja, *egging him on.*
16. ¡ cómo rebolincha ! *he can twirl you around his little finger !*
17. ¡ las ganas ! *doesn't he wish he could !*
20. retozaba la savia, *the sap began to rise.*
22. barruntar morradeo, *to anticipate a knock-down drag-out fight.*
24. *a large beetle.*

EL DESQUITE

paz con el pataleo* de sus seis patitas, esperando a que por él y junto a él se decidiera la hegemonía del barrio.

— ¡Sí!... ¡Tú, tú echar roncas* nada más no sabes!...

— ¿Roncas? ¿Roncas yo? ¡Si te doy uno!*

Hacía como que se iba con desdén digno, y volvía.

— ¡Calla y no me provoques!

— ¡Ahí va! provoques — exclamó uno de los mirones — provoques..., provoques... ¡Qué farolín, para que se le diga que sabe!*

Los circunstantes les azuzaban.*

— ¡Anda, pégale!
— ¡Chápale a ése!
— ¿Le tienes miedo?
— ¿Miedo yo?
— ¡Mójale la oreja!*
— ¡Tírale saliva!
— ¡Llámale aburrido!*
— ¡Provócale, anda, provócale!

Todos soltaron el trapo a reír al oír esto. Luis se puso como un tomate, y se acercó a imponer correctivo* al burlón.

— ¡Déjale quieto! — le gritó Guillermo.
— ¡Y a ti también si chillas* mucho!
— ¿A mí?

Luis le dió un empellón, se lo devolvió Guillermo, siguió

1. kicking.
3. echar roncas... sabes, *all you know how to do is blow off.*
5. ¡si te doy uno! *What if I wallop you one!*
10. ¡Qué farolín, para que se le diga que sabe! *What a braggart, he's trying (itching) to get us to say he knows it all!*
11. *to urge on.*
16. ¡Mójale la oreja! *Wet his ear!* (a form of challenge similar to our: "I dare you to cross this line!")
18. ¡Llámale aburrido! *Call his bluff!*
21. imponer correctivo, *to teach a lesson to.*
24. si chillas, *I'll hit you too if you yell.*

un moquete * y se armó la gresca.* Los mirones les animaban y saltaban de gusto. Uno de éstos se puso a rezar por Guillermo.
— Ojalá gane Guillermo. Ojalá amén... Ojalá gane ... Ojalá gane...

Se separaban para dar vuelo * al brazo y descargarlo con más brío. Al principio llevaban la mano a la parte herida y tomaban tiempo para devolver el golpe; después menudeaban * los embistes * sin darse reposo.

— Ojalá gane... Ojalá gane... Ojalá gane...
— ¡Échale la zancadilla! *

Cayeron al fin al suelo mojado, Luis debajo, y al caer aplastaron al cochorro que imploraba piedad con sus patitas. Guillermo sujetó con las rodillas los brazos del enemigo, y mientras éste forcejeaba, el otro, resudado,* roja la faz, irradiando alegría, feroz los ojos, le decía entre resoplidos:

— ¿Te rindes? *
— ¡No!

Y le descargaba un puñetazo en los hocicos.*
— ¿Te rindes?
— ¡No!

Otro puñetazo más, y así siguió hasta que lo hizo sangrar por las muelas.

En aquel momento uno de los mirones exclamó:
— ¡Agua..., agua..., agua! *

1. *a blow on the nose.*
1. se armó la gresca, *the fight was on.*
6. *room to swing free.*
9. *became more frequent.*
9. *attack.*
11. ¡Échale la zancadilla! *Trip him up!*
15. resudado, *sweating heavily.*
18. ¿Te rindes? *You give up?*
20. hocicos, *nose, snout.*
26. ¡Agua! *Watch out!* (It used to be an old Spanish custom to throw all the slop onto the street prefacing the throw with a yell of ¡Agua va! "Here it comes! Look out!")

EL DESQUITE

Era que venía el alguacil,* el muy pillo cautelosamente,* haciéndose el distraído, como tigre de caza. Al verle abandonaron todos el campo echando a correr. Y el alguacil, al escapársele la presa, les amenazaba desde lejos con el bastón.

Entraron en la calle, el vencedor rodeado de los testigos de su triunfo y sin hacer caso a Eugenio, que le repetía:

— ¡ He rezado por ti ! ¡ He rezado por ti !

Poco después entró el vencido sangrando por la boca, embarrado, hosco y murmurando:

— ¡ Ya caerá ! ¡ Ya caerá !

¡ Qué corte rodeó desde aquel día a Guillermo !

En la calle bailaban todos de contento; ya no temían al roncoso, ya podían decirle:

— Te ha podido Guillermo.

Quien más atenciones prodigó a éste fué Eugenio.

El cual tenía un hondísimo sentimiento de la dignidad humana. Si le pegaban 6, 15 o 21 golpes, él devolvía 7, 16 o 22; cuando el maestro le administraba una azotina,* contaba él los zurriagazos,* y si éstos eran n, después, en desquite, tenía que tocar el faldón * de la levita del maestro $n + 1$ veces. Siempre quedaba encima.

Luis no volvió a abrir el pico, pero ni cerró noche ni abrió día sin que murmurara:

— ¡ Ya caerá ! ¡ Ya caerá !

¡ Ardoroso alimento * de su augusta majestad caída !

* * *

1. alguacil, *cop.*
1. venía ... el muy pillo cautelosamente, *the dirty rascal was slipping up cautiously.*
20. *whipping.*
21. zurriagazos, *lashes, blows of the whip.*
22. faldón, *coat-tail* (he tapped the teacher's coat-tail just to be able to say he had given tit for tat.)
27. ardoroso alimento, *fiery food (of revenge).*

—¡Valiente chiquillería!* ¡Mira con qué nos sale!*
¿Dice esto el lector?

¡Bien!, pues ahí está el origen del sentimiento de justicia, porque nació ésta del desquite. Toda la monserga* de la vindicta* social se reduce a la revancha social, ni tilde más, ni tilde menos. ¿Me pega? ¡Le pego, y en paz!

¡Vaya una paz!

Los pueblos pasaron de la venganza al castigo. Ésta es una pura reacción, como el estornudo. Entra un granillo* de polvo en la mucosa...,* la laringe castiga al granillo estornudando.

Cuando veo a dos rapaces darse de mojicones* en la calle, me digo:

Ésa es la educación social, y lo demás pamplina.* Así, libre y al aire libre, cada uno aprende, así que, frente a su voluntad, hay otras voluntades, y que no hay otro remedio que imponerse o someterse a ellas, o concertarse todas o escapar bajo el ojo del alguacil.

Todavía nos ha de enseñar grandes cosas el «¡ya caerás!» internacional que sale de lo hondo del pecho herido.

Pero ¡ojo, mucho ojo!,* no hay que perder de vista al alguacil, que avanza cautelosamente, como tigre de caza, que desde lejos amenaza con el bastón y puede aguarnos la fiesta.*

El espejo de la muerte, 1913.

1. ¡Valiente chiquillería! *A fine kids' showing-off!* (*exploit*).
1. ¡Mira con qué nos sale! *Look what he comes out at us with!*
4. *gabble, hot air.*
5. *social retribution.*
10. *grain of dirt.*
11. *nasal passage.*
13. darse de mojicones, *to fight.*
15. *bunk, hot air.*
22. *Watch out!*
25. aguar la fiesta, *to spoil the fun.*

Rubén Darío
(1867–1916)

RUBÉN DARÍO, most famous of Spanish American poets, was born in the village of Metapa, Nicaragua. He began to write verses at the age of thirteen, but it was not until 1888 when his collection of poems and prose sketches entitled *Azul* appeared in Chile that he established himself as a writer. French influences are rather obvious in this work, the poetry runs to Parnassianism, and most of the prose pieces suggest those of Catulle Mendès. The Spanish novelist and critic Juan Valera was one of the first to point out the beauty of *Azul*, and had especial praise for the smooth-flowing, almost sculptured style in which it was written. Darío's second period is best represented by the volume of poetry called *Prosas profanas*, 1896, in which the ivory tower philosophy of life and the encaged, languishing princess are mirrored in lines that reflect the Versaillan " swan's classic grace on a lagoon of blue." Some of the most musical poems in the Spanish language are contained in this work which symbolizes modernism at its height. But it is not until the third period of his life with the publication of *Cantos de vida y esperanza* in 1905, that the poet attains complete maturity and expresses an absolute fusing and assimilation of the many influences which had gone into his making. The transition era for both Darío and Spanish America had been marked by the war between Spain and the United States in 1898. It stirred up a deep sympathy for the mother country in her former colonies, but at the same time exposed the shallowness of Spain's outworn glory in her past. The result was an awakening of a more American conception of culture and art.

Cantos de vida y esperanza embodies this cosmopolitan spirit of the new Spanish America with face toward the future, but resting on a firm and enduring Spanish base. No one realized this more fully than Darío who referred to himself as an "español de América y americano de España." The poet also very aptly characterized the three above-mentioned periods of his life by saying: "Si *Azul* simboliza el comienzo de mi primavera, y *Prosas profanas* mi primavera plena, *Cantos de vida y esperanza* encierra las esencias y savias de mi otoño." This same feeling is expressed in Darío's most quoted quatrain:

> ¡ Juventud, divino tesoro,
> ya te vas para no volver!
> Cuando quiero llorar, no lloro...
> y a veces lloro sin querer.

Many of the author's works in prose were produced about the time of the Spanish American War when he was in Europe writing for *La Nación* of Buenos Aires. Articles later collected in book form are the basis of the following titles: *España contemporánea*, 1901; *Peregrinaciones*, 1901; *La caravana pasa*, 1903; *Tierras solares*, 1904; and *Opiniones*, 1906. Two other interesting prose works are *Los raros*, 1893, in which he paints the figures of many strange French decadents and symbolists, and *Autobiografía*, 1912, dictated in a rather careless fashion after the poet had already become world famous.

In 1915 Darío visited the United States for the purpose of making a lecture tour, but his only appearance was a complete fiasco. He contracted pneumonia in New York, and after a temporary recuperation was sent back to his native Nicaragua where he died in 1916. His greatness is not limited to Spanish America, for there is hardly a Spanish poet of the twentieth century who has escaped his tremendous influence; indeed, the language of Spanish poetry was practically reborn through the genius of Rubén Darío.

La muerte de la Emperatriz de la China

DELICADA y fina como una joya humana, vivía aquella muchachita de carne rosada, en la pequeña casa que tenía un saloncito con los tapices de color azul desfalleciente.* Era su estuche.*

¿Quién era el dueño de aquel delicioso pájaro alegre, de ojos negros y boca roja? ¿Para quién cantaba su canción divina, cuando la señorita Primavera mostraba en el triunfo del sol su bello rostro riente, y abría las flores del campo, y alborotaba la nidada?* Susette se llamaba la avecita que había puesto en jaula de seda, peluches y encajes,* un soñador artista cazador, que le había cazado una mañana de mayo en que había mucha luz en el aire y muchas rosas abiertas.

Recaredo*—¡capricho paternal!* Él no tenía la culpa de llamarse Recaredo—se había casado hacía año y medio. ¿Me amas? Te amo. ¿Y tú? Con toda el alma. ¡Hermoso el día dorado, después de lo del cura!* Habían ido luego al campo nuevo,* a gozar libres, del

  4. *faint.*
  4. *jewel-case.*
  9. alborotaba la nidada, *aroused the young birds in their nests.*
  11. en jaula de seda, peluches y encajes, *in a cage of silk, plushes and laces.*
  14. Recaredo: *the name of one of the Gothic kings of Spain in the sixth century.*
  14. capricho paternal, *(a name given by) paternal caprice.*
  17. lo del cura, *the wedding.*
  18. campo nuevo, *green fields.*

gozo del amor. Murmuraban allá en sus ventanas de hojas verdes, las campanillas* y las violetas silvestres que olían* cerca del riachuelo, cuando pasaban los dos amantes, el brazo de él en la cintura de ella, el brazo de ella en la cintura de él, los rojos labios en flor dejando escapar los besos. Después, fué la vuelta a la gran ciudad, al nido lleno de perfume de juventud y de calor dichoso.

¿Dije ya que Recaredo era escultor? Pues si no lo he dicho, sabedlo.

Era escultor. En la pequeña casa tenía su taller, con profusión de mármoles, yesos,* bronces y terracotas. A veces, los que pasaban oían a través de las rejas y persianas* una voz que cantaba y un martilleo* vibrante y metálico. Susette, Recaredo; la boca que emergía el cántico*; y el golpe del cincel.

Luego el incesante idilio nupcial. En puntillas,* llegar donde él trabajaba, e inundándole de cabellos la nuca,* besarle rápidamente. Quieto, quietecito, llegar donde ella duerme en su *chaise-longue*, los piececitos calzados y con medias negras, uno sobre otro, el libro abierto sobre el regazo,* medio dormida; y allí el beso es en los labios, beso que sorbe el aliento y hace que se abran los ojos, inefablemente luminosos. Y a todo esto, las carcajadas del mirlo, un mirlo enjaulado que cuando Susette toca de Chopín, se pone triste y no canta. ¡Las carcajadas del mirlo! No era poca cosa. — ¿Me quieres? — ¿No lo sabes? — ¿Me amas? — ¡Te adoro! Ya

2. *bell-flower.*
3. *gave off their perfume.*
11. *plaster of Paris (casts).*
13. *Persian blind.*
13. *hammering.*
15. emergía el cántico, *was bursting forth in song.*
16. en puntillas, *on tiptoe.*
18. *nape of the neck.*
21. *lap.*

LA EMPERATRIZ DE LA CHINA

estaba el animalucho echando toda la risa del pico.*
Se le sacaba de la jaula, revolaba por el saloncito azulado,
se detenía en la cabeza de un Apolo de yeso, o en la frámea*
de un viejo germano de bronce oscuro. Tiiiiirit...
rrrrrrtch fiii... ¡Vaya que a veces era malcriado e
insolente en su algarabía! Pero era lindo sobre la mano
de Susette que le mimaba, le apretaba el pico entre sus
dientes hasta hacerlo desesperar, y le decía a veces con
una voz severa que temblaba de ternuza: ¡Señor Mirlo,
es usted un picarón!

Cuando los dos amados estaban juntos, se arreglaban
uno a otro el cabello. «Canta,» decía él. Y ella cantaba,
lentamente, lentamente, y aunque no eran sino pobres
muchachos enamorados, se veían* hermosos, gloriosos, y
reales; él la miraba como a una Elsa y ella le miraba
como a un Lohengrín. Porque el Amor ¡oh jóvenes
llenos de sangre y de sueños! pone un azul cristal ante
los ojos, y da las infinitas alegrías.

¡Cómo se amaban! Él la contemplaba* sobre las
estrellas de Dios; su amor recorría toda la escala de la
pasión, y era ya contenido, ya tempestuoso, en su querer
a veces casi místico. En ocasiones dijérase* aquel artista un teósofo, que veía en la amada mujer algo supremo
y extrahumano, como la Ayesha* de Rider Haggard;
la aspiraba* como una flor, le sonreía como a un astro, y
se sentía soberbiamente vencedor* al estrechar contra su
pecho aquella adorable cabeza, que cuando estaba pen-

1. echando toda la risa del pico, *laughing with all its might.*
3. *javelin.*
14. se veían, *they felt themselves...*
19. la contemplaba..., *he thought her as beautiful as the stars in heaven.*
22. *one might call...*
24. Ayesha, *protagonist in the novel of the same name by Sir Rider Haggard.*
25. *he inhaled her perfume.*
26. soberbiamente vencedor, *proudly exultant.*

sativa y quieta, era comparable al perfil hierático * de la medalla de una emperatriz bizantina.

Recaredo amaba su arte. Tenía la pasión de la forma; hacía brotar del mármol gallardas diosas desnudas de ojos blancos, serenos y sin pupilas; su taller estaba poblado de un pueblo de estatuas silenciosas, animales de metal, gárgolas terroríficas, grifos * de largas colas vegetales, creaciones góticas quizás inspiradas por el ocultismo. Y sobre todo, ¡ la gran afición! japonerías y chinerías.* Recaredo era en esto un original.* No sé qué habría dado por hablar chino o japonés. Conocía los mejores álbumes; había leído buenos exotistas, adoraba a Loti y a Judith Gautier, y hacía sacrificios por adquirir trabajos legítimos, de Yokohama, de Nagasaki, de Kioto, o de Nankín o Pekín: los cuchillos, las pipas, las máscaras feas y misteriosas como las caras de los sueños hípnicos,* los mandarinitos enanos con panzas de cucurbitáceos * y ojos circunflejos, los monstruos de grandes bocas de batracios,* abiertas y dentadas, y los diminutos soldados de Tartaria, con faces foscas.*

— Oh, le decía Susette: aborrezco tu casa de brujo, ese terrible taller, arca extraña que te roba a mis caricias.

Él sonreía, dejaba su lugar de labor, su templo de raras chucherías,* y corría al pequeño salón azul, a ver y mimar su gracioso dije vivo, y oír cantar y reír al loco mirlo jovial.

Aquella mañana, cuando entró, vió que estaba su dulce

1. *sacred.*
7. *griffon.*
9. japonerías y chinerías, *Japanese and Chinese curios.*
10. *connoisseur.*
16. *hypnotic.*
17. panzas de cucurbitáceos, *gourd-shaped paunches.*
19. *frog.*
20. faces foscas, *frowning faces.*
24. toy, *bauble.*

LA EMPERATRIZ DE LA CHINA 137

Susette, soñolienta y tendida, cerca de un tazón de rosas que sostenía un trípode. ¿Era la Bella del bosque durmiente? Medio dormida, el delicado cuerpo modelado bajo una bata blanca, la cabellera castaña apelotonada* sobre uno de los hombros, era como una deliciosa figura de los amables cuentos que empiezan: Éste era* un Rey...

La despertó:
— ¡Susette, mi bella!
Traía la cara alegre; le brillaban los ojos negros bajo su fez rojo de labor; llevaba una carta en la mano.
— Carta de Robert, Susette. ¡El bribonazo* está en la China! Hong Kong, 18 de enero...
Susette, un tanto amodorrada,* se había sentado y le había quitado el papel. ¿Conque aquel andariego* había llegado tan lejos? Hong Kong, 18 de enero... Era gracioso. ¡Un excelente muchacho el tal Robert, con la manía de viajar! Llegaría al fin del mundo, Robert, un grande amigo. Le veían como de la familia. Había partido hacía dos años para San Francisco de California. ¡Habráse visto loco igual!*

Comenzó a leer.

Hong Kong, 18 de enero de 1888
Mi buen Recaredo:
Vine, y vi. No he vencido aún.
En San Francisco supe* vuestro matrimonio y me alegré. Di un salto y caí en la China. He venido como agente de una casa californiana, importadora de sedas, lacas, marfiles, y

4. *falling in a heap.*
6. Éste era, *Once upon a time there was...*
12. *rascal.*
14. un tanto amodorrada, *a little sleep-heavy.*
15. *vagabond.*
21. ¡Habráse visto loco igual! *Was there ever seen such a fool!*
26. *I found out about, learned of.*

demás chinerías. Junto con esta carta debes recibir un regalo mío que, dada tu afición por las cosas de este país amarillo, te llegará de perlas.* Ponme a los pies de Susette, y conserva el obsequio en memoria de tu
                              Robert.

Ni más, ni menos. Ambos soltaron la carcajada. El mirlo a su vez hizo estallar la jaula en una explosión de gritos musicales.

La caja había llegado, una caja de regular tamaño, llena de marchamos,* de números y letras negras que decían y daban a entender que el contenido era muy frágil. Cuando la caja se abrió, apareció el misterio. Era un fino busto de porcelana, un admirable busto de mujer sonriente, pálido y encantador. En la base tenía tres inscripciones, una en caracteres chinescos, otra en inglés y otra en francés: *La emperatriz de la China.* ¡ La emperatriz de la China! ¿Qué manos de artista asiático habían modelado aquellas formas atrayentes de misterio? Era una cabellera recogida y apretada,* una faz enigmática, ojos bajos y extraños, de princesa celeste, sonrisa de esfinge, cuello erguido sobre los hombros columbinos,* cubiertos por una onda* de seda bordada de dragones; todo dando magia a la porcelana blanca, con tonos de cera inmaculada y cándida. ¡ La emperatriz de la China! Susette pasaba sus dedos de rosa sobre los ojos de aquella graciosa soberana, un tanto inclinados, con sus curvos epicantus* bajo los puros y nobles arcos de las cejas. Estaba contenta. Y Recaredo sentía orgullo de poseer su porcelana. — Le haría un gabinete especial, para que

3. llegar de perlas, *to be very appropriate.*
10. *custom-stamps or marks.*
19. *tightly made up.*
21. *white.*
22. *scallop.*
27. epicantus, *fold of skin over the eye, frequent in orientals.*

LA EMPERATRIZ DE LA CHINA 139

viviese y reinase sola, como en el Louvre la Venus de
Milo, triunfadora, cobijada * imperialmente por el *plafond* * de su cuarto azul.

Así lo hizo. En un extremo del taller, formó un gabinete
minúsculo, con biombos * cubiertos de arrozales * y de
grullas.* Predominaba la nota amarilla. Toda la gama,*
oro, fuego, ocre de oriente, hoja de otoño; * hasta el
pálido que agoniza fundido en la blancura. En el centro,
sobre un pedestal dorado y negro, se alzaba sonriendo la
exótica imperial. Alrededor de ella había colocado
Recaredo todas sus japonerías y curiosidades chinas.
La cubría un gran quitasol nipón, pintado de camelias y
de anchas rosas sangrientas. Era cosa de risa, cuando el
artista soñador, después de dejar la pipa y los cinceles,
llegaba frente a la emperatriz, con las manos cruzadas
sobre el pecho, a hacer zalemas.* Una, dos, diez, veinte
veces la visitaba. Era una pasión. En un plato de
laca yokohamesa le ponía flores frescas, todos los días.
Tenía en momentos, verdaderos arrobos * delante del
busto asiático que le conmovía en su deleitable e inmóvil
majestad. Estudiaba sus menores detalles, el caracol *
de la oreja, el arco del labio, la nariz pulida, el epicantus
del párpado. ¡Un ídolo, la famosa emperatriz! Susette
le llamaba de lejos: ¡Recaredo! ¡Voy! Y seguía en
la contemplación de su obra de arte, hasta que Susette
llegaba a llevárselo a rastras * y a besos.

2. *sheltered.*
3. plafond (*French*) *ceiling.*
5. biombo, *screen.*
5. *rice-field.*
6. *crane.*
6. *range, gamut.*
7. hoja de otoño, *all the colors of an autumn leaf.*
16. *salaam, bow.*
19. arrobo, *rapture.*
21. *curve.*
26. a rastras, *by dragging.*

Un día las flores del plato de laca desaparecieron como por encanto.

— ¿Quién ha quitado las flores? — gritó el artista desde el taller.

— Yo — dijo una voz vibradora.

Era Susette que entreabría una cortina, toda sonrosada y haciendo relampaguear sus ojos negros.

Allá en lo hondo* de su cerebro, se decía el señor Recaredo, artista escultor: — ¿Qué tendrá mi mujercita? No comía casi. Aquellos buenos libros desflorados* por su espátula* de marfil, estaban en el pequeño estante negro, con sus hojas cerradas, sufriendo la nostalgia de las blandas manos de rosa, y del tibio regazo* perfumado. El señor Recaredo la veía triste. ¿Qué tendrá mi mujercita? En la mesa no quería comer. Estaba seria. ¡Qué sería! Le miraba a veces con el rabo del ojo, y el marido veía aquellas pupilas obscuras, húmedas como que querían llorar. Y ella, al responder, hablaba como los niños a quienes se ha negado un dulce. ¿Qué tendrá mi mujercita? ¡Nada! Aquel «nada,» lo decía ella con voz de queja; entre sílaba y sílaba había lágrimas.

¡Oh señor Recaredo! lo que tiene vuestra mujercita es que sois un hombre abominable. ¿No habéis notado que desde que esa buena de la emperatriz* de la China ha llegado a vuestra casa, el saloncito azul se ha entristecido, y el mirlo no canta ni ríe con su risa perlada? Susette despierta a Chopín, y lentamente, hace brotar la melodía enferma y melancólica del negro piano sonoro. ¡Tiene celos, señor Recaredo! Tiene el mal de los celos, ahogador y quemante, como una serpiente encendida que

8. lo hondo, *the depths.*
10. desflorados, *whose pages had been cut.*
11. *palette knife.*
13. tibio regazo, *warm lap.*
24. esa buena de la emperatriz, *that fine Chinese Empress.*

LA EMPERATRIZ DE LA CHINA 141

aprieta el alma. ¡Celos! Quizás él lo comprendió, porque una tarde, dijo a la muchachita de su corazón, estas palabras, frente a frente, a través del humo de una taza de café:— Eres demasiado injusta. ¿Acaso no te amo con toda mi alma; acaso no sabes leer en mis ojos lo que hay dentro de mi corazón?

Susette rompió a llorar. ¡Qué la amaba! No, ya no la amaba. Habían huído las buenas y radiantes horas, y los besos que chasqueaban* también eran idos como pájaros en fuga. Ya no la quería. Y a ella, a la que en él veía su religión, su delicia, su ensueño, su rey, a ella, a Susette, la había dejado por la otra.

¡La otra! Recaredo dió un salto. Estaba engañada. ¿Lo diría por la rubia Eulogia, a quién en un tiempo había dirigido madrigales?

Ella movió la cabeza:— No.

¿Por la ricachona* Gabriela, de largos cabellos negros y blanca como un alabastro? ¿O por aquella Luisa, la danzarina que tenía una cintura de avispa* y unos ojos incendiarios?* ¿O por la viudita Andrea, que al reír sacaba la punta de la lengua, roja y felina, entre sus dientes brillantes y amarfilados?

No, no era ninguna de ésas. Recaredo se quedó con gran asombro.— Mira, chiquilla, dime la verdad. ¿Quién en ella? Sabes cuanto te adoro. Mi Elsa,* mi Julieta, alma, amor mío...

Temblaba tanta verdad de amor en aquellas palabras entrecortadas y trémulas, que Susette, con los ojos enrojecidos, secos ya de las lágrimas, se levantó irguiendo su linda cabeza heráldica.*

9. *used to echo.*
17. *rich woman.*
19. cintura de avispa, *wasp-like waist.*
20. *flaming.*
25. Elsa... Julieta: *the romantic heroines, respectively, of Wagner's "Lohengrin" and Shakespeare's "Romeo and Juliet."*
30. *noble.*

— ¿Me amas?
— ¡Bien lo sabes!
— Deja, pues, que me vengue de mi rival. Ella o yo; escoge. Si es cierto que me adoras ¿querrás permitir que la aparte para siempre de tu camino, que quede yo sola, confiada en tu pasión?
— Sea — dijo Recaredo. Y viendo irse a su avecita celosa y terca, prosiguió sorbiendo el café, tan negro como la tinta.

No había tomado tres sorbos, cuando oyó un gran ruido de fracaso, en el recinto de su taller.

Fué. ¿Qué miraron sus ojos? El busto había desaparecido del pedestal de negro y oro, y entre minúsculos mandarines caídos y descolgados* abanicos, se veían por el suelo pedazos de porcelana que crujían bajo los pequeños zapatos de Susette, quien toda encendida y con el cabello suelto, aguardando los besos, decía entre carcajadas argentinas al maridito asustado: — ¡Estoy vengada! ¡Ha muerto ya para ti la emperatriz de la China!

Y cuando comenzó la ardiente reconciliación de los labios, en el saloncito azul, todo lleno de regocijo, el mirlo, en su jaula primorosa, se moría de risa.

Azul, 1888.

14. *dislodged, fallen.*

Horacio Quiroga

BORN in the town of Salto, Uruguay, in the year 1878, Horacio Quiroga took up the Bohemian life and poetic torch early in life, and at the age of twenty-two produced a rather inauspicious collection of poems and short stories entitled *Los arrecifes de coral*, 1901. At about this time in Quiroga's life there occurs an incident which beclouds his entire future: he and his best friend, likewise a Bohemian poet, are one day scuffling with a loaded pistol which goes off and kills the friend, Federico Ferrando. Quiroga is absolved of blame, but never recovers from the shock. In an effort to escape the brutal memory he goes to Buenos Aires where he produces his second book, *El crimen del otro*, in 1904, a collection of stories very suggestive of Edgar Allan Poe. Next he attempts to grow cotton in the Chaco, an effort which fails utterly, returns to Buenos Aires to teach school, which he detests, finally marries and goes back to the province of Misiones in northern Argentina to live.

On the death of his wife in 1917 Quiroga returned to Buenos Aires and began to collect the stories which he had already published in magazines. The best of these works are: *Cuentos de amor, de locura y de muerte*, 1917; *Cuentos de la selva* (para los niños), 1918; *El salvaje*, 1920; *El desierto*, 1924; *Los desterrados*, 1926; and *Más allá*, 1934. These stories reveal a variety, perfection and vividness which place Quiroga at the head of Spanish America's long list of excellent short story writers, and before many more years have passed they will likely bring him posthumous world renown, for the author died in 1937, regarded by many even in his own country as a "mere writer of little stories." Beyond any doubt he is one great Spanish American prosist who has lived a generation ahead of his time, and his work is still awaiting critics and translators able to carry it in triumph over the western world rendering the homage which is its due.

El hijo

Es un poderoso día de verano en Misiones,* con todo el sol, el calor y la calma que puede deparar la estación. La naturaleza, plenamente abierta,* se siente satisfecha de sí.

Como el sol, el calor y la calma ambiente, el padre abre también su corazón a la naturaleza.

— Ten cuidado, chiquito — dice a su hijo abreviando en esa frase todas las observaciones del caso* y que su hijo comprende perfectamente.

— Sí, papá — responde la criatura, mientras coge la escopeta y carga de cartuchos los bolsillos de su camisa, que cierra con cuidado.

— Vuelve a la hora de almorzar — observa aún el padre.

— Sí, papá — repite el chico.

Equilibra la escopeta en la mano, sonríe a su padre, lo besa en la cabeza y parte.

Su padre lo sigue un rato con los ojos y vuelve a su quehacer de ese día, feliz con la alegría de su pequeño.

Sabe que su hijo, educado desde su más tierna infancia en el hábito y la precaución del peligro, puede manejar un fusil y cazar no importa qué. Aunque es muy alto para su edad, no tiene sino trece años. Y parecería tener menos, a juzgar por la pureza de sus ojos azules, frescos aún de sorpresa infantil.*

No necesita el padre levantar los ojos de su quehacer para seguir con la mente la marcha de su hijo: Ha cruzado

1. *province of northern Argentina.*
3. plenamenta abierta, *vibrant and alive.*
8. todas... caso, *all his advice on the matter.*
24. frescos... infantil, *still sparkling with childish surprise.*

la picada roja y se encamina rectamente al monte a través del abra de espartillo.*

Para cazar en el monte — caza de pelo * — se requiere más paciencia de la que su cachorro puede rendir. Después de atravesar esa isla de monte, su hijo costeará la linde * de cactus hasta el bañado, en procura de palomas, tucanes * o tal cual * casal de garzas, como las que su amigo Juan ha descubierto días anteriores.

Sólo ahora, el padre esboza una sonrisa al recuerdo de la pasión cinegética * de las dos criaturas. Cazan sólo a veces un yacútoro, un surucuá * — menos aún — y regresan triunfales, Juan a su rancho con el fusil de nueve milímetros que él le ha regalado, y su hijo a la meseta, con la gran escopeta Saint-Etienne, calibre 16, cuadruple cierre * y pólvora blanca.

Él fué lo mismo. A los trece años hubiera dado la vida por poseer una escopeta. Su hijo, de aquella edad, la posee ahora; — y el padre sonríe.

No es fácil, sin embargo, para un padre viudo, sin otra fe ni esperanza que la vida de su hijo, educarlo como lo ha hecho él, libre en su corto radio de acción, seguro de sus pequeños pies y manos desde que tenía cuatro años, consciente de la inmensidad de ciertos peligros y de la escasez de sus propias fuerzas.

Ese padre ha debido luchar fuertemente contra lo que él considera su egoísmo. ¡ Tan fácilmente una criatura calcula mal, sienta un pie en el vacío * y se pierde un hijo !

2. abra de espartillo, *valley of esparto grass.*
3. caza de pelo, *fur-bearing game, rabbits, etc.*
5. costeará la linde, *will walk along the edge.*
7. toucan (a huge-beaked bird).
7. tal cual casal de garzas, *perhaps a pair of herons.*
10. *hunting.*
11. yacútoro; surucuá: *birds of Argentina.*
15. cuadruple cierre, *quadruple lock.*
27. sienta... vacío, *makes a misstep.*

EL HIJO

El peligro subsiste siempre para el hombre en cualquier edad; pero su amenaza amengua si desde pequeño se acostumbra a no contar sino con sus propias fuerzas.

De este modo ha educado el padre a su hijo. Y para conseguirlo ha debido resistir no sólo a su corazón, sino a sus tormentos morales; porque ese padre, de estómago y vista débiles, sufre desde hace un tiempo de alucinaciones.

La imagen de su hijo no ha escapado a este tormento. Lo ha visto una vez rodar envuelto en sangre cuando el chico percutía en el taller * una bala de parabellum, siendo así que lo que hacía era limar la hebilla de su cinturón de caza.

Horribles cosas... Pero hoy, con el ardiente y vital día de verano, cuyo amor su hijo parece haber heredado, el padre se siente feliz, tranquilo y seguro del porvenir.

En ese instante, no muy lejos, suena un estampido.

— La Saint-Etienne... — piensa el padre al reconocer la detonación. — Dos palomas de menos en el monte...

Sin prestar más atención al nimio acontecimiento, el hombre se abstrae de nuevo en su tarea.

El sol, ya muy alto, continúa ascendiendo. Adonde quiera que se mire — piedras, tierra, árboles, — el aire, enrarecido como en un horno, vibra con el calor. Un profundo zumbido que llena el ser entero e impregna el ámbito hasta donde la vista alcanza, concentra a esa hora toda la vida tropical.

El padre echa una ojeada a su muñeca: las doce. Y levanta los ojos al monte.

Su hijo debía estar ya de vuelta. En la mutua confianza que depositan el uno en el otro — el padre de sienes plateadas y la criatura de trece años, — no se engañan jamás. Cuando su hijo responde: — Sí, papá, — hará lo

---

11. percutía en el taller... caza, *when he thought his son was beating on a bullet, while what he was really doing was filing the buckle of his hunting belt.*

que dice. Dijo que volvería antes de las doce, y el padre ha sonreído al verlo partir.

Y no ha vuelto.

El hombre torna a su quehacer, esforzándose en concentrar la atención en su tarea. Es tan fácil, tan fácil perder la noción de la hora dentro del monte, y sentarse un rato en el suelo mientras se descansa inmóvil...

Bruscamente, la luz meridiana, el zumbido tropical y el corazón del padre se detienen a compás de* lo que acaba de pensar: su hijo descansa inmóvil...

El tiempo ha pasado; son las doce y media. El padre sale de su taller, y al apoyar la mano en el banco de mecánica* sube del fondo de su memoria el estallido de una bala de parabellum, e instantáneamente, por primera vez en las tres horas transcurridas, piensa que tras el estampido de la Saint-Etienne no ha oído nada más. No ha oído rodar el pedregullo* bajo un paso conocido. Su hijo no ha vuelto, y la naturaleza se halla detenida* a la vera del bosque, esperándolo...

¡Oh! No son suficientes un carácter templado y una ciega confianza en la educación de un hijo para ahuyentar el espectro de la fatalidad que un padre de vista enferma ve alzarse desde la línea del monte. Distracción, olvido, demora fortuita: ninguno de estos nimios motivos que pueden retardar la llegada de su hijo, hallan cabida en aquel corazón.

Un tiro, un solo tiro ha sonado, y hace ya mucho. Tras él el padre no ha oído un ruido, no ha visto un pájaro, no ha cruzado el abra una sola persona a anunciarle que al cruzar un alambrado, una gran desgracia...

La cabeza al aire y sin machete, el padre va. Corta el

---

9. a compás de, *hanging on.*
13. banco de mecánica, *work bench.*
17. rodar el pedregullo, *the gravel crunch.*
18. se halla detenida... esperándolo, *is lying in wait at the edge of the woods.* (Here *detenida* means *expectant, hovering.*)

EL HIJO

abra de espartillo, entra en el monte, costea la línea de cactus sin hallar el menor rastro de su hijo.

Pero la naturaleza prosigue detenida. Y cuando el padre ha recorrido las sendas de caza conocidas y ha explorado el bañado en vano, adquiere la seguridad de que cada paso que da en adelante lo lleva, fatal e inexorablemente, al cadáver de su hijo.

Ni un reproche que hacerse, el lamentable. Sólo la realidad fría, terrible y consumada: Ha muerto su hijo al cruzar un...

¡Pero dónde, en qué parte! ¡Hay tantos alambrados allí, y es tan, tan sucio* el monte!... ¡Oh, muy sucio!... Por poco que no se tenga cuidado* al cruzar los hilos con la escopeta en la mano...

El padre sofoca un grito. Ha visto levantarse en el aire... ¡Oh, no es su hijo, no!... Y vuelve a otro lado, y a otro y a otro...

Nada se ganaría con ver el color de su tez y la angustia de sus ojos. Ese hombre aún no ha llamado a su hijo. Aunque su corazón clama por él a gritos, su boca continúa muda. Sabe bien que el solo acto de pronunciar su nombre, de llamarlo en voz alta, será la confesión de su muerte...

—¡Chiquito!— se le escapa de pronto. Y si la voz de un hombre de carácter es capaz de llorar, tapémonos de misericordia los oídos ante la angustia que clama en aquella voz.

Nadie ni nada ha respondido. Por las picadas rojas de sol, envejecido en diez años,* va el padre buscando a su hijo que acaba de morir.

—¡Hijito mío!... ¡Chiquito mío!...— clama en un diminutivo que se alza del fondo de sus entrañas.

Ya antes, en plena dicha y paz, ese padre ha sufrido

---

12. tangled, deceptive.
13. Por poco... cuidado, No matter how careful a person may be (in going over the fence...)
28. envejecido en diez años, grown ten years older.

la alucinación de su hijo rodando con la frente abierta por una bala al cromo níquel.* Ahora, en cada rincón sombrío de bosque ve centelleos de alambre; y al pie de un poste, con la escopeta descargada al lado, ve a su...
— ¡Chiquito!... ¡Mi hijo!...
Las fuerzas que permiten entregar un pobre padre alucinado a la más atroz pesadilla tienen también un límite. Y el nuestro siente que las suyas se le escapan, cuando ve bruscamente desembocar de un pique lateral a su hijo.

A un chico de trece años bástale ver desde cincuenta metros la expresión de su padre sin machete dentro del monte, para apresurar el paso con los ojos húmedos.
— Chiquito... — murmura el hombre. Y, exhausto, se deja caer sentado en la arena albeante, rodeando con los brazos las piernas de su hijo.

La criatura, así ceñida, queda de pie; y como comprende el dolor de su padre, le acaricia despacio la cabeza:
— Pobre papá...

En fin, el tiempo ha pasado. Ya van a ser las tres. Juntos, ahora, padre e hijo emprenden el regreso a la casa.
— ¿Cómo no te fijaste en el sol para saber la hora?... — murmura aún el primero.
— Me fijé, papá... Pero cuando iba a volver vi las garzas de Juan y las seguí...
— ¡Lo que me has hecho pasar, chiquito!...
— Piapiá...* — murmura también el chico.
Después de un largo silencio:
— Y las garzas, ¿las mataste? — pregunta el padre.
— No...

Nimio detalle, después de todo. Bajo el cielo y el aire candentes, a la descubierta por el abra de espartillo, el hombre vuelve a casa con su hijo, sobre cuyos hombros, casi del alto de los suyos, lleva pasado su feliz brazo de

2. cromo níquel, *chrome nickel.*
27. *Father (Argentine).*

EL HIJO

padre. Regresa empapado de sudor, y aunque quebrantado de cuerpo y alma, sonríe de felicidad...

* * *

Sonríe de alucinada felicidad... Pues ese padre va solo. A nadie ha encontrado, y su brazo se apoya en el vacío. Porque tras él, al pie de un poste y con las piernas en alto, enredadas en el alambre de púa,* su hijo bien amado yace al sol, muerto desde las diez de la mañana.

Más allá, 1934.

6. alambre de púa, *barbed wire*.

Tres cartas ... y un pie*

«Señor:

«Me permito enviarle estas líneas, por si usted tiene la amabilidad de publicarlas con su nombre. Le hago este pedido porque me informan de que no las admitirían en un periódico, firmadas por mí. Si le parece, puede dar a mis impresiones un estilo masculino, con lo que tal vez ganarían.

* * *

«Mis obligaciones me imponen tomar dos veces por día el tranvía, y hace cinco años que hago el mismo recorrido. A veces, de vuelta, regreso con algunas compañeras, pero de ida voy siempre sola. Tengo veinte años, soy alta, no flaca y nada trigueña. Tengo la boca un poco grande, y poco pálida.* No creo tener los ojos pequeños. Este conjunto, en apreciaciones negativas,* como usted ve, me basta, sin embargo, para juzgar a muchos hombres, tantos que me atrevería a decir a todos.

«Usted sabe también que es costumbre en ustedes, al disponerse a subir al tranvía, echar una ojeada hacia adentro por las ventanillas. Ven así todas las caras (las de mujeres, por supuesto, porque son las únicas que les interesan). Después suben y se sientan.

«Pues bien; desde que el hombre desciende de la vereda,

---

* *foot;* here *"foot-note"*. Cf. the Spanish proverb: *Si le dan el pie, se toma la mano.* "If you give him an inch, he'll take a mile."
13. poco pálida, *not at all pale.*
14. en apreciaciones negativas, *to put it negatively (mildly).*

TRES CARTAS... Y UN PIE

se acerca al coche y mira adentro, yo sé perfectamente, sin equivocarme jamás, qué clase de hombre es. Sé si es serio, o si quiere aprovechar bien los diez centavos, efectuando de paso una rápida conquista. Conozco en seguida a los que quieren ir cómodos, y nada más, y a los que prefieren la incomodidad al lado de una chica.

« Y cuando el asiento a mi lado está vacío, desde esa mirada por la ventanilla sé ya perfectamente cuáles son los indiferentes que se sentarán en cualquier lado; cuáles los interesados (a medias) que después de sentarse volverán la cabeza a medirnos tranquilamente; y cuáles los audaces, por fin, que dejarán en blanco * siete asientos libres para ir a buscar la incomodidad a mi lado, allá en el fondo del coche.

« Estos son, por supuesto, los más interesantes. Contra la costumbre general de las chicas que viajan solas, en vez de levantarme y ofrecer el sitio interior libre, yo me corro sencillamente hacia la ventanilla, para dejar amplio lugar la importuno.

« ¡ Amplio lugar !... Ésta es una simple expresión. Jamás los tres cuartos de asiento abandonados por una muchacha a su vecino le son suficientes. Después de moverse y removerse a su gusto, le invade de pronto una inmovilidad extraordinaria, a punto de creérsele paralítico. Esto es una simple apariencia; porque si una persona lo observa desconfiando de esa inmovilidad, nota que el cuerpo del señor, insensiblemente,* con una suavidad que hace honor a su mirada distraída, se va delizando poco a poco por un plano inclinado hasta la ventanilla, donde está precisamente la chica que él no mira ni parece importarle absolutamente nada.

« Así son: podría jurarse que están pensando en la luna. Entre tanto, el pie derecho (o el izquierdo) continúa deslizándose imperceptiblemente por el plano inclinado.

12. dejarán en blanco, *will pass by*, *leave unoccupied*.
27. *in a barely perceptible manner*.

«Confieso que en estos casos tampoco me aburro. De una simple ojeada, al correrme hacia la ventanilla, he apreciado la calidad de mi pretendiente. Sé si es un audaz de primera instancia, digamos, o si es de los realmente preocupantes. Sé si es un buen muchacho, o si es un tipo vulgar. Si es un ladrón de puños,* o un simple raterillo *; si es un seductor * (el *seduisant*, no *seducteur*,* de los franceses), o un mezquino aprovechador.*

«A primera vista parecería que en el acto de deslizar subrepticiamente el pie con cara de hipócrita no cabe sino un ejecutor:* el ratero. No es así, sin embargo, y no hay chica que no lo haya observado. Cada tipo requiere una defensa especial; pero casi siempre, sobre todo si el muchacho es muy joven o está mal vestido, se trata de un raterillo.

«La táctica en éste no varía jamás. Primero de todo, la súbita inmovilidad y el aire de pensar en la luna. Después, una fugaz * ojeada a nuestra persona, que parece detenerse en la cara, pero cuyo fin exclusivo ha sido apreciar al paso la distancia que media entre su pie y el nuestro. Obtenido el dato, comienza la conquista.

«Creo que haya pocas cosas más divertidas que esta maniobra de ustedes, cuando van alejando su pie en discretísimos avances de taco y de punta,* alternativamente. Ustedes, es claro, no se dan cuenta; pero este monísimo juego de ratón,* con botines cuarenta y cuatro,* y allá arriba, cerca del techo, una cara bobalicona (por la emoción

6. ladrón de puños, *an old hand (hardened criminal).*
6. *tenderfoot (mere pickpocket).*
7. *really attractive man, Beau Brummel.*
7. el *seduisant*, no *seducteur*, (French) *the "charmer" not "seducer".*
8. mezquino aprovechador, *petty masher.*
11. no cabe sino un ejecutor, *it can be only one kind of man.*
18. *fleeting.*
24. de taco y de punta, *of heel and toe.*
26. juego de ratón, *cat and mouse game.*
26. botines cuarenta y cuatro, *number eleven shoes.*

TRES CARTAS...Y UN PIE

seguramente), no tiene parangón con nada de lo que hacen ustedes, en cuanto a ridiculez.

« Dije también que yo no me aburría en estos casos. Y mi diversión consiste en lo siguiente: desde el momento en que el seductor ha apreciado con perfecta exactitud la distancia a recorrer con el pie, raramente vuelve a bajar los ojos. Está seguro de su cálculo, y no tiene para qué ponernos en guardia con nuevas ojeadas. La gracia para él está, usted lo comprendería bien, en el contacto y no en la visión.

« Pues bien: cuando la amable persona está a medio camino, yo comienzo la maniobra que él ejecutó, con igual suavidad e igual aire distraído de estar pensando en mi muñeca.* Solamente que en dirección inversa. No mucho: diez centímetros son suficientes.

« Es de verse,* entonces, la sorpresa de mi vecino cuando al llegar por fin al lugar exactamente localizado, no halla nada. Nada; su botín cuarenta y cuatro está perfectamente solo. Es demasiado para él; echa una ojeada al piso, primero, y a mi cara luego. Yo estoy siempre con el pensamiento a mil leguas, soñando con mi muñeca; pero el tipo se da cuenta.

« De diecisiete veces (y marco este número con conocimiento de causa), quince, el incómodo señor no insiste más. En los dos casos restantes tengo que recurrir a una mirada de advertencia. No es menester que la expresión de esta mirada sea de imperio, ofensa o desdén: basta con que el movimiento de la cabeza sea en su dirección: hacia él, pero sin mirarlo. El encuentro con la mirada de un hombre que por casualidad puede haber gustado real y profundamente de nosotros, es cosa que conviene siempre evitar en estos casos. En un raterillo puede haber la

---

14. pensando en mi muñeca, *thinking of my doll*, (that is, *with my mind a million miles away*).
16. es de verse, *it's worth seeing*.

pasta * de un ladrón peligroso, y esto lo saben los cajeros * de grandes caudales, y las muchachas no delgadas, no trigueñas, de boca no chica y ojos no pequeños, como su segura servidora.*

M. R. »

« Señorita:
« Muy agradecido a su amabilidad. Firmaré con mucho gusto sus impresiones, como usted lo desea. Tendría, sin embargo, mucho interés, y exclusivamente como coautor, en saber lo siguiente: Aparte de los diecisiete casos concretos que usted anota, ¿ no ha sentido usted nunca el menor enternecimiento * por algún vecino alto o bajo, rubio o trigueño, gordo o flaco ? ¿ No ha tenido jamás un vaguísimo sentimiento de abandono — el más vago posible — que le volviera * particularmente pesado y fatigoso el alejamiento de su propio pie ?

« Es lo que desearía saber, etc.,

H. Q. »

« Señor:
« Efectivamente, una vez, una sola vez en mi vida, he sentido este enternecimiento por una persona, o esta falta de fuerzas en el pie a que usted se refiere. Esa persona era *usted*. Pero usted no supo aprovecharlo.

M. R. »

El salvaje, 1920.

1. haber la pasta..., *there may be the makings of*...
1. *cashier*.
4. su segura servidora, *yours truly*.
12. *feeling of tenderness*.
15. ¿ que le volviera... pie ? *which might make the withdrawing of your own foot particularly difficult and painful ?*

Manuel Rojas

MANUEL ROJAS, born in Buenos Aires of Chilean parents in 1896, lived periodically in Argentina and Chile until 1924 when his residence became fixed in Santiago. Rojas has been at various stages of his chequered life theatrical prompter for a group of travelling comedians, stevedore, sailor, linotypist and journalist. A book of verses, *Poéticas*, 1921, was his first published work, but he is known primarily as a writer of short stories and novelettes, of which *genres* he is perhaps the best exponent among the younger Spanish American authors living today. His first novelette, *El hombre de los ojos azules*, and his first collection of stories, *Hombres del sur*, both appearing in 1926, won for Rojas immediate literary recognition, and these works have been followed by others which show the same vigor and perfect mastery of his craft: *Tonada del transeunte; El delincuente; Lanchas en la bahía; La ciudad de los Césares.* Pervading most of Rojas' pages is a sense of irony or brutal stream of consciousness which strips his characters to bare bone and feeling. The backdrop of the mighty Andes overwhelms man's pettiness, greed, ostentation, reduces to a minimum the circle of his emotions against that hard and enduring stone.

El cachorro

CUANDO la máquina lanzó un breve pitazo, algunos pañuelos colorados, grandes y a cuadros,* ondularon en las ventanillas; hubo algunos gritos de adioses y el convoy * arrancó, rechinando.

Parados sobre pequeños montones de nieve dura, Jeria, el capataz de la cuadrilla carrilana,* y Antonio, « el Mota », apodo debido a su cabello retorcido y enredado como un matorral * de zarza, miraban alejarse el tren que bajaba ya la pendiente. Era un tren pequeñito, nuevo y como de juguete, que se deslizaba alegremente sobre una vía de trocha angosta,* en medio de la cual la cremallera * parecía una larga espina dorsal con vértebras de hierro. Aquél era el segundo tren que partía de Las Cuevas, estación limítrofe trasandina, en dirección a Los Andes, primera ciudad chilena. En las ventanillas, rostros oscuros sonreían, al pasar, frente a los dos empleados.

— Adiós, don Máximo.

— Adiós, niños ...

« Niños » decía Jeria a aquellos hombres, cada uno de los cuales era más alto que él. Era más alto que él, porque el que cruza de uno a otro océano, al ver aquella vía que sube desde los viñedos mendocinos * y atraviesa los campos, las

    2. a cuadros, *checkered*.
    4. *train*.
    6. cuadrilla carrilana, *track gang*.
    8. matorral de zarza, *blackberry thicket*.
  11. trocha angosta, *narrow-gauge*.
  11. *funicular cog*.
  22. viñedo mendocino, *vineyard of Mendoza* (a western province of Argentina adjoining Chile).

montañas, los puentes, las curvas y las quebradas, y aquel túnel que no se acaba nunca, no puede creer que todo ha sido hecho por hombres de 1:65 de estatura y de 50 centímetros de pecho. No; aquello debe haber sido hecho por hombres altos, de pechos anchos y resonantes como troncos de árboles, piernas firmes, rematadas * en pies que no resbalaron nunca sobre la dureza de las rocas, y brazos gruesos y musculosos, que abrieron a martillazos * el agujero donde la dinamita explotaba sordamente.

Aquellos «niños» eran estos hombres. Concluída la enorme obra del trasandino, emigraban hacia Chile en bandadas que irían a perderse en las pampas salitreras del norte chileno, en los puertos del Pacífico, y en las minas de cobre del centro de aquel país.

Cuando el último vagón dió vuelta en la primera curva, Máximo y Antonio descendieron de su pequeño mirador. Ya todos los peones, empleados del ferrocarril y de la policía, habían vuelto a sus casas y carpas. Máximo encendió un cigarrillo, se subió el cuello del grueso abrigo, golpeó los pies y habló:

— Nos quedamos solos...

— Solos...

Solos, porque con los que se iban, ellos habían venido. Ahora, Máximo se quedaba, enamorado de Ángela, una mendocina morena, simpática, de una alma primitiva e ingenua.

Antonio también se quedaba; los ojos de María, hija del capataz de Puente del Inca, habían concluído con su espíritu de aventurero. Hacía mucho tiempo que andaban rodando * juntos por los caminos. Durante un tiempo les dió lo mismo * ir hacia adelante o hacia atrás. Todas las sendas eran propicias y al final de ellas había hermosas

6. *ending in.*
8. a martillazos, *with blows of hammer and pick.*
30. andar rodando, *to wander.*
31. les dió lo mismo, *it was all the same to them.*

mujeres, puertos abiertos a todas las rutas del mundo, ciudades anchas y mares profundos. Ahora, dos mujeres detenían a aquellos que corrieron por todos los puertos sudamericanos del Pacífico, desde Balboa, llena de negros, hasta los canales del Estrecho de Magallanes,* llenos de indios alacalufes.*

II

Empezaba a correr un viento helado. Estaba nublado y amenazaba nevar. De repente, al acercarse a un montón de nieve, Máximo se detuvo. Frunció los ojos, levantó la cabeza, y su mirada, un tanto miope,* se fijó en un bulto acurrucado en un montón de durmientes.*

— ¿ Qué es eso ?
— El niñito ...
— ¿ El hijo de El Lloica ? *
— ¡ Vicente !

El llamado alzó la cabeza y dejó ver * un rostro joven, de niño, pero ya curtido y de grave expresión.

— ¿ Qué estás haciendo aquí ?
— Nada ...
— ¿ No te fuiste a Chile ?
— ¿ A qué ? No conozco a nadie ... No tengo familia; tanto me da * irme como quedarme.

Hablaba con la convicción y la firmeza de un hombre. Tenía once años. Era delgado y huesudo. Anunciaba * un hombre alto y nudoso, silencioso y decidido.

— ¿ Y qué vas a hacer ahora ?

5. Estrecho de Magallanes, *Straits of Magellan.*
6. alacalufe, *a tribe of Indians in Patagonia.*
10. un tanto miope, *a little near-sighted.*
11. *cross-tie.*
14. (*Spanish American*) *red-breasted thrush.*
16. dejó ver, *exposed.*
22. tanto me da, *it's all the same to me.*
24. *he gave promise of becoming.*

—No sé...

Máximo y Antonio se miraron. Vicente era hijo de uno de los tantos mineros que trabajaron en las obras de construcción del túnel. Le llamaban «El Lloica». Lloica es el nombre indio de un pajarito chileno que tiene el pecho rojo, y Manuel Martínez recibía ese apodo a causa de una manta boliviana, color rojo, que le llegaba hasta la cintura, y que le hacía asemejarse a una lloica gigantesca.

Jugador y pendenciero,* trabajador infatigable, «El Lloica» era querido por los guapos, por los tímidos y por los indiferentes, porque nadie lo vió jamás enderezarse contra un débil, achicarse ante un valiente, o decir que no* cuando el trabajo era duro y se necesitaban hombres firmes. Llegado el día del pago, El Lloica pagaba lo que debía, mandaba guardar algo de dinero,* tomaba a su hijo de la mano, y buscaba la cercanía de cualquier manta,* en la que el naipe mostraba sus figuras tentadoras, y las manos oscuras del carrilano recogían las apuestas del «monte».*

Manuel era jugador por afición; jugaba sin sentir más que regocijo. Si ganaba, recogía su dinero, tomaba a su hijo de la mano y se iba a dormir, ya que las sesiones de monte solían durar hasta dos días; si perdía, se encogía de hombros,* bebía un trago de aguardiente y también se iba. Y su hijo, delgado, con unos pantalones remendados, que querían ser largos,* pero que no llegaban más que hasta la mitad de la pierna, silencioso, se estaba junto a su padre, cuidándolo, yéndole a buscar comida o bebida, durmiendo a sus pies, tendido en su manta negra y envuelta en la roja de su padre. No tenía madre, no la había conocido.

9. jugador y pendenciero, *a gambler and fighter.*
12. decir que no, *refuse to do his share.*
15. mandaba guardar algo de dinero, *put aside a little money to save.*
16. cercanía de cualquier manta, *the nearest gambling table (blanket).*
18. apuestas del "monte," *bets of "monte."*
23. encogerse de hombros, *to shrug one's shoulders.*
25. querían ser largos, *tried to stretch and cover him.*

EL CACHORRO

Siempre, desde que él recordaba, había andado solamente con su padre, aquel hombrón rudo, fornido y moreno, que caminaba como los osos y que tenía una fuerza inagotable, y que era ágil, con una vista tan hábil que le permitía parar en el sombrero las puñaladas, cuando, jugando, armado él con un palito y otro con un cortaplumas, el último se retiraba con las costillas doloridas y cansado de encontrar siempre la defensa del Lloica ante su mano rápida. Era un tipo de raza;* sudamericano puro, desde el cabello lacio y negro hasta el pie de tobillo fino y planta ancha.

Un día de pago, en el Campamento de carpas que se alzaba al lado de la vía, el Lloica jugó su última apuesta y bebió su último trago de aguardiente.

Estaban jugando desde las seis de la tarde. A eso de las doce de la noche se promovió un desorden. Un riojano, carrilano, cazador de pumas por oficio,* según él, y bandido por afición, según todos, quiso alzarse con la plata ajena. El Lloica lo cogió de la mano, y los dedos del riojano crujieron bajo el apretón que le hizo soltar el puñado de billetes que había tomado. El riojano era hombre que no gustaba de palabras inútiles, y se marchó después de decir irónicamente:

— Hasta que nos veamos...

Siguieron jugando, pero media hora después, una descarga los hizo poner en pie. Una voz gritó:

— ¡Fuera!

El Lloica iba a salir, pero lo detuvieron.

Pero, ¿cómo no vamos a salir si nos están llamando?

Vicente que estaba ahí, parado al lado de su padre, pálido y sin llorar, permanecía inmóvil. Cuando Manuel salió, la claridad de la nieve en la noche le permitió ver al riojano, parado frente a la puerta, a una distancia de tres metros, esperándolo. En su mano brillaba un largo cu-

9. tipo de raza, *a full-blooded racial type.*
16. por oficio, *by occupation.*

chillo. Detrás de él, tres hombres formaban una guardia de bravos. El riojano dijo:

— Lo estoy esperando para saber si es tan guapo afuera como adentro...

Todos salieron detrás de Manuel y algunos se pusieron al lado de él, en actitud de pelea, pero el Lloica, extendiendo sus brazos, los hizo retroceder:

— No, compañeros. Esta naipada* es para mí solo. Soy el tallador y tengo la banca. ¡ Doy carta!*

Buscó en su cintura, y su brazo se alargó con una ancha hoja de acero.

— Papá...

Era Vicente. No rogaba, parecía recordar a su padre que el tenía derecho sobre su vida y que debía pensar en él antes de pelear; pero el Lloica estaba seguro de sí, y dándose vuelta hacia su hijo, le dijo:

— No tenga cuidado, mi hijito...

Efectivamente, no había que tener cuidado. Saltó hacia adelante y quedó a un metro de distancia del riojano. Éste alzó la mano armada, y comenzó a hacer en el aire un enredado finteo* que terminó buscando la sonriente cara de Manuel Martínez. El Lloica se inclinó a un lado, y el tajo se perdió silbando... De su cuchillo no se veía más que la punta que sobresalía por debajo del sombrero negro. No tiraba nunca a herir en el rostro; para él, las peleas a cuchillo eran a muerte, y se tiraba a fondo, buscando el vientre o el corazón. Por eso a los dos minutos, el saco del riojano se abrió en el lado izquierdo del pecho, cogido por una puñalada de abajo a arriba. Contestó con un viaje* capaz de degollar a un puma, y la copa del sombrero del Lloica voló por el aire. Pero Manuel Martínez era hombre tranquilo, y no se impacientó.

8. naipada... tallador, *play... dealer.*
9. ¡ Doy carta! *I deal!*
21. enredado finteo, *a complex series of feints.*
30. (Slang) *thrust.*

EL CACHORRO 165

Nadie hablaba: los demás miraban sin atreverse a gritar, miedosos de que una voz suya distrajera a los duelistas. De repente, el riojano se inclinó, se estiró rápidamente y tiró un tajo que rebanó el pantalón del Lloica e hizo brotar algunas gotas de sangre de la pierna derecha estirada hacia adelante. El Lloica se indignó. Está bien que un hombre se defienda y para herir busque todas las mañas, pero no hiera en las piernas; pegue * en la cara o en el pecho; pelea con un hombre y no con un animal. Y en menos de un segundo terminó la pelea: se adelantó atrevidamente, abrió su brazo armado, éste describió un amplio círculo, lo cerró, se fué al centro del mismo y desde ahí se estiró como un resorte, hiriendo al riojano en medio del vientre. Éste abrió los brazos y cayó. En ese momento, alguien gritó:

— La policía...

Todo el mundo desapareció. El herido quedó tendido sobre la nieve, de donde lo recogieron. Empezaron las investigaciones: nadie sabía nada. Pero a las cuatro de la mañana, los que esa noche no durmieron, sintieron lejanas detonaciones. El Lloica fué sorprendido en momentos que huía hacia Chile, y como nadie se atrevió a acercársele, prefirieron herirlo desde lejos. Los gritos de Vicente anunciaron a la policía que su padre había sido herido. Cuando llegaron al lado de él, el Lloica agonizaba, alcanzado por tres balazos. Y el sargento recibió en mitad del pecho una pedrada que casi lo tumbó.

— ¡ Cobarde !

Y Vicente saltó a su cara, arañándolo, furioso. Fué preciso amarrarlo para que se quedara quieto.

El Lloica murió al otro día. Vicente huérfano, ambuló por el campamento, con los ojos secos, sin comer. Los peones lo llamaban, le hablaban con palabras toscas y generosas, de su padre, *hombre valiente y noble* y procuraban alegrarlo. Vivió así hasta que finalizaron los trabajos. Y como esas aves heridas, que no pueden irse con la ban-

8. *let him strike.*

dada que emigra, cuando la gente se fué hacia las ciudades, Vicente quedó solo, indiferente a su destino, resignado a todo en la soledad de la cordillera: era la flor, el cachorro de aquella fuerte columna de cíclopes,* que se marchaba en el tren pequeñito, nuevo y como de juguete...

III

Vicente fué recogido por Máximo y Antonio y cuando éstos se retiraron, adoptado por la cuadrilla. Como era el único niño que había en el campamento, se le conocía por el nombre cariñoso de *el niñito*, nombre que le quedó para siempre. Por eso, varios años después, cuando Vicente cumplía los dieciocho, a pesar de su cuerpo, que sobresalía diez centímetros sobre la cabeza del más alto, era llamado con el mismo apodo.

Era la mascota de la cuadrilla. Se le quería por la tradición de su padre, y por sus condiciones de silencioso y obediente. Servía para todo: lavaba la ropa de los peones, cosíales los parches que se soltaban * y les cebaba el mate, cuando en el invierno gustaban tomarlo con aguardiente, mientras afuera la nieve subía hasta los diez metros de altura.

A los diecinueve años, un capataz que hubo en Las Leñas, estación pequeña que hay cerca de Puente del Inca, lo nombró recorredor de la línea. Su trabajo era sencillo: consistía en inspeccionar el estado de la vía desde Las Leñas hasta Las Cuevas. Todas las mañanas, a las diez, aparecía en una vuelta de la línea la alta silueta del Niñito que, calzado con botas,* las piernas abrigadas por un grueso pantalón de pana, un saco del mismo género con

4. *giants* (The Cyclops of Greek mythology were a race of one-eyed giants).

18. cosíales los parches que se soltaban, *he sewed on their loose patches.*

28. calzado con botas, *with boots on.*

EL CACHORRO

aplicaciones de cuero,* y apoyándose en un cayado con punta de hierro, pasaba por el campamento entre los saludos de los trabajadores.

—Adiós, Niñito...

—Adiós, viejo...

El *Aguilucho*, viejo peón, lo detenía, lo miraba y lo abrazaba:

—¡Qué buen mozo estás!...* Te pareces a tu padre, hijo de tigre!...

El viejo se enternecía, y el Niñito palmeándolo cariñoso, proseguía su viaje. Una hora después, venía de retorno.

—¡Qué toro! Le ganó al padre * por una cuarta de alto...

—Esta raza se va acabando. ¡Hombres de ley,* como el cobre y el oro!...

Todo el mundo se admiraba de su vida: su conducta era ejemplar. No jugaba nunca, apenas bebía, era serio. Sin embargo, en el fondo de sus ojos vivía el recuerdo de su padre y algunas veces, cuando se enojaba, el espíritu del finado Lloica aparecía en él tan claro, que los peones reconocían a su padre en sus movimientos decididos.

A los diez y ocho años se enamoró de la hija del capataz, y éste, que lo conocía bien, no titubeó en darle su hija en matrimonio. Como Vicente había juntado unos cuantos pesitos y quería de veras a Ana, se propuso realizar pronto su casorio.

Pero, como hijo de tigre que era, tenía que salir overo,* y la fatalidad del padre se continuaba en el hijo.

Un domingo, Vicente, contento, casi alegre, en un rato de descanso, salió hacia Las Cuevas. Se juntó con un

---

1. aplicaciones de cuero, *with trimmings of leather.*
8. ¡Qué buen mozo estás! *What a strapping fellow you are!*
12. le ganó al padre... de alto, *he topped his father by eight inches.*
14. hombres de ley, *full-blooded men.*
27. salir overo, *to turn out spotted* (like his father, the tiger; "a chip off the old block").

amigo y fueron al Hotel a beber un vaso de vino. Ahí estaba el Sargento Chaparro, hombretón tan fuerte como Vicente, moreno y hosco. Vicente no lo saludaba porque nunca había olvidado que el sargento era el que mandó hacer la descarga que mató a su padre, y aunque no sentía por él ningún sentimiento de venganza, tampoco lo sentía de amistad. Pero el Sargento Chaparro tenía horas de mal humor, y ese día detuvo a Vicente en medio de la sala:

— ¿Por qué no me saluda?

— Nunca lo he saludado, sargento. No debe extrañarse por eso.

— Me tiene odio por que detuve a su padre...

— A mi padre no lo detuvieron: ¡lo mataron!

— Había herido a un hombre...

— Frente a frente, él solo... no como ustedes, que se juntaron cuatro para matarlo por la espalda...

— No sea insolente...

— Usted me habla y yo le contesto...

Para aquellos hombres todo era cuestión de hombría,* y la ley, cuando vencía, era buena; si no, inútil. Por eso el sargento levantó su sable y golpeó con la empuñadura el hombro de Vicente.

— ¡Sargento!...

— ¡Qué te pasa?

— Acuérdese que soy hijo de mi padre...

— ¡Peor para vos!...

Y otra vez el sable rebotó sobre el hombro del Niñito, el cual arremetió con tal fuerza, que el sargento cayó sobre una mesa, resbalando hasta el suelo ruidosamente. La gente se paró y alguien dijo:

— Muy bien por el empujoncito...

Pero el sargento llamó a la guardia, y el Niñito fué sacado, amarrado codo con codo,* sin poder defenderse.

20. *masculine strength and courage.*
34. codo con codo, *elbow to elbow.*

EL CACHORRO

Lo que pasó después nadie lo supo, pero a los dos días, en el tren internacional, pegado a la ventanilla del coche de segunda, Ana, la novia de Vicente, y todos los que estaban en el andén de la pequeña estación, vieron pasar el rostro pálido y grave del Niñito, que sonrió a la pasada con una sonrisa de pena.

Cuando volvió del hospital, había perdido todo aquel aire de tímido y respetuoso, y aunque no se mostraba provocador todos adivinaron que la sangre de Manuel Martínez, el Lloica, revivía en las venas de su cachorro.

Pero el cachorro ya no era tal. Le crecieron las garras en la desgracia; la rabia afinó su instinto de venganza, y cuando pasaba cerca de Chaparro, tenía la actitud del yaguarete que mirando de reojo * va a saltar hacia adelante.

Se casó. Abandonó su antiguo empleo y tomó otro idéntico, pero con recorrido distinto. Viajaba desde Las Cuevas hasta la mitad del túnel. Esperaba pacientemente el día de su venganza. Sabía que era una cosa fatal. Tenía que suceder. Si no lo hubiera hecho, no habría podido vivir y el recuerdo de su padre lo habría avergonzado.

IV

Una mañana, poco antes de medio día, al ir a entrar al túnel, haciendo su recorrido habitual, vió al Sargento Chaparro que sonería al verle.

— ¡ Cómo te va, guapito! ... *
— No tan bien como a usted, verdugo...

El sargento avanzó, pero Vicente Martínez tenía ya su plan hecho. Arrojó su lámpara de aceite contra la cara del sargento y entró al túnel. Cincuenta metros adentro, ya en la oscuridad, se detuvo y sacó de debajo de su cha-

---

14. mirar de reojo, *to look sidewise.*
26. *kid, youngster.*

quetón de pana la daga de su padre, una hoja hecha de una lima, aguzada como una aguja y con doble filo, sin sangrador, con un mango formado por trozos de cobre y hierro y aplicaciones de hueso. El sargento venía entrando al túnel, escudriñando en la sombra. Vicente se escondió en uno de los tantos agujeros que hay en las paredes del túnel en forma de nichos, y desde allí veía, recortada en la luz, la silueta del sargento que avanzaba buscándolo. Lo dejó pasar adelante y después le habló:

—Yo podría pelear con usted y matarlo cara a cara; pero prefiero matarlo por la espalda para que mi delito sea más grande y mi venganza digna de su ofensa!...

Por primera vez en su vida, el sargento Chaparro tuvo miedo. Su revólver arañó la sombra con sus guiñadas de luz, pero era inútil. Se oyó una risa, y la vieja daga del Lloica se hundió por el hombro izquierdo del sargento, buscando el corazón.

Lo demás era cuestión de tiempo. Y a los dos días Vicente Martínez estaba en Valparaíso, con los caminos del mar abiertos ante sus ojos de gato.*

Hombres del sur, 1926.

20. *ante sus ojos de gato,* with the broad expanse of the sea before his piercing eyes.

Javier de Viana
(1872–1926)

JAVIER DE VIANA, the most vigorous regional writer that Spanish America has produced, was born on a Uruguayan ranch in 1872. He gives the following details about his early life:

> Mi padre, como mi abuelo, era estanciero, y yo me crié en la estancia, aprendiendo a andar a caballo al muy poco tiempo de haber aprendido a caminar. En aquel medio agreste, teniendo por educadores al capataz y a los peones gauchos, que me divulgaron todos los secretos de la religión patriótica, aprendí a comprender las maravillas de la Naturaleza, a soportar sus inclemencias y agradecer sus favores, a amar las bestias laboriosas... Hasta la edad de once años permanecí en la estancia, sin ninguna contaminación con el ambiente de los poblados, chicos o grandes. No sabía leer en los libros, pero sabía hacerlo en la Naturaleza; y cuando me enviaron a la capital para iniciar los estudios elementales, mi alma iba imbuída de un inmenso amor a lo bello, a lo noble, a lo fuerte y a lo justo.

Viana might have added that his interpretation of the beautiful, the noble, the strong and the just, was along primitive gaucho lines with a glorification of physical prowess, an intensification of the Spanish-Indian sense of honor, a love of brutal psychology and inexorable retribution.

The writer studied medicine and languages, but never put them to any practical use; his first and last love was to hold the mirror up to Nature. At one time in his life he did enter politics, and served a short period as deputy in his nation's parliament. After the Revolution of 1904 he became a self-exile to Buenos

Aires, where he wrote for the theatre and the newspapers. None of his dramatic works have been published, but there are several collections of his short stories, novelettes and novels.

Viana was the precursor of the best contemporary writers in the Río de la Plata region today, and in regional color, vigor, faithfulness of detail, psychology, the ability to condense dramatic episodes of humdrum lives into pungently realistic and moving scenes, he surpasses most of the writers who have followed him. He took from Romanticism (the Victor Hugo "hunchback" variety) his cult of the ugly, and from naturalism his insistence on minute and oftentimes scabrous details. His pen is like a whirlwind that rips off the veneer of gaucho civilization exposing the innermost recesses of primitive home and mind on his native pampas. A superabundance of regional terms, a persistent effort to depict the seamy, pathological or animal side of life, and a frequent mania for descriptive detail, have prevented his attaining universal greatness.

Among Viana's best works are: *Campo* (*cuentos*), 1896; *Gaucha*, 1899; *Macachines* (*cuentos camperos*), 1910; *Yuyos* (*cuentos*), 1912; *Leña seca* (*cuentos*), 1913; *Gurí y otras novelas*, 1917. For the student of gaucho literature who is able to take the author's brutal psychology in his stride, these works will stand out as perfect etchings in prose, distorted for effect, but always vitally colored, strong, pithy, original and intensely dramatic, in a word, the best of their class.

El domador

PODRÍA tener veinticinco años, podría tener treinta, podría tener más, pero de cualquier modo era muy joven.
Se llamaba Sabiniano Fernández y hacía poco más de un año que había entrado a la estancia, como domador
... El patrón, que tenía una yeguada* grande medio montaraz, cerca de cincuenta potros cogotudos,* lo contrató, sabedor de su fama, que lo tildaba* único en el oficio, como diestro, como guapo, como prolijo.
Era todo un buen mozo* Sabiniano. De mediana estatura, ancho de espaldas, recio de piernas, y con un rostro varonil, de grandes ojos pardos, de fuerte nariz aguileña, de gruesos labios coronados por fino bigote negro y de mentón* imperioso. Hablaba muy poco, no reía nunca y la elegancia de su porte tenía un dejo* de desdeñosa altivez. Lo consideraban rico; sabíase que era dueño de un campo, que arrendaba, y que su tropilla no tenía rival en el pago*; su apero* era lujoso — plata y oro en exceso — y su cinto hallábase siempre inflado con las libras.
Si continuaba ejerciendo su rudo y peligroso oficio era por encariñamiento, porque, para él, domar constituía

---

5. una yeguada grande medio montaraz, *a large, half-wild breeding herd of horses.*
6. *untamed, unbroken.*
7. *branded.*
9. todo un buen mozo, *fine looking young fellow.*
13. *mien.*
14. *trace.*
17. *district.*
17. *riding outfit.*

la satisfacción mayor y tanto más gustada cuanto más morrudo y bravo era el potro,* y no porque le importasen nada los ocho pesos oro que ganaba por cada animal amansado.

No se le conocían * amigos. El paisanaje le respetaba, pero no le quería, a causa de su carácter altanero y dominador. Las pocas veces que hablaba lo hacía en forma de órdenes imperativas, a las cuales se sometían todos, de buen o mal grado, obligados a reconocer que siempre tenía razón, que cuanto decía era sensato.

Y al igual que con los hombres, tenía con las mujeres una urbanidad desdeñosa. Conocíansele amores fugaces, pero ninguna pasión; mostrábase indiferente a las insinuaciones de más de una buena moza seducida por su hermosura viril, por sus proezas, por su arrogancia, por su imperio de domador, domador de bestias y de personas.

Blasa, la hija del estanciero, no escapó al encanto. Era ella una morocha * bonita, engreída y habituada a rendir galanes por simple satisfacción de su vanidad femenina. Sabiniano era una conquista que colmaría su orgullo y consideró fácil el triunfo, basada en los prestigios de su juventud, su belleza y los caudales del padre. Empleó con él la táctica habitual: una mirada lánguida, como en olvidada contemplación, un voluntario rozamiento de manos con cualquier pretexto... y después, la indiferencia, las excesivas amabilidades para con * el forastero de visita, que no faltaba nunca.

Empero, el tiempo transcurría y Sabiniano demostraba no advertir los avances de Blasa. En el comedor, cuando hallábase reunida la familia, aparecía amable con ella y

2. tanto más... potro, *the more enjoyed (by him), the more stubborn and wilder was the colt.*

5. no se le conocían amigos, *he was not known to have any friends.*

18. (Spanish American) *fresh, vigorous girl.* (Derived from the Quichua Indian word for "corn," "an ear of corn.")

26. para con, *toward.*

EL DOMADOR

hasta se dignaba sonreír de tiempo en tiempo; mas, si accidentalmente se encontraban solos, su adustez era invariable, llegando en ocasiones a la grosería.

Una mañana, en el palenque,* él sobaba el « bocado »,* esperando que los peones echasen al corral la manada para darle el primer galope* a un tordillo negro que ella había elegido para su andar. La moza se le acercó y ofertóle un mate, diciendo con zalamería:

— Para que no lo voltee el tordillo.

— A mi no me voltean aperiases * — respondió Sabiniano con voz áspera; y ella, comprendiendo que le había ofendido, agregó dulcemente:

— ¿ A usted nunca lo ha volteado ningún animal ?...

Y acercándose, le rozó el hombro con su brazo.

El domador la miró con fijeza, dió un sorbo al mate y respondió con acento glacial:

— Potros, alguna vez...; yeguas, nunca.

Blasa enrojeció como una flor de ceibo,* le temblaron los labios, le relampaguearon los ojos, se le crisparon * los dedos y el corazón le latió con violencia, herida en lo más sensible * de su orgullo. Quiso responder con una frase altanera y la frase se le cuajó en la garganta; quiso alejarse con ofendido ademán, y las piernas se le agarrotaron.*

Él le alcanzó el mate y ella preguntó con humildad:

— ¿ Está bueno ?

---

4. *hitching-rail, fence.*
4. sobar el "bocado," *to soften up the bridle* (by beating and working it).
6. dar el primer galope, *to begin breaking in.*
10. *small South American rabbit-like animals* (slang "pony").
18. *A South American tree bearing brilliant red flowers.*
19. se le crisparon, ... *clenched.* (The dative *le* is often used in this sense, translate *her.*)
21. herida en lo más sensible, *her pride hurt to the quick.*
24. se le agarrotaron, *tightened, grew stiff.*

Sin mirarla, entregado de nuevo * a su tarea de sobar el
« bocado », Sabiniano respondió:

— Feón:* está quemada la yerba.*

La muchacha no pudo más; los ojos llenáronse de lágrimas:

— ¡ Grosero! — exclamó, y tomando violentamente el
mate alejóse a paso acelerado.

Él, sin responder palabra, prosiguió su trabajo.

Poco después estaba encerrada la manada y enlazado y
volteado el tordillo negro de la « patroncita ».*

Sabiniano lo ensilló en el suelo, y, desdeñando « tironearlo de abajo »,* lo desmaneó * y lo hizo levantar de un
puntapié en el vacío.*

Bufó * el potro y se encogió, todo tembloroso, agitadas
las orejas menudas y enrojecidos los ojos.

Había público. Estaban presentes el patrón, la patrona, las cinco muchachas de la servidumbre, el capataz
y los peones. A diez varas de distancia, recostada en el
marco de la puerta del galpón,* Blasa hacía dibujos en la
tierra con la punta del pie, manteniendo obstinadamente
baja la cabeza.

— Vení,* pues, a ver jinetear * tu potrillo — le gritó
el padre. Ella se encogió de hombros sin responder.

Dirigiéndose al domador, el capataz dijo: — Se mi

---

1. entregado de nuevo a..., *again absorbed in his task of...*
3. feón, *augmentative of* feo, *translate* awful, terrible.
3. yerba (yerba mate), *a nutritive green tea popular in South America, particularly in Argentina and Uruguay.*
10. patroncita, *diminutive of* patrón, *translate* boss's daughter.
12. tironearlo de abajo, *to get on while he was tied up.*
12. *unfettered.*
13. *flank.*
14. *snorted.*
19. *quarters for "peones."*
22. vení, (*Argentine for imperative* ven) *come on.*
22. *to ride, break in.*

EL DOMADOR

hace * que le va dar trabajo este chimango *: tiene facha *
'e traicionero.
— Trabajando se gana la plata — respondió el mozo.
Y tranquilamente, armó y encendió un cigarrillo.
Un peón tomó al potro de la oreja. Sabiniano mandó
que lo largase. Se acercó, cogió las riendas, y de un salto
brusco quedó enhorquetado.* Al sentir el peso, el tordillo tembló violentamente; un rebencazo * feroz lo hizo
alzarse sobre los remos * traseros, para clavarse de nuevo
en actitud de expectativa. El domador le hundió las
espuelas en los ijares, y el potro, loco de rabia, metió la
cabeza entre las manos,* se hizo un ovillo * y soplando
y espumando, tornaba, tan pronto a un lado, tan pronto a
otro, haciendo esfuerzos inauditos por desalojar al jinete,
que no cesaba de castigarlo con el rebenque y con la espuela.
La gente observaba en silencio aquel duelo extraño.
Blasa había ido acercándose, sin quererlo, dominada por
lo soberbio * del espectáculo, y en el instante en que llegaba
al palenque, el tordillo, furioso, en un arranque de soberbia
desesperación, se alzó sobre las patas traseras y se desplomó sobre el lomo.*
Blasa dió un grito y se tapó la cara con las manos. Al
quitárselas — un segundo después — vió un cuadro épico:
el tordillo, tirado largo a largo en el suelo y Sabiniano,
con el cabestro en la mano, con el pie rudamente apoyado

1. se mi (me) hace, *something tells me.*
1. chimango, (*Argentine*) *a species of* "*caracará,*" *a South American bird of prey; slang,* "*nag,*" *pony.*
1. facha 'e (de) traicionero, *a treacherous look.*
7. *astraddle.*
8. *lash.*
9. *quarters, legs.*
12. *front feet.*
12. se hizo un ovillo, *tied himself in a knot, buckled, bucked.*
19. por lo soberbio del, *by the thrill of* . . .
22. se desplomó sobre el lomo, *fell over on his back.*

sobre el pescuezo del bruto, sonreía manteniendo entre los labios el cigarrillo encendido... Luego, dióle un lazazo* en la grupa, obligándolo a levantarse, y con increíble agilidad volvió a montarlo de un salto. El potro echó a correr en frenética carrera, sin cesar en los corcovos,* y así ganó el llano para reaparecer junto al palenque, diez minutos después, jadeante, cubierto de espuma, enrojecidos los ijares. Echando las piernas hacia atrás, el domador, con duro tirón de riendas, que le hizo juntar el hocico con el pecho, lo detuvo, sentándolo sobre los garrones.* Desmontó ágilmente, lo desensilló en un segundo y comenzó a palmearlo, sin que el animal, rendido, entregado, intentara rebelarse.

Haciendo caso omiso de las felicitaciones y de las frases admirativas, Sabiniano fuése tranquilo al galpón para sorber un amargo.*

Blasa, emocionada, se retiró a su cuarto y no apareció en todo el día. Durante más de una semana mostróse airada, agresiva, con el mozo, quien parecía no advertir semejante cambio. Cierta vez que en la mesa ponderaban sus habilidades de luchador, ella dijo con fiero desdén:

—Total,* entre un potro y un domador, el más bruto vence.

Él dejó vagar en sus labios la fría sonrisa habitual, y respondió calmosamente:

—Asigún:* hay unos que amansan, hay otros que doman.

2. *blow with the lasso.*
5. *bucking.*
11. sentándolo sobre los garrones, *throwing his weight against his hooves.*
16. amargo (mate amargo), *bitter mate.* The *mate* is always classified as either *dulce* or *amargo* depending on amount of sweetening used.
22. *after all.*
26. (S. A.) *it all depends.*

Y luego con una entonación cálida, que nadie le conocía, agregó:

— ¡Para poder domar, es preciso saber domarse a sí mismo; nadie domina a los otros si no sabe dominarse!

Dos meses después, concluída la doma, Sabiniano anunció su partida. Era un sábado y el lunes debía marcharse. El domingo hubo fiesta en la estancia; habían concurrido mozos y mozas de la vecindad, se había bailado toda la tarde, y Blasa, engalanada como nunca, coqueta como nunca, danzó, jaraneó,* mostróse extraordinariamente alegre, sin tener, sin embargo, una mirada ni una frase para el domador, quien, por su parte, mantenía la imperturbable indiferencia característica.

Después de la cena, recomenzó el baile con animación mayor. Sabiniano conversó un rato con el patrón y luego salió al patio, armó un cigarillo y fué a fumar recostado a los postes del palenque.

Era una deliciosa noche de estío, con una luna grande en medio de un cielo azul purísimo. Solitario, el gaucho echaba humo y contemplaba distraídamente la amplia extensión del campo dormido, cuando un ruido de polleras le hizo volver la cabeza. Blasa se acercó a él y díjole con amabilidad desusada:

— Vengo a buscarle para que me acompañe en un valse.

— Disculpe — respondió Sabiniano, impasible —; estoy cansado y tengo que madrugar mucho.

Ella hizo un gesto de cólera; pero, dominándose, preguntó:

— ¿Siempre * se va mañana?

El sonrió y dijo:

— ¡De juro!...* Yo siempre hago lo que me propongo hacer.

Blasa no pudo más: los ojos se le llenaron de lágrimas,

10. *had a gay time.*
29. *still.* (Often used in this sense in Spanish America.)
31. de juro, *of course.*

y echándole los brazos al cuello, exclamó entre sollozos:

—¡No! ¡No te podés* ir, no te vas, porque yo te quiero!... ¿No sabés* que te quiero, malo?...

Tranquilamente, pausadamente, el mozo replicó, sin asomo de jactancia:

—Sí, lo sabía, como vos sabías que yo te quiero; pero te quería así, sumisa, domada, para que fueses feliz y me hicieras feliz... ¡Animal sancocho,* no sirve para nada!...

Ella le abrazó con fuerza, le besó en los labios, y entregando su voluntad, humilde, rendida, exclamó con un acento de ternura que nunca tuviera* su voz:

—¡Mi domador!... ¡Mi domador!...*

Leña seca, 1913.

3. podés, *Argentine for* puedes.
4. sabés, *Argentine for* sabes.
9. *stubborn.*
13. *had had.*
14. *master* (here used in the general sense).

Ramón del Valle-Inclán
(1870–1936)

DON RAMÓN DEL VALLE-INCLÁN was born in the Spanish province of Galicia in 1870. He inherited his region's misty, yearning sense of fantasy, and its primitive, hemmed-in air of sharp tragedy and horror, remains of a Celtic legend. Valle-Inclán travelled widely, read much, borrowed considerably from other writers, but like most of his countrymen he remained Galician to the end, with a deeply personal style and intensity which defy imitation. A devotee of mystery, he surrounded the facts of his life with fictions; the loss of an arm (due to his being hit by a liquor bottle, the rumour says), he wove into an almost endless fabric of imaginary explanations.

Valle-Inclán strives for absolute perfection of expression, and as a vital force in rejuvenating the Spanish language his importance exceeds that of any of his contemporaries. He differs from the other members of the generation of 1898 in that his works reveal definite growth, progression, youth and age. Most of his fellow writers were, so to speak, born grown. Their first works are among their best, they never knew what youth could mean, and neither in thought, feeling or style did they develop greatly in the course of years. But if Valle-Inclán grows stylistically, he lacks the profundity, variation and vitality which characterize, for example, Unamuno and Baroja. His writings, shorn of their lyric sound and smoke, seem thin, belonging to another world, relics of a romantic past misplaced on the contemporary scene. And to the analytical eye even his language appears at times to flow like the weeping of an outworn god of antiquity lamenting the extinction of his cult.

Among Valle-Inclán's best works are: *Jardín umbrío*, 1903; *Jardín novelesco*, 1905; the four *sonatas* called *Memorias del Marqués de Bradomín*, 1902–1905, of which the first, the *Sonata de otoño*, 1902, is the most perfect; *Flor de santidad*, 1904; *Romance de lobos*, 1908; *El resplandor de la hoguera*, 1909; *Garifaltes de antaño*, 1909; and *Tirano Banderas*, 1926, a novel built around the character of a typical Spanish American tyrant. This work appears in English under the title of *The Tyrant*, and the four *sonatas* have been rendered into exquisite English prose by May Heywood Broun and Thomas Walsh, entitled *The pleasant memoirs of the Marquis de Bradomin*. As an example of the artistic perfection which a translation may attain, this work has no peer in the English language. Valle-Inclán's last great series of novels, *El ruedo ibérico*, 1927–1936, shows the author at the zenith of his power marshalling with the deftness of a lapidary a jewelled harmony of prose unsurpassed in modern literature.

Un cabecilla

De aquel molinero viejo y silencioso que me sirvió de guía para visitar las piedras célticas del monte Rouriz guardo un recuerdo duro, frío y cortante como la nieve que coronaba la cumbre. Quizá más que sus facciones, que parecían talladas en durísimo granito, su historia trágica hizo que con tal energía hubiéseme quedado en el pensamiento aquella cara tabacosa que apenas se distinguía del paño de la montera. Si cierro los ojos, creo verle. Era nudoso, seco y fuerte, como el tronco de una vid patriarcal; los mechones grises y desmedrados de su barba recordaban esas manchas de musgo que ostentan en las ocacidades de los pómulos * las estatuas de los claustros desmantelados; sus labios de corcho se plegaban con austera indiferencia; tenía un perfil inmóvil y pensativo, una cabeza inexpresiva de relieve egipcio. ¡ No, no lo olvidaré nunca!

* * *

Había sido un terrible guerrillero. Cuando * la segunda guerra civil, echóse al campo * con sus cinco hijos, y en pocos días logró levantar una facción de gente aguerrida y dispuesta a batir de cobre.* Algunas veces fiaba el mando de la partida a su hijo Juan María y se internaba en la montaña, seguro, como lobo que tiene en ella su cubil. Cuando menos se le esperaba, reaparecía cargado

---
12. ocacidades de los pómulos, *hollows of the cheekbones.*
17. *at the time of.*
18. echóse al campo, *he took to the country.*
20. batir de cobre, *to struggle valiantly.*

con su escopeta llena de ataduras y remiendos,* trayendo en su compañía algún mozo aldeano de aspecto torpe y asustadizo que, de fuerza o de grado,* venía a engrosar las filas. A la ida y a la vuelta solía recaer por * el molino para enterarse de cómo iban las familias, que eran los nietos, y de las piedras que molían. Cierta tarde de verano llegó y hallólo todo en desorden. Atada a un poste de la parra, la molinera desdichábase y llamaba inútilmente a sus nietos, que habían huído a la aldea; el galgo aullaba, con una pata maltrecha en el aire; la puerta estaba rota a culetazos,* el grano y la harina alfombraban el suelo; sobre la artesa se veían aún residuos del yantar interrumpido, y en el corral la vieja hucha de castaño revuelta y destripada...* El cabecilla contemplaba aquel desastre sin proferir una queja. Después de bien enterarse, acercóse a su mujer murmurando, con aquella voz desentonada y caótica de viejo sordo:

— ¿A qué hora vinieron los civiles? ¿Cuántos eran? ¿Qué les has dicho?

La molinera sollozó más fuerte. En vez de contestar, desatóse en denuestos * contra aquellos enemigos malos que tan gran destrozo hacían en la casa de un pobre que con nadie se metía. El marido la miró con sus ojos cobrizos de gallego desconfiado:

— ¡Ay, demonio! ¡No eres tú la gran condenada * que a mí me engaña! Tú les has dicho dónde está la partida.

Ella seguía llorando sin consuelo:

1. llena de ataduras y remiendos, *replete with bindings and repairs.*
3. de fuerza o de grado, *willingly or unwillingly.*
4. recaer por, *to drop in at.*
11. *blows with the butt of a gun.*
14. revuelta y destripada, *turned upside down and gutted.*
21. desatóse en denuestos, *she broke loose in violent insults.*
25. ¡No eres tú... engaña! *You miserable wretch, you can't fool me!*

UN CABECILLA

—¡Arrepara,* hombre, de qué hechura esos verdugos de Jerusalén me pusieron! ¡Atada mismamente como Nuestro Señor!

El guerrillero repitió blandiendo furioso la escopeta:

—¡A ver cómo respondes, puñela!* ¿Qué les has dicho?

—¡Pero considera, hombre!...

Calló dando un gran suspiro, sin atreverse a continuar; tanto la imponía la faz arrugada del viejo. Él no volvió a insistir. Sacó el cuchillo, y cuando ella creía que iba a matarla, cortó las ligaduras, y sin proferir una palabra, la empujó obligándola a que le siguiese. La molinera no cesaba de gimotear:

—¡Ay! ¡Hijos de mis entrañas!* ¿Por qué no había de dejarme quemar en unas parrillas antes de decir dónde estabades?* Vos, como soles.* Yo, una vieja con los pies para la cueva.* Precisaba de* andar mil años peregrinando por caminos y veredas para tener perdón de Dios. ¡Ay mis hijos! ¡Mis hijos!

La pobre mujer caminaba angustiada, enredados los toscos dedos de labradora en la mata cenicienta de sus cabellos. Si se detenía, mesándoselos y gimiendo, el marido cada vez más sombrío, la empujaba con la culata de la escopeta, pero sin brusquedad, sin ira, como a vaca mansísima nacida en la propia cuadra, que por acaso cerdea. Salieron de la era abrasada por el sol de un día de agosto, y después de atravesar los prados del Pazo de Melías,* se internaron en el hondo caminejo de la montaña.

1. arrepara, hombre... pusieron, *but look, man, how those murdering heathen tortured me.*
5. *yellow coward.*
14. ¡Hijos de mis entrañas! *My dear children!*
16. *Galician for,* estabais.
16. vos, como soles, *you, golden as the sun.*
17. con... cueva, *with one foot in the grave.*
17. precisaba de..., *I would have to...*
27. Pazo de Melías, *(Galician) ancestral mansion of Melías.*

Anduvieron sin detenerse hasta llegar a una revuelta donde se alzaba un retablo de ánimas.* El cabecilla encaramóse sobre un bardal * y ojeó receloso cuanto de allí alcanzaba a verse del camino.* Amartilló la escopeta, y tras de asegurar el pistón, se santiguó con lentitud respetuosa de cristiano viejo:

— Sabela, arrollídate junto al retablo de las benditas. La mujer obedeció temblando.

— Encomiéndate a Dios, Sabela.

— ¡ Ay, hombre, no me mates ! ¡ Espera tan siquiera a saber si aquellas prendas padecieron mal alguno !

El guerrillero se pasó la mano por los ojos, luego descolgó del cinto el clásico rosario de cuentas de madera, con engaste de alambrillo dorado, y diósele a la vieja, que lo recibió sollozando. Aseguróse mejor sobre el bardal, y murmuró austero:

— Está bendito por el señor obispo de Orense, con indulgencia para la hora de la muerte.

Él mismo se puso a rezar con monótono y frío visviseo.* De tiempo en tiempo echaba una inquieta ojeada al camino. La molinera se fué poco a poco serenando. En el venerable surco de sus arrugas quedaban trémulas las lágrimas; sus manos agitadas por tembliqueteo senil, hacían oscilar la cruz y medallas del rosario: inclinóse golpeando el pecho y besó la tierra con unción.

— ¿ Has acabado ?

Ella juntó las manos con exaltación cristiana:

— ¡ Hágase, Jesús, tu divina voluntad !

Pero cuando vió al terrible viejo echarse la escopeta a la cara y apuntar, se levantó despavorida y corrió hacia él con los brazos abiertos:

2. retablo de ánimas, *shrine for souls in purgatory.*
3. encaramóse sobre un bardal, *perched himself on a thatched wall.*
4. cuanto de allí alcanzaba..., *all the road that could be seen from there.*
19. (Onomatopoetic) *muttering.*

UN CABECILLA

—¡No me mates! ¡No me mates, por el alma de!...
Sonó el tiro, y cayó en medio del camino con la frente agujereada. El cabecilla alzó de la arena ensangrentada su rosario de faccioso, besó el crucifijo de bronce, y sin detenerse a cargar la escopeta, huyó en dirección de la montaña. Había columbrado hacía un momento, en lo alto de la trocha* los tricornios enfundados* de dos guardias civiles.

* * *

Confieso que cuando el buen Urbino Pimentel me contó esta historia terrible, temblé recordando la manera asaz expresiva con que despedí en la Venta de Brandeso al antiguo faccioso, harto de acatar* la voluntad solapada y granítica de aquella esfinge tallada en viejo y lustroso roble.

Jardín umbrío, 1903.

7. *cut-off* (of a road).
7. tricornios enfundados, *patent leather covered three-cornered hats* (worn by the Civil Guards).
12. harto de acatar..., *fed-up on showing deference to*...

EXERCISES

1. *LA* **PAELLA** *DEL* **RODER**

Idioms

llamar la atención
cambiar de (asiento; tren; etc.)
acabar por
tener agallas
a raíz de
obligar a
como quien dice

lo (+ *any adj. or adv.*) **que**
de veras
de repente
llevarse a
camino (calle) abajo
a escape
mesarse los cabellos

Sentences

1. If a thief turned up Bolsón's gun soon overtook him. 2. The deputy scarcely attracted any attention. 3. You will have to change trains at the next station (*estación*). 4. She was walking down the street tearing her hair. 5. If the pardon didn't arrive soon he wouldn't write again; he would use his gun. 6. His friend begged him to run, but Bolsón refused to do that. 7. If they had the spine to go after him he would attack them (*atacar*) face to face. 8. The deputy wanted him to stop complaining. 9. He was trying to emphasize the honor, as one might say. 10. They no longer bothered him nor pursued him. 11. When he had served a part of his sentence the pardon might come. 12. You can count on getting out of trouble soon. 13. I remember how young his daughters were. 14. The children treated the gun as if it were a holy image. 15. I want what has been promised. This must be an error.

2. *LA TUMBA DE ALÍ–BELLÚS*

Idioms

en aquel tiempo (época; entonces)
tropezar con
de corrido
bueno está (él; ella; *etc.*)

chocar contra
enterarse de
guardarse mucho (de)
invitar a + *inf.*

andar a palos con

Sentences

1. In order to play a good joke on her I decided on a childish trick. 2. She would often criticize me in case I didn't make the gold work shiny enough. 3. Every time I moved I would stumble on her. 4. Of course, being a painter I could read the thing right off. 5. Finally, she let the question fly, and I told her plenty (*bastante*). 6. He wasn't in any frame of mind to notice the damage. 7. She practically fought the sexton in order to take his keys away from him. 8. Not only the door but the window is broken. 9. I'll think twice before (*de*) telling such a story again. 10. They worked until they tore the stone loose. 11. Don't scratch your heads as if you were incapable of thinking. 12. She invited us to dine with her tonight, but we have to work until ten. 13. On the following Sunday I learned in Valencia what happened. 14. Since you are a painter you ought to know it all. 15. He bumped his head against the walls.

3. *LOS CIUDADANOS DE POYASTÁ*

Idioms

de costumbre
ponerse a + *inf.*
por su parte
cada vez más
poco a poco

echar abajo
encargarse de
hacer publicar (or any *inf.*)
en su concepto
negarse a
tener derecho a

Sentences

1. It was not possible that Poyastá should leave such a man in prison. 2. He did not believe that a dictatorial regime would ever be established in Poyastá. 3. It didn't matter to him if they heard him. 4. The two poor fellows who will be executed were drunk. 5. There were more people on the streets than ordinarily. 6. They began to converse in a low voice. 7. So far as I'm concerned, I'll offer my life in defence of liberty and justice. 8. It is

necessary to overthrow this government. 9. He has refused to publish it. 10. He wants us to rise up and tell them who Juan García is. 11. I should like to get several friends together tonight. 12. All of the persons mentioned were accepted. 13. You have no right to interrupt me this way. 14. The wording does not satisfy me. 15. He put his signature at the bottom of a blank sheet.

4. UNA ESPERANZA

Idioms

pensar en	con el pretexto de
de marras	interesarse por (en)
de pronto	ayudar a + *inf.*
resignarse a	llevar a cabo
en medio de	estar vivo

Sentences

1. He was thinking about the happy days of his childhood. 2. And now he was going to die for his country. 3. But his country would not even know it, and he was young. 4. He could not resign himself to dying that way. 5. His life was very much his own, and he did not want them to take it away from him. 6. The aforementioned girl was a woman now, and was waiting for him in vain. 7. Powerful friends became interested in his fate, and a priest came to the prison to save him. 8. He was there under the pretext of confessing him. 9. Without waiting for the priest to answer, he began to shout. 10. The execution was carried out and Luis was still alive. 11. An urchin shouted that he had moved a leg. 12. A man should give everything to his country but his life, and that belongs (*pertenecer*) only to God. 13. Or course, he died in vain. No ideal triumphs (*triunfar*) through force; the good die with the evil, and within twenty years the war starts again, useless, horrible, in vain.

5. PASTORAL

Idioms

alguna vez	Érase
soñar con	estar quieto
acordarse de	en busca de
guardar rencor	hay quien(es)
volver a + *inf*.	dentro de

Sentences

1. I shall wander through the world until I find the Queen of Sunlight. 2. My heart is bound to (*ha de*) recognize her wherever she may be. 3. I know it is possible to find her for the old man told me that there were those who had seen her. 4. When I was young I dreamt of love, and now that I am old I dream of remembrances. 5. Once in a lifetime I am the companion of each mortal. 6. If his love divines me, I am his; if the pride of his dream blinds him, I leave him. 7. Have you ever seen the Queen of Sunlight? 8. Her eyes must be as blue as the August sky, and the roses of her face must be like roses fallen in snow. 9. If she smells a flower, it seems to her that its aroma is her soul; if she looks at the sky, she believes that she is the sky. 10. Why are you going so far to look for the happiness which you have at your very side? 11. If you are heedless of love your soul does not deserve happiness. 12. Don't you know that it is madness to disdain the love that passes for the happiness which is yet to (*ha de*) come?

6. NAUFRAGIO

Idioms

valer la pena	haber de + *inf*.
en torno a	lograr *or* conseguir + *inf*.
tardar en	poco tiempo después
echar a un lado	dejar de
por completo	fuera de

Sentences

1. The professor was reading some old papers. 2. The English lady never failed to pronounce the word *shocking* when she met them. 3. He always lacked something, and she always had everything. 4. All that was put between them was broken through. 5. At first, the shouts of the officers had no effect on the surge of panic. Now when lifesaving was begun there was a fight around each boat. 6. Before they had reached land she had come to hate (*aborrecer*) him. 7. She changed seats so that her feet wouldn't get wet. 8. When they met again they refused to talk to each other. 9. This boat takes ten days to (*tardar en*) reach Vera Cruz. 10. Only one man managed to save himself. 11. Outside of the English couple they were all cowards (*cobardes*). 12. He pushed her aside and jumped into the sea. 13. After a short while the passengers retired to their staterooms (*camarotes*). 14. Do you know that girl with dark circles under her eyes?

7. SOBRE LA CAMA
LA NEURASTENIA Y LA LITERATURA
BUCÓLICA BICARBONATADA

Idioms

en cuanto	irle bien a uno
lo principal	preocuparse de
por lo que respecta a	mientras tanto
estar a la disposición de	acertar a
en cambio	estar aviado

Sentences

1. As soon as I get there I am going to sleep. 2. He hopes they will put beds in Spanish offices soon. 3. The doctor didn't happen to know my sickness, and called it neurasthenia. 4. That is a long name and can mean anything (*cualquier cosa*). 5. I'll go whatever may be the dishes that are served there. 6. I have a

federal appetite which pays little attention to (*reparar en*) regionalism. 7. The main thing is to eat as much as you can. 8. If I ate any more than I do I would be in a fine fix. 9. You can't eat very much; you look like the skinny (*flaco*) man of Matías López now. 10. He wouldn't tell me what I had without my paying him ten dollars. 11. Then he wanted ten more dollars for a bottle (*frasco*) of pills. 12. He must be a good doctor to charge you (*cobrar*) so much. 13. If you need sodium bicarbonate eat more green things. 14. In the meantime, don't worry. 15. I want these waters to be drunk in every home.

8. ELIZABIDE EL VAGABUNDO

Idioms

burlarse de
estar a punto de
hacer caso
no tener nada de (orgulloso)
olvidarse de
dejarse llevar

por primera vez
conque
al día siguiente
dar la hora
alejarse de
empujar para atrás

enamorarse de

Sentences

1. Elizabide had wandered over the world a great deal when he met Maintoni. 2. He compared his life to a tree-trunk on the river. 3. If no one picked it up it would be lost finally in the sea. 4. Maintoni called herself an old maid, but Elizabide laughed at her. 5. Who will take care of the children if I get married? 6. She wasn't at all proud or romantic, but nevertheless her image grew larger and larger in his soul. 7. He wondered (*preguntarse*) why he had fallen in love with a village girl. 8. Who would dare say anything to her! 9. As ten had already struck no one was left at home but the old lady. 10. When the feast was at its height the dance began. 11. She kept on looking at Maintoni. 12. Go on, don't be a fool. 13. He had the reputation of being fatuous and trifling. 14. In the idle moments he thought of his

EXERCISES

love for Maintoni. 15. Well, are you coming or not? 16. Don't let yourself be carried away with the first girl you meet. 17. She pushed back and he thought she was making fun of him.

9. LOS TRES CUERVOS

Idioms

convenir en	a su vez
caer enfermo	pasar (correr) la voz
tener ocasión de	¡ Buena la hemos hecho !
vamos al grano	ahora mismo

Sentences

1. I didn't have a chance to see the three crows, but I am sure that there were at least three, maybe five or six. 2. Well, the man got sick, didn't he? 3. The rumor spread that he had vomited three live crows. 4. Of course, I didn't believe it, but you did (*Vd. sí*). 5. You are very much mistaken. I don't believe anything that I hear. 6. It's a question of one crow, anyway. 7. Let's get to the point now. 8. I didn't like your exaggerating the story so much. 9. If a girl is very charming (*simpática*) they say that she has a lot of salt and pepper. 10. We like this story because it presents the Spanish point of view so well. 11. I've made a mess of it now. The teacher is Spanish and will probably fail me (*suspender*) if he thinks I really believe this tale. 12. Well, it's my duty to tell you that you are going to fail. 13. I hope you in your turn fail also.

10. SARRIÓ

Idioms

pasar la vista por	tal vez
a medio consumir	encontrarse con que
hacerse de	gozar de
	reparar en

Sentences

1. Young children find that they already know how to speak their language without having had to study it. 2. He doesn't want you to notice all the details. 3. It was about ten o'clock when I approached the town. 4. Perhaps she would enjoy the clear blue sky and the blue shadows. 5. He said he couldn't stand it. 6. I wonder what has happened to Carmen? 7. Sarrió has survived the death of his friends, the ruin of his house, the disappearance of all that constituted the atmosphere of his epoch. 8. I believe that this is a greater tragedy than death. 9. There was no need for us to speak, for we had nothing to say to each other. 10. The deepest feelings (*sentimientos*) are those which remain unspoken. 11. Sarrió is a symbol (*símbolo*) of Spain among modern nations. 12. Time is indifferent to the sorrows of men. 13. Every moment is a window on all time.

11. *EL PROFESOR AUXILIAR*

Idioms

a lo largo de	verse obligado a
si bien	a tal punto
no ser gran cosa	reírse a carcajadas
carecer de	echar de ver
la mayor parte de	de manera (modo) que
tomar a chacota (broma)	al pie de la letra
tomar en serio	en tropel
a tientas	en seco

Sentences

1. Even though it was winter, he was not wearing a coat. 2. He was kind to such an extent that all his students made fun of him. 3. So you were finally obliged to visit him? 4. It doesn't amount to much, but along with (*junto con*) what you girls earn it will afford us a comfortable living. 5. Don Clemente took everything too seriously. 6. He was groping for the hat-rack, but there wasn't one (*no la había*). 7. He stopped them flat with a

spray of ink. 8. Most of the students liked him fairly well.
9. You have probably noticed that it is a beautiful day. 10. This
is the only suit I have. 11. When the door opened the Rector
appeared and the noise suddenly ceased. 12. He had learned
word for word what he was going to say, but he forgot it all when
he noticed the pretty daughter. 13. So he married the daughter,
and then he was the one who lacked authority in the house.
14. Don Clemente taught many things of which he was in utter
ignorance. 15. Most teachers do the same.

12. *EL DESQUITE*

Idioms

empeñarse en
poderle a uno
¡ chápale !
ponerse como un tomate
armarse (la gresca, el lío; etc.)
¡ agua !

aguar la fiesta
¡ Mira con qué sale !
quedar encima
al aire libre
hacerse el distraído
como pesado

perder de vista

Sentences

1. He insisted on my telling this story. 2. I hoped you would
be able to whip him. 3. He always came out on top. 4. He tried
to act nonchalant. 5. He turned as red as a tomato, and then the
fight broke out. 6. Watch out! Here comes the policeman!
7. I hope to goodness that he wins! 8. What a peace! It is
based on force and cannot last (*durar*). 9. If social education
consists of this alone it is because religion has failed (*fallar*), and
I do not believe it has. 10. There is always a policeman to spoil
the fun. 11. You must not lose sight of him. 12. As for being
unbearable, this boy takes the cake! 13. I am not afraid of him
or of anybody else. 14. If you don't leave him alone I'll hit you
too. 15. Sick him! Hit him! They say there is no recourse but
to impose yourself or submit. 16. Most of the modern nations
still seem to believe this horrible fallacy (*error*).

13. LA MUERTE DE LA EMPERATRIZ DE LA CHINA

Idioms

ponerse triste	en lo (más) hondo
verse	mirar con el rabo del ojo
un tanto	tener celos
alrededor de	romper a + *inf.*
frente a	sacar la lengua
delante de	vengarse de

Sentences

1. She considered herself happy and beautiful. 2. They considered him as one of the family. 3. She was jealous because her husband had left her for another woman. 4. She burst into tears in front of the statue. 5. She became sad and wanted to revenge herself on her rival. 6. I don't want you to stick your tongue out until I tell you to. 7. He's a little nearsighted (*miope*) and a trifle (*otro tanto*) deaf (*sordo*). 8. If you keep looking at me out of the corner of your eye, I shall break the statue to bits. 9. He would give her a special room so that she could live and reign alone. 10. In the depths of his soul he wondered: "What can be wrong with my little wife?" 11. Some one has taken the flowers away. 12. Near the river are many wild violets. 13. She was sitting at the other end of the room. 14. She was stretched out half asleep waiting for him to finish his work.

14. EL HIJO

Idioms

tener cuidado	echar una ojeada
a través de	estar de vuelta
acostumbrarse a	acabar de
contar con	fijarse en
prestar atención a	apoyarse en

EXERCISES

Sentences

1. The father has educated his son from an early age. 2. He is tall for his age, but he isn't more than thirteen. 3. To judge by the purity of his blue eyes he must be very young. 4. The father used to be just like that. 5. He would have given his life to own a gun, and now his son had one. 6. He must have struggled strongly against his egoism. 7. His son has made him go through a great deal. 8. I want you to be careful and to be back at noon. 9. He thought that he could count on what his son had said. 10. I did not notice the sun. 11. He had become accustomed to the danger of hunting alone. 12. His arm was not resting on anything. 13. He took a look at his watch and saw that it was already twelve. 14. At thirteen the father could not manage a gun. 15. The most horrible nightmares have their limit too. 16. He had told his son to be back at noon, and he had not returned.

15. TRES CARTAS...Y UN PIE

Idioms

me permito (escribirle)	**en cualquier lado**
por si	**por supuesto**
parecerle a uno	**darse cuenta (de)**
de vuelta	**consistir en**
en apreciaciones negativas	**es de verse**
sin embargo	**basta con que**
equivocarse	**su seguro servidor**
tratarse de	

Sentences

1. I am taking the liberty of writing you in case you may wish to publish these lines under your name. 2. The girl thinks that she is very pretty, to put it mildly. 3. I will have to admit that she knows men fairly well. 4. Of course, she is speaking about the men of her country. 5. On the way back she travels with some

companions. 6. She says that men's tactics never vary. 7. He is sure of his calculation and has no reason to put us on guard with new glances. 8. One might swear that the man was thinking about the moon. 9. This cat and mouse game does not please yours truly. 10. I only felt tender toward one person, and that person was you. 11. You didn't know how to take advantage of it. 12. His diversion consists of the following.

16. EL CACHORRO

Idioms

dar (la) vuelta
quedarle a uno
darle a uno lo mismo
dejar ver

a eso de (*hour only*)
ponerse en pie
servir para
mirar de reojo

Sentences

1. This knife isn't good for anything. 2. When we reach the corner (*esquina*), let's turn around. 3. He has five or six left. 4. I left her standing on the corner about fifteen minutes ago. 5. Please take a look at these pages. 6. I want you to be back at about one in the afternoon. 7. He prefers for his crime to be greater so that his vengeance will be worthy of the Sergeant's offence. 8. He frowned because he was a little nearsighted. 9. If it's all the same to you, stay here until we have finished. 10. If he lost, he would shrug his shoulders and drink a swallow of liquor. 11. Several strong men are needed for this work. 12. Those sessions usually lasted a day or two. 13. He picked up his money and left. 14. When she smiled she exposed (some) beautiful white teeth. 15. I'm sorry you don't know what has become of that blanket of mine.

17. EL DOMADOR

Idioms

de cualquier modo
cerca de
conocérsele a uno
no poder más

encogerse de hombros
echar a
hacer caso omiso de
acercarse a

Sentences

1. If he continued exercising his dangerous office, it was because he liked it. 2. She employed the usual tactics, but he did not pay much attention to her. 3. When she fell in love with him, he scoffed (*desdeñar*) at her. 4. Many persons were present, and even Blasa had been drawing closer and closer without wanting to. 5. He paid slight attention to the congratulations. 6. If you can't control yourself you can't control anyone else either. 7. She had come to ask him to accompany her in a waltz. 8. He said that he was tired and that he had to get up early. 9. Without answering a word he continued working. 10. He was not known to have many friends. 11. At any rate, he knew how to manage (*domar*) women fairly well. 12. Of course, all this happened in Uruguay.

18. UN CABECILLA

Idioms

servir de
meterse con
en vez de
desatarse en

ir *serenándose* (or any gerund)
lo alto de
(estar) harto de
detenerse

Sentences

1. If she stopped he would push her forward (*para adelante*). 2. I'm surfeited with reading these horror stories. 3. He doesn't meddle in anyone else's life, and doesn't want anyone else to

meddle in his. 4. Instead of breaking out in shouts you ought to refuse to follow him. 5. He made her (*obligar*) get down on her knees. 6. When you have informed yourself of what happened, will you please tell me about it? 7. It's not worth the trouble of tearing your hair. 8. Please sit down anywhere and wait until Mr. Menéndez arrives. 9. How long do you think it will be before he gets here? 10. Shortly after he had a fight with his brother he wrote me that he wanted to change jobs (*empleo*). 11. At the time of the Civil War the people forgot about their ideals. 12. If I close my eyes, I can see him now. 13. This page is written by the Bishop himself. 14. I confess that I hated the guerrilla chieftain. 15. Don't pay any attention to him, he is not at all proud. 16. He served as a guide whether he liked it or not. 17. She gradually quieted down and finally stopped weeping.

Vocabulary

FOREWORD

This vocabulary is complete with the exception of the following types of words and expressions: (1) proper names and proper nouns treated in the notes; (2) cognates (only adjectives and nouns) easily recognizable, and with exactly similar meanings in English and Spanish; (3) a number of dialectical words and colloquial expressions treated in the notes; (4) adverbs regularly formed, and with no change in meaning from listed adjectives; (5) regular participial adjectives of verbs included; (6) days of the week, months of the year and cardinal numerals.

ABBREVIATIONS

adj.	adjective	*m.*	masculine
adv.	adverb	*Mex.*	Mexican
art.	article	*n.*	noun
coll.	colloquial	*neut.*	neuter
conj.	conjunction	*obj.*	object
def.	definite	*part.*	participle
dial.	dialect	*pers.*	personal
dir.	direct	*poss.*	possessive
exclam.	exclamation	*pl.*	plural
f.	feminine	*pr.*	pronoun
fam.	familiar	*refl.*	reflexive
interj.	interjection	*rel.*	relative
interrog.	interrogative	*S. A.*	Spanish America(n)

Vocabulary

A

a to, at, on, in; — (**las tres horas**) after (three hours)
abajo below; **allá** — down below; **echar** — to overthrow; **camino** — down the road; **río** — down river
abalanzarse sobre to throw oneself on
abandonar to abandon, forsake, leave
abandono neglect, abandonment
abanico fan
abeja bee
abertura opening
abierto, -a (*past part. of* **abrir**) open, opened; pierced
abogado lawyer
aborrecer to hate
abra valley, cut
abrasado, -a scorched
abrazar(se) to embrace
abreviación haste
abreviar to summarize
abrigado, -a sheltered, covered
abrigo overcoat
abrir(se) to open; — **día** for day to break
abrumar to overwhelm
absolución *f.* absolution
absorto, -a fascinated, absorbed
abstener to abstain; —**se de** to abstain from
abstracto, -a abstract
abstraerse en to become absorbed in
abuelo, -a grandfather; grandmother
abultamiento swelling
abundancia abundance
aburrido, -a bored, fed up with, drowsy; *n.* dead-head
aburrirse to be bored, get bored
abuso abuse
acabar to finish, end; — **de** to finally do, to have just; — **por** to finally do, to end by doing
académico, -a academic; *n.* member of the Academy
acaecer to happen
acariciar to stroke, caress
acartonado, -a pasteboard-like
acaso perhaps; **por** — by chance
acatar to respect, consider with respect, show deference to, give in to
acaudillar to head, lead
accionar to gesticulate
aceite oil
aceituna olive
acelerado, -a quick; **a paso** — with quickened steps
acelerar to hasten
acento accent
aceptar to accept
acequia irrigation canal
acerado, -a starched
acercarse (a) to approach
acertar (a) to be quite able to; to happen to
acólito acolyte, companion
acompañante *n. & adj.* playmate, companion

acompañar to accompany
aconsejar to advise
acontecer to happen
acontecimiento incident, event
acordar (ue) to agree; —**se de** to remember
acordeón (*m*) accordion
acostar (ue) to put to bed; —**se** to go to bed
acostumbrarse a to become accustomed to
acreedor *m.* creditor
acróstico acrostic (*a verse in which one or more sets of letters taken in order form words*)
actitud *f.* attitude
actual present, of the present moment
actualidad *f.* timeliness
acudir to go to, visit; to file in; to gather around; to come near
acuerdo; de — in agreement
acurrucar to huddle, crouch
acusar to accuse, suggest
achacar to attribute
achaque *m.* habitual indisposition, chronic attack
achatado, -a low-lying, flattened
achicarse to flinch, back off from; to grow small
adelantar(se) to come ahead, step forward
adelante ahead, forward; **en —** forward, on, ahead; **camino —** ahead; **hacia —** ahead, onward
adelgazado, -a thinned
ademán *m.* gesture
además (de) besides
adentro inside
adherente *m.* part
adherirse (ie) to adhere; to give one's support
adiós good-by

adivinar to recognize; to guess
administrar to give, administer
admirable admirable, wonderful
admiración *f.* admiration; astonishment
admirador *m.* admirer
admirarse de to marvel at
admirativo, -a admiring
admitir to admit
adolescencia adolescence
adonde quiera in whatever direction
adorar to worship, adore
adquirir (ie) to acquire
adustez *f.* haughty inflexibility, austerity, coldness
advertencia warning
advertir (ie, i) to warn, notice, notify
afabilidad affability
afanarse (a) to be busy (in)
afecto affection
afeitado, -a shaven
afición (a) fondness (for); hobby; **por —** by choice
afiliarse (a) to join
afinar to put the finishing touch on; to sharpen
afirmir to affirm
afortunadamente fortunately
afuera outside
agachado, -a bending over
agallas *f. pl.* courage; back bone, " guts "
agarrar to clasp
agarrotar to tighten
agasajo welcome
ágil agile
agilidad *f.* agility
ágilmente agilely; with agility
agitar to agitate, wave, shake; — **la cresta** to swagger about; —**se** to tremble, become agitated *or*

VOCABULARY

nervous; se agitaba allá lejos had its nerve center far off
agonizar to die; to give the last gasp; to fade into
agosto August; harvest season
agradable agreeable, pleasant
agradecido, -a grateful
agregar to add
agresivo, -a wild; mean
agua water; ¡ — ! watch out! (*This meaning comes from the old custom of throwing water and slop into the street with the warning shout:* ¡ **Agua**! *or* ¡ **Agua va**!, "*Here it comes!*")
aguador *m.* water carrier
aguantar to endure, stand; **no había quien le aguantara** nobody could stand him
aguar to break up, throw cold water on; — **la fiesta** to spoil the fun
aguardar to wait
aguardiente liquor (*It may range from rum to corn, and generally is pretty raw.*)
agudo, -a sharp
aguerrido, -a hardened, inured to war
aguileño, -a aquiline
aguilucho eagle face, "old eagle"
aguja needle
agujerear to pierce, put a hole in
agujero hole
aguzado, -a sharp
aguzar to sharpen, strain
ahí there
ahogador, -a stifling
ahora now; — **mismo** right now
ahuyentar to drive away, put to flight
airado, -a sulky
aire air; **al** — **libre** in the open air; **cabeza al** — head uncovered

aislado, -a isolated, by itself
ajenjo absinthe, absinthe green, light green
ajeno, -a of another, some one else's
ajustar to adjust, suit
ajusticiado, -a *m. & f.* person executed, prisoner
al (**a** *plus* **el**) to the, at the; — (*followed by infinitive*) on ...ing (**al ir** on going, *etc.*)
ala wing
alabastro alabaster
alacalufe a tribe of Indians in Patagonia
alambrado wire fence
alambre *m.* wire; — **de púa** barbed wire
alambrillo fine wire
alargar to stretch out
alarido shriek, yell
alarmante alarming
alba dawn
albeante white; white hot
albis (*Latin*); **en** — in utter ignorance
albor *m.* purity
alborotar to arouse, disturb
álbum *m.* album, collection
alcalde *m.* mayor
alcanfor *m.* camphor
alcanzado, -a hit, overtaken
alcanzar to hand to, reach, overtake, last; to strike, pierce; — **a** to manage to
alcoba bedroom
aldea village
aldeano, -a *adj.* village, of the village; *n.* villager
alegrar to gladden, enliven; —**se de** to be glad of
alegre gay
alegremente gaily, merrily
alegría joy

alejamiento withdrawal
alejar(se de) to get away, withdraw, move over, draw away from
alelado, -a stunned, stupefied
alero eave
alfombrar to cover, carpet
algarabía gabble
algazara row, rumpus, shouting
álgebra algebra
algo something, somewhat, anything; — **de** an element of, some
algodón *m.* cotton
alguacil *m.* cop, policeman
alguien someone, somebody, anybody
alguno, -a some; someone; any; whatsoever; **alguna vez** ever
aliento breath
alimentación *f.* diet
alimento food, nourishment
alma spirit, soul
almendro almond tree
almohada pillow
almorzar (ue) to lunch
alrededor around
altanero, -a haughty, arrogant
altar *m.* altar
alternativamente alternately
altivez *f.* arrogance
alto height, hill; **lo —** the high part, top; **en —** in the air, over one's head; **mirando a lo —** looking toward the sky
alto, -a tall, high
altura height
alucinación *f.* hallucination
alucinado, -a hallucinated
alumno, -a a student
alzar to raise; **—se** to be raised, get up, rear, get away with

allá there; **más — (de)** further on; beyond; **— dentro** inside (them); **— lejos** far away
allí there
amabilidad kindness
amable charming, amiable, pleasant
amado, -a a lover, loved; **bien —** dearly loved
amanecer to dawn, wake up; **al —** at dawn
amansar to tame
amante *n. & adj.* lover
amapola poppy
amar to love
amarfilado, -a ivory-like
amargo, -a bitter; **un amargo** a bitter "*mate*"
amargura bitterness
amarillento, -a yellowish
amarillo, -a yellow
amarrar to tie up
amartillar to cock (a gun)
amasar to knead
ámbar *m.* amber
ambiente *m.* atmosphere, air, feeling
ámbito precinct, vicinity
ambos, -as both, the two
ambular to wander
amenaza threat
amenazado, -a (de) threatened (with)
amenazador, -a threatening
amenazar to threaten, shake at, menace; to be threatened with, run the risk of getting
amenguar to diminish, lessen
amenizado, -a made pleasant, heightened
América America, Hispanic America
americano, -a American (*Particularly Hispanic American*)

amigablemente in a friendly manner
amigo, -a *m. & f.* friend
amistad *f.* friendship
amistoso, -a friendly
amodorrado, -a heavy with sleep
amonestar to call down, upbraid
amor love; — a love for; —es love affair; estar en —es con to have an affair with; hacer el — to court
amplio, -a ample, large
amplitud *f.* roominess
anatematizar to curse
anciano, -a *m. & f.* old man *or* woman; *adj.* ancient
ancho, -a wide, broad, vast
¡anda! go ahead! hurry! come on!
andamio scaffold
andante wandering; caballero — knight-errant
andar to walk, travel, cover; ¡anda! go on, come on, hurry up; — a palos con to exchange blows with; — rodando to travel along, wander
andar *m.* riding
andariego wanderer
andén *m.* platform
Andes; Los — town in Chile near Argentine border; the mountain range between the two countries
anegado, -a flooded, overwhelmed
anegarse to merge into one, blend, be absorbed
anejo dependency, accessory; —s filiales children
anémica anemic girl
ángel *m.* angel; el Ángel Custodio the Guardian Angel, Michael
angelito little angel, cherub
angosto, -a narrow, small
ángulo corner

angustia anguish, pain
angustiado, -a in anguish
angustioso, -a anguished, struggling
anheloso, -a anxious
anilla large ring
animación *f.* animation
animal *m.* animal
animalucho ugly little animal
animar to encourage, animate
ánimas *f. pl.* souls; ringing of bells at sunset
anoche last night
anochecer to grow dark; al — at nightfall
anochecido; ya — after nightfall
anodino, -a colorless, nondescript
anonadado, -a overwhelmed
anonadar to overwhelm
anónimo, -a anonymous, without a name
anotar to put down
ansia anxiety, anxiousness
ansiar to be anxious to
ansiedad; con — anxiously
ansiosamente anxiously
ansioso, -a anxious
ante before, in front of, in the presence of
anterior former, previous, before
anteriormente formerly, previously
antes (de) before, rather; — (de) que before (*preceding nouns and finite verbs*)
antiguo, -a old, ancient; de antiguo of old
anulación *f.* annihilation
anunciar to announce, tell, give promise of becoming
anuncio advertisement
añadir to add
año year; todos los — every year
añoranza longing, homesickness

apacible restful, peaceful
apagado, -a low, faint, dimmed, dull; extinguished, out
apagar to put out, extinguish
aparato apparatus
aparecer to appear
apariencia appearance (*on the surface*); pose
apartar(se de) to leave, get away from; to separate, withdraw
aparte apart, aside; — **de** besides; — **de que** besides the fact that
apelotonado, -a heaped, piled
apenas (si) hardly, scarcely; — **conocida** now that you have just become known to me
apercibir(se) a to get ready to, get set to
apero appurtenances
apetito appetite
aplastar to mash flat
aplaudir to applaud
aplauso applause
aplicación *f.* inlay, trimmings; **con —es de hueso** inlaid with bone
apodo nickname
apolíneo, -a Apollo-like, Apolline
aposento room
apóstol *m.* apostle
apoyado, -a leaning on, resting on
apoyar(se en) to lean on, rest on, support; to place
apreciación *f.;* **en —es negativas** to put it mildly
apreciar to appraise; to appreciate
aprender to learn
aprendiz *m.* apprentice
apresuradamente hurriedly
apresurar to hasten
apretado, -a tightly bunched, tight
apretar (ie) to hold, fasten, clench, overwhelm; **—se** to press against

apretón *m.* handclasp, grasp
aprisionar to imprison
aprobar (ue) to pass, approve
aprovechador *coll.* masher; one who takes advantage of his opportunities
aprovechar(se de) to take advantage of
apuesta bet
apuntar to begin; to aim at, take aim, point at; to jot down
aquel, -lla that; **aquellos, aquellas** those
aquél, -lla that one, the former; **aquéllos, aquéllas** those, the former (ones)
aquello that
aquí here
árabe Arabian, Moorish
arañar to pierce, scratch
arbitrario, -a arbitrary
arbitrio means, expedient
árbol tree
arca coffer, chest
arcada row of arches, arcade
arcángel *m.* archangel
arco arch
arder to burn
ardiente warm, ardent
ardorosamente whole-heartedly
ardoroso, -a restless, fiery, ardent, passionate
arena sand, ground
arenilla powder (*to dry writing*)
argentino, -a *adj.* silvery, rippling; Argentine; *n.* native of Argentina, Argentine
argucia subtlety, sophistry
argumento argument
arma arm, weapon; **Jefe de las —s** Commandant
armar to roll (*a cigarette*); to arm; to put together, set up; **—se** to

start or raise (a row); — la gresca to start the fight
armiño ermine
armonioso, -a harmonious
aroma aroma, perfume
arquetipo archetype, pattern
arrancar to draw out, draw forth, pull out; to start off
arranque *m.* burst, spurt
arrastrar(se) to drag (oneself)
arrastre *m.* dragging, strain
arrear to drive on; to say "get up" (to horses)
arrebatar to snatch away, take away
arreglar to arrange, fix (up)
arremeter to attack
arremolinar to eddy, swirl
arrendar (ie) to break and train a horse; to rent, lease
arreparar; ¡arrepara! but look! hold on!
arriba up, upstairs, above; **de — abajo** from head to foot; ¡**— mi compañero!** Onward my friend!
arrobo rapture, trance
arrodillarse to kneel
arrogancia arrogance
arrojar to hurl, throw at, throw down; **—se (al)** to throw oneself (into)
arrollado, -a twisted, rolled around; **— sobre sí misma** all coiled up
arrollar to roll up, coil up
arroyo brook
arrozal field sown with rice
arruga wrinkle
arrugado, -a wrinkled
arrullo love lyric, warbling
arte *m. & f.* art
artesa kneading-trough
artículo article
artista *m. & f.* artist

asaltante *adj.* assailing; *m.* assailant
asaz exceedingly, very, quite
ascender (ie) to ascend, spring up
asceta *m. & f.* ascetic
ascua ember; **hechos —** turned to embers
asegurar to fix, secure, assure
asemejarse a to resemble
aseo neatness
asesinar to kill, murder
asesino assassin, murderer
así thus; like that; that's the way; that way, in that way; **— que** as soon as, so; **— en ... como en** both in ... and in; **— como** just as
asiático, -a Asiatic
asiento seat
asignatura course
asigún *dial.* it all depends
asistir a to attend
asoleado, -a sunny
asomar to peer, stick in, stick out, peek; **—se** to appear, stick one's head out, peer out; **— por** to peep out of
asombrar to astonish; **—se** to be astonished
asombro amazement; **con —** to his amazement
asomo tinge
aspecto aspect, appearance
ásperamente harshly
aspereza roughness
áspero, -a harsh
aspiración *f.* aspiration
aspirar to aspire, long for
asqueado, -a loathing; hateful
astuto, -a smart, cunning
asunto matter, topic, subject
asustadizo, -a easily frightened, shy
asustado, -a frightened

asustar to frighten
atado, -a tied, bound
atadura binding
ataque *m.* attack
atar to tie
atardecer to grow dusk; **al —** at nightfall
atavíos *m. pl.* wearing apparel, dress
atención *f.* attention
atender (ie) to wait on
atenerse a to stick to, abide by
aterrado, -a terrified
atezado, -a bronzed, dark
atildado, -a neat, well dressed
atisbar to await, watch for; to watch closely
atmósfera atmosphere
atónito, -a dazed; amazed
atracar to approach (draw up toward land), to land
atrás backward, behind; **para —** backward; **hacia —** behind, backward
atravesar (ie) to cross, go through
atrayente evocative, fascinating
atreverse (a) to dare to; **— con** to become rebellious with
atrevidamente boldly
atrevido, -a bold
atropellado, -a in a hurry, helter skelter
atropello act of violence
atroz atrocious, excruciating, horrible
aturdir to bewilder, perturb, stun, daze
audaz *adj.* audacious, forward; *m.* bold person
auditorio audience
augusto, -a august
aullar to howl
aumentar to increase

aun (aún) still, yet; **— cuando** even if
aunque although, even though, even if
aurora dawn
aurrescu *Basque dance*
ausencia absence
ausente absent
austero, -a austere, severe
autor *m.* author
autoridad *f.* authority
auxiliar substitute
auxiliaría assistantship, position as substitute
auxilio aid
avance *m.* advance
avanzar to advance
avasallador, -a enthralling
ave *f.* bird
avecindarse to establish oneself
avecita little bird
aventar (ie) to winnow
aventura adventure
aventurero adventurer; **espíritu de —** adventurous spirit
avergonzado, -a ashamed
avergonzar (üe) to shame
averiguar to find out
aviado, -a in a fine fix
ávido, -a avid, eager
avisar to warn
aviso word, warning; **dar —** to inform
avispa wasp; **de —** wasp-like
¡ay! alas; **¡ay de mí!** woe is me! poor me!; **ayes** cries of fear
ayuda help
ayudado, -a (de) helped (by)
ayudar to help, aid
azadón *m.* hoe
azahar *f.* orange blossom
azar *m.* chance, fortune
azotina whipping, flogging

azucena (white) lily
azul blue
azulado, -a blue, bluish
azuzar to set on, incite

B

Baco Bacchus, the god of wine
bachillerato *course leading to the bachelor's degree*
badana sweat-band
bailar to dance
baile *m.* dance
bailotear to dance, gleam
bajar to lower, go *or* come down, get off; **—se** to get down, get off, bend over
bajito in a low voice
bajo, -a *adj.* low, lower, drooping; **bajo** *adv.* under
bala bullet; **— de parabellum** a dumdum bullet
balandrán *m.* cassock
balazo shot
balbucir to stammer
balcón *m.* balcony
banca bank
banco bench; **— de mecánica** work bench
banda band
bandada band, flock
bandeja tray
bandera banner, flag
bandido bandit
banquete *m.* banquet
bañar to bathe, cover; **—se** to bathe
bar *m.* bar
barandilla railing
barato, -a cheap
barba beard; **en las —s** to one's very face
barbado, -a bearded

barbaridad *f.* outrage; **una — de** a huge number of
bárbaro, -a barbarian; barbaric
barda *f.* wall; thatch
bardal *m.* thatched fence, wall
barriga belly, paunch
barrio neighborhood, section
barruntar to anticipate, smell
basalto basalt
basar to base
bastante enough, rather, somewhat, fairly
bastar to be sufficient, suffice; **basta de** enough of; **basta con que** it is sufficient that
bastón *m.* cane
bata gown, dressing gown, house dress
batalla battle
batir; — de cobre to struggle valiantly
batracio batrachian, frog, amphibian
beber to drink; **se bebía en el bar** people were drinking in the bar
bebida drink
bedel *m.* beadle
befa taunt
beldad *f.* beauty
belicoso, -a quarrelsome, pugnacious, belicose
belleza beauty, handsomeness
bello, -a handsome, beautiful
bendecir (i) to bless
bendición *f.* blessing
bendito, -a blessed; **las —as** the blessed souls
bermellón *m.* vermilion, red
besar to kiss
beso kiss; **a —s** with kisses
bestia beast, brute
besuquear to smother with kisses
bíblico, -a biblical

bicarbonatado, -a bicarbonated
bicarbonato bicarbonate
biceps *adj.* & *n.* muscles of the upper arm, biceps
bien well; **pues — well**; **si —** although, even though; **lo — que** how well; **con —** safely; **no —** scarcely, hardly
bienestar *m.* feeling of well-being, recovery
bigote *m.* mustache; **comerse los —s** to almost chew up one's mustache
billete *m.* bill
biombo screen
bisbisear to mutter
bizantino, -a Byzantine
bizcocho cake
blanco, -a white; **en blanco** blank, empty; **blanco** bull's eye; **blanca y rosa** fair and rose-colored (fair as a rose)
blancura whiteness
blandir to brandish
blando, -a smooth, soft, bland, mild
blandura softness
blanduzco, -a soft
blasfemia curse, oath
bloque *m.* block, mass
bobalicón, -a stupid, simpering
boca mouth; **— arriba** bottom up; on one's back
bocado bit of a bridle
bocón, -a big-mouthed
boda wedding
boina beret, cap
boliviano, -a Bolivian
bolsa Stock-Exchange, market
bolsillo pocket
bomba pump; bulb
bombeo bulge
bombilla bulb

bondad *f.* kindness
bondadoso, -a good-natured, generous, kind
bondadosote *fam.* jocular
bonito, -a pretty
boquilla *S. A.* story; **correr la —** to spread the story
borbollón *m.* gush
borda gunwale, deck
bordado, -a embroidered
bordar to embroider
bordear to border
bordo; a — on board
borracho drunkard; *adj.* drunk
borraja borage (*a blue-flowered herb*)
borrar to blot out, efface
boscaje *m.* forest, grove
bosque *m.* woods, forest
bota boot
bote *m.* life-boat
botella bottle
botica drug store
boticario druggist; **estar de —** to work as a druggist
botín *m.* booty, spoils, reward; boot
bravo, -a brave, bold, daring; **¡ Bravo !** Fine !, Bravo !
brazo arm; **de —s** on one's arm
breve brief, short
bribonazo rascal, scamp
brillante brilliant
brillar to shine, gleam
brillo lustre
brío force, spirit, strength
británico, -a Brittanic
broma joking, joke; **basta de —** enough (of) joking
bronce brass, bronze
bronceado, -a bronzed; tanned
brotar to come forth, spring from; bud; bubble

brujo wizard, sorcerer
brumoso, -a misty
bruscamente suddenly, unexpectedly
brusco, -a sudden, abrupt
brusquedad *f.* roughness
bruto, -a stupid; *n.* rude country person; beast
bucólica pastoral poetry, pastoral sketch
bucólico, -a bucolic, pastoral
bueno, -a good, well; all right; fine; **mi buen Recaredo** my dear Recaredo
buey *m.* beef, ox; — **a la financiera** beef " a la finance "
bufar to snort
bufido snort
bujía candle
bulto bulk, bundle
buque *m.* ship, boat
burla joke, jest
burlarse de to make fun of, make a fool of
burlón, -a mocking, jesting, joking; *n.* the one making fun of, the joker
busca quest, search; **en su —** in search of him, after him
buscar to look for, seek
busto bust

C

caballero gentleman; — **andante** knight-errant
caballo horse; **montar a —** to mount, ride a horse
cabaña cabin
cabecilla *m.* guerrilla chieftain, leader
cabellera (with) long hair
cabello(s) hair

caber to be room for; **le cabían serias dudas** he seriously doubted
cabestro halter
cabeza head; main city
cabida space, content; **hallar —** to find a place
cabo end; **llevar a —** to carry out
cabra goat
cacarear to brag, boast, crow
cactus *m.* (**cacto**) cactus
cachorro whelp, cub, son, child
cada each, each one; — **uno, -a** each one; — **vez más** more and more
cadáver *m.* cadaver, body
cadena chain
cadencia cadence, rhythm
caer to fall, understand, happen; **el — de la tarde** dusk; **venir a — en** to wind up in; **está al —**, its about ready now; — **encima** to fall on top of; ¡ **ya caerá**! his time will come soon enough!
café *m.* café
caída fall
caja box, case
cajero cashier, manager
cajetilla package
cajón *m.* chest, box
calamidad *f.* calamity
calandria calendar lark, bunting
calcetín *m.* sock
calcular to calculate
cálculo calculation
caldear to heat, make burn
calibre *m.* caliber
calidad *f.* quality, class
cálido, -a heated
californiano, -a Californian
calma calm; *exhortation* keep calm
calmarse to calm down
calmosamente calmly
calofrío shudder; chill

calor heat; **hacer —** to be hot
calorcito warmth
calvo, -a bald-headed
calzado shoes and stockings, footwear
calzado, -a with shoes (boots) on
calzar to put shoes on
calzón(es) *m.* breeches
callado, -a silent, soft running
callar(se) to keep quiet, hush, hold back, keep secret
calle *f.* street
cama bed
camarada *m.* comrade
camarero waiter
cambiar to change; **— de tren (asiento)** to change trains (seats)
cambio change; **en —** on the other hand
camelia camellia
caminante *adj. & n.* traveller
caminar to travel, walk, go along; *n. m.* travelling
caminejo worn path
camino road, way; **a medio —** half way; **de —** on the way; **— adelante** ahead
camisa shirt
camita tiny bed
campamento camp, encampment
campanada stroke (*of a bell or clock*)
campanilla bell-flower, narcissus
campanita bell
campaña campaign
campo ranch, field, country; countryside, place
canal *m.* canal
canción *f.* song
candente white-hot, incandescent
cándido, -a white, snowy; guileless
canje *m.* exchange
cano, -a gray

canoa canoe
canoso, -a gray-haired
cansado, -a tired, weary
cansarse to get tired
cantar to sing
cántico song
canto song
caña rum
caño tube
cañón *m.* barrel, muzzle
caótico, -a confused, chaotic
capataz *m.* overseer, foreman
capaz capable
capilla chapel
capital *adj.* capital; *m.* capital, funds; *f.* capital, principal city
capitán *m.* captain
capitanear to command
capota leather top
capricho whim
cara face
caracol *m.* turn, curve; snail shell
carácter *m.* character, nature; letter, inscription
característico, -a characteristic
¡ carape ! *interj.* the Dickens !
carcajada burst of laughter; **reírse a —s** to guffaw
cárcel *f.* jail
carecer (de) to lack
cargado, -a loaded; laden
cargar to load; **— con** to load, carry (on one's shoulders)
caricia caress
caridad *f.* charity
cariñoso, -a affectionate
carmín *m.* crimson
carnal carnal; blood
carne *f.* flesh
carnicero butcher
carpa *S. A.* tent
carrera run, race, pace
carretera road

carrilano *S. A.* member of track gang
carruaje *m.* wagon, carriage
carta letter; card; **doy** — I deal
cartucho cartridge; shell
carúncula caruncle (*a fleshy excrescence at the base of a bird's beak, as for example, the wattles and comb*)
casa house, home; firm
casado, –a married
casar(se) con to get married
cascabel *m.* bell
cascada cascade, waterfall
caserío farmhouse, country house
casero, –a homey, household
caserón *m.* large house; old mansion
casi almost, nearly
caso case, matter, situation, instance; **hacer** — to pay attention; **en** — **de (que)** in case
casorio marriage
¡ cáspita ! the devil !
castaña chestnut
castaño, –a chestnut brown; *n. m.* chestnut wood
castellano, –a *n.* & *adj.* Spanish, Castilian
castigar to punish, bear down on; to lash
castigo punishment
casual (by) chance; **como** — as accidental
casualidad *f.* chance; **por** — by chance
catástrofe *f.* catastrophe
cátedra professorial chair; class
catedrático, –a professor; **todo un señor** — a full fledged professor
cauce *m.* river bottom, bed
caudal *m.* wealth, large sum of money
causa cause; **conocimiento de** — knowledge whereof to speak; **a** — **de** because of
causar to cause
cautelosamente sneaking up, cautiously
cavar to dig
cavilar to think, meditate
cayado walking-stick; shepherd's crook
caza hunting, hunt; **de** — out on a hunt, a'hunting; — **de pelo** hairy game: *rabbits, etc.*
cazador *m.* hunter
cazar to hunt, catch, bag
cebar to steep (*tea or " mate "*)
ceder to yield, give in, give up, cede
cegar (ie) to blind
ceibo *a South American tree*
ceja eyebrow
cejijunto, –a frowning
celebrar to celebrate
celeste celestial
celos *m. pl.* jealousy; **tener** — to be jealous
celoso, –a jealous
céltico, –a Celtic
cena supper
cenar to have supper
ceniciento, –a ash-colored, gray
ceniza ashes
centavo cent
centellear to glitter, sparkle
centelleo flash, reflection
centenar *m.* hundred
centímetro centimeter; **50 —s de pecho** 50 centimeters around the chest
centinela *m.* & *f.* sentry, sentinel
centro club, center
ceñido, –a in a holster; in one's belt; clasped, held fast

ceñir (i) to hold fast, clasp, gird, embrace
cera wax
cerca (de) near; *n. f.* fence
cercanía neighborhood, proximity
cercano, -a nearby
cerco siege
cerdear to hang back
cerebro mind
ceremonia ceremony
cerrar (ie) to close, shut; — noche for night to fall
cervatillo small deer
cesar to cease; — de to cease, stop
césped *m.* turf, grass
cetro scepter
cíclope giant (*See note page* 166)
ciego, -a blind
cielo sky
ciencia science; a — cierta for certain
científico, -a scientific
ciento, -a (cien *before a noun*) a hundred
cierre *m.* act and mode of locking, closing
cierto, -a (a) certain; por cierto to be sure, certainly; cierta tarde on a certain afternoon; lo cierto es que the certain thing is that
cigarra harvest-fly, cicada
cigarrillo cigarette
cigarro cigar, cigarette
cimbreador, -a graceful, lithe
cincel *m.* chisel
cinegético, -a hunting, pertaining to the hunt
cinto girdle, belt
cintura belt, waist
cinturón *m.* belt; — de corcho cork life-belt
circulante circulating
círculo circle

circundado, -a encircled
circunflejo oblique, circumflex
circunstante *m.* bystander
ciudad *f.* city
ciudadano, -a citizen
civil civil; los —es Civil Guards
civilizado, -a civilized
clamar to clamour, call, shout
claridad light, clarity, clearness
clarín *m.* bugle, trumpet
clarísimo, -a very clear
claro, -a bright, neat, clear, innocent; *interj.* claro of course, naturally; es *or* está claro of course
clase *f.* class, kind, sort
clásico, -a classic
claustro hall, cloister; closed meeting, conference, examination
clavado, -a fixed on
clavarse to get set, fix
clavo nail
clemencia mercy
cloruro chloride
coautor co-author
cobarde coward; unos —s a bunch of cowards
cobertor *m.* heavy covering material
cobijado, -a protected, set off by itself
cobrar to collect, take on
cobre *m.* copper
cobrizo copper-colored
cocer (ue) to cook, bake
cocina kitchen; kitchen-stove
coche *m.* coach, stagecoach; automobile; car
cochorro *coll.* beetle
codo elbow; — con — elbows together, elbow to elbow
coger to take, catch, pick up; dejarse — to let oneself be caught
cogotudo, -a untamed

VOCABULARY

cohete *m.* rocket
coincidencia coincidence; **dió la —** it happened
cola tail
colchón *m.* mattress
colectivo, -a collective
cólera anger
colgar (ue) to hang (up)
colina hill
colmar to crown (*metaphorically*), to cap the climax
colmo the last straw; crowning, completion
colocar to place
colorado, -a red, red-faced, ruddy
colorear to grow red
Colt *a Colt pistol*
columbino, -a white, dove colored
columbrar to espy, descry, get a glimpse of
columna column
¿cóm? (¿cómo?) how?
comadre *f.* a gossip, a tale-bearer
comandante *m.* commandant
combado, -a curved
combate *m.* combat
comedia comedy, play
comedor *m.* dining room
comensal *m. & f.* table companion
comentar to comment (on)
comentario comment, remark
comenzar (ie) (a) to begin (to)
comer to eat; **—se** to chew at, chew up
comerciar to deal in
cometer to commit
comida meal, fare
comisaría police station
comisario deputy
como how, like, since, as; **— que** as if; **— si** as if; **— pesado** as for being unbearable; **— por encanto** as if by charm

¿cómo? why? how?; **¿ — que...?** what do you mean...?
cómoda bureau, chest of drawers
cómodo, -a comfortable
compadre *m.* friend
compañero, -a companion
compañía company
comparar to compare
completo, -a complete; **por —o** completely
complexión *f.* constitution
complicado, -a ornate, complicated
comprar to buy
comprender(se) to understand
comunicar to inform, communicate
con with, in; **— que... so...**
conceder to concede, grant, do
concentrar to concentrate
concepto concept, opinion
concertarse (ie) to work together
conciencia conscience
concluir to conclude; **— con** to put an end to
concretado, -a clear, clear-cut
concreto, -a concrete
concurrir to gather
concurso gathering
condenada miserable wretch, rascal
condenar to condemn
condición *f.* manner, condition; **—es** nature
conducir to lead, draw
conducta conduct
confesar (ie) to confess
confesión *f.* confession
confiado, -a trusting in, confiding in
confianza confidence
confiar to entrust
confundir to confuse
confusión *f.* confusion
congojoso, -a distressing
conjunto ensemble

conmigo with me
conmover (ue) to stir, touch deeply
conmovido, –a deeply touched
conocer to know, meet; **se le conocía** he was known (to have)
conocido, –a *n.* acquaintance; *adj.* familiar, known
conocimiento knowledge, realization, accomplishment; **— de causa** knowledge whereof to speak
conque so, so then
conquista conquest
conquistar to conquer, earn
consagrar to dedicate, consecrate; to give the reputation of being
consciente conscious
consecuencia; en — consequently
conseguir (i) to secure, attain, succeed in
conservación *f.* preservation; self-preservation
conservador, –a conservative
conservar to keep
considerar to consider
consignataria; casa — firm to which the ship was consigned
consistir en to consist of
consternado, –a struck with consternation
constituir to constitute
construcción *f.* construction
construir to construct, make, build
consuelo consolation; **sin —** inconsolably
consultar to consult
consumado, –a accomplished, definite
consumir to consume; **a medio —** half consumed
contacto contact
contar (ue) to count, tell; **— con** to count on

contemplación *f.* contemplation
contemplar to contemplate, consider, look at, think of
contenerse to restrain oneself
contenido, –a restrained; *n. m.* contents
contentarse (con) to be content to
contento, –a content, satisfied; **de —** with contentment
contestar to answer
contienda fight, contest
contiguo, –a nearby
continuar to continue
continuo, –a prolonged, uninterrupted, continuous; **de continuo** constantly
contoneo strut
contra against; **en —** against it
contradecir (i) to contradict
contrastar to contrast
contraste *m.* contrast
contratar to hire
convencerse (de que) to be convinced (that)
conveniencia advisability, agreement, conformity
convenir to be advisable, convenient, suit; to agree; **— en** to agree about (on)
conversación *f.* conversation
conversar to converse
convicción *f.* conviction
convidar to invite
convoy *m.* railway train
copa crest, top, tree-top; cup
copioso, –a thick
copla couplet
copo flake
copudo, –a thick-topped
coqueta coquette, flirt; **— como nunca** flirting more than ever
coquetear to flirt
corazón *m.* heart

corcovo curvet, made by a horse on the point of leaping
corcho cork; cork-like
cordero lamb
cordillera mountains, range, sierra
coreado, -a accompanied in chorus
coro chorus
corola petals; corolla
corona wreath, crown
coronación *f.* coronation
coronar to place a wreath on one's head; to crown, wear a crown, cover; **—se** to crown oneself
coronel *m.* colonel
corporal physical
corral *m.* corral, inclosure, yard
correctivo; imponer — to teach how to behave, teach a lesson to
corredor *m.* corridor
correligionario *m.* colleague, comrade, fellow-believer, companion in arms
correr to run, travel over; to flow; to blow; **—se** to move over; **— la voz** to spread the rumor; **— la boquilla** (*S. A.*) to spread the story
correría trip; raid; search
corrido; de — without any trouble at all, right off
corriente *n. f.* current; *adj.* flowing
corro circle; **hacer —a** to surround
cortante sharp, cutting
cortaplumas *m.* knife
cortar to cut, cut across
corte *f.* court
cortés courteous
corteza crust
cortina curtain, drapery
corto, -a short, restricted, limited
cosa think; **gran —** greatly, much
coscorrón *m.* bump, blow on the head
coser to sew

costa coast; bank of a river
costado side
costar (ue) to cost
costear to bear the expense of; to go along the edge of
costilla rib
costumbre *f.* custom, habit; **que de —** than customarily
creación *f.* creation
crecer to grow, increase
creciente growing, increasing
credo prayer
creer to believe; **¡ya lo creo!** I should say so! Of course!
cremallera funicula; toothed bar, ratch, cog
crepuscular *adj.* evening
crepúsculo daybreak, twilight
cresta cock's comb; **agitar la —** to swagger about, strut
criado, -a servant
criatura child
crimen *m.* crime
criminal *adj. & n.* criminal
crispar to clench, contract
cristal crystal; **de —** sharp, crystalline
cristalino, -a crystalline, pure
cristiano, -a Christian
Cristo Christ; (*as exclam.*) goodness! Good Lord!
crítica criticism
criticar to criticize
cromo chromium; **al — níquel** of chromium nickel (chrome-nickel)
crucifijo crucifix
crujido crash
crujir to crackle
cruz *f.* cross, crucifix
cruzar to cross; **—se con** to meet
cuadra stable
cuadrilla gang; **— carrilana** track gang

cuadro picture; **a —s** checkered
cuadruple quadruple
cuajar to stick (in one's throat)
cual which; **el** *or* **la —** who, which; **lo —** *neut.* which; **— si** as if; **cada —** each one; **tal —** just as; **tal o —** this or that
¿ cuál? ¡ cuál! which? what!
cualidad *f.* quality
cualquier(a) [*pl.* **cualesquier(a)**] whatever, any; **cualquiera** anyone; **en — lado** anywhere; **de — modo (manera)** anyway, at any rate
cuan (*from* **cuanto**); **yacía — largo era** was lying flat
cuando when; **de — en —** from time to time
cuanto, -a as much (many) as, all that; **unos —os** a few; **en cuanto a** in regard to; **en —** as soon as; **— más ... tanto más** the more ... the more
¿ cuánto, -a? how much; *pl.* how many
cuarta span of the hand, eight inches
cuartel *m.* barracks
cuarto fourth; room
cubeta keg, cask, pail
cubierta deck
cubierto, -a (de) covered (with)
cubil *m.* den
cubrir to cover; **—se** to be covered, cover oneself
cucurbitáceo, -a gourd-shaped
cucurrucú *coll.* crowing (*a sound a boy might make in order to assert his superior strength*)
cuchichear to whisper
cuchicheo whisper, whispering
cuchillo knife
cuello neck; collar

cuenta bead; account; **tomar en — to** consider; **darse — to** realize
cuento story
cuerda rope, cord
cuerdo, -a sensible
cuerno horn
cuero hide, leather, skin
cuerpo body; main body of troops
cuervo crow
cuesta slope, hill; **en — arriba** uphill; painfully
cuestión *f.* dispute, matter, question
cueva grave; **con los pies para la —** with one foot in the grave
Cuevas; Las — *town in Argentina near the Chilean border*
cuidado care; **¡ —!** be careful; **tener — to** be careful; **no tenga — don't** worry
cuidar (de) to take care of
cuitado, -a wretched; *n.* wretched fellow
culata butt
culetazo blow with the butt of a gun; **a —s** with blows of a gun butt
culpa blame; **tener la — to** be blamed for; **echar la — to** blame
cultivar to cultivate
cultura culture
cumbre *f.* peak
cumplir to fulfill, complete
cuna cradle
cuñado, -a brother-in-law; sister-in-law
cura *m.* priest; **día del —** marriage day; *f.* cure
curación *f.* cure
curativo, -a curative
curato parish

curiosidad *f.* curiosity
curioso, -a curious, strange
curso course
curtido, -a weather-beaten, tanned
curva curve
curvo, -a curved, folded
custodio guardian; **el Ángel Custodio** the Guardian Angel, Michael
cuyo, -a whose; in which (*not used in an interrogative sense*)

Ch

chacota; tomar a — to take as a joke
chacotón, -a of a boisterous humor
chaise-longue (*French*) reclining chair
chaleco vest
champagne (*French;* **champaña**) champagne
chamuscar(se) to burn, scorch
chamusquina fire, scorching, toasting
chanza joke; **en —** as a joke; **sufrir —s** endure jokes
chapar; ¡ **chápale**! jump on him!; **hacer " chápale "** to set on, sick on, goad on
chapeo *coll.* hat
chaqué *m.* " Prince Albert " coat
chaqueta *f.* jacket, coat
chaquetón *m.* jacket
charla chat, chatter, prattle
chasqueado, -a disappointed, fooled
chasquear to resound; to snap the whip
chaval boy
chico, -a boy, girl; small; *pl.* children
chicuelo, -a a child
chileno, -a Chilean
chillar to shriek, shout, scream; ¡ **a ti también si chillas!** I'll whip you too if you yell!
chimango *S. A.* horse, nag; *a kind of vulture common in Chile and Peru*
chinería Chinese curio
chinesco, -a Chinese
chino, -a Chinese; *n. m.* Chinese language
chiquilla darling
chiquillería childish exploit
chiquillo, -a small child, small boy or girl
chiquitillo, -a small, tiny
chiquito, -a a child; *m.* son
chirrido creaking
chispa spark
chisporroteo shower of sparks
chocar (con, contra) to collide, bump into, bump against
chocolate *m.* chocolate
Chopin *French-Polish composer for the piano;* **toca de —** she is playing something of Chopin
chorua *Basque* kind of single white rose
chorro spray, stream
chuchería bauble, toy

D

dado, -a (*past part. of* **dar**) given; taking into consideration; considering; granting; in view of
daga dagger
damajuana jug, demijohn
danza dance
danzar to dance
danzarina dancer
daño harm, hurt; **hacer — (a)** to hurt, harm, do damage to
dar to give; **— la hora** to strike

the hour; — **vivas a** to cheer for; — **vuelta** to turn (go) around; **dió la coincidencia de que** it happened that; — **un paso** to take a step; — **fin (a)** to put the finishing touches on; — **palmaditas** to slap; — **tumbos** to tumble along; — **un suspiro** to heave a sigh; — **lo mismo** to be all the same; — **le a uno** to hit someone; —**se cuenta de** to realize; — **aviso** to inform
dato fact, datum, information
de of, from; with; on; as; for
debajo (de) underneath
deber *m.* duty
deber should, ought, must (*as an auxiliary verb*); to owe; to be due; **debían ser ejecutados** were to be executed
debido, -a (a) due (to); — **a que** due to the fact that
débil weak
debilidad *f.* weakness
decadencia decadence; degeneration
decepción *f.* (pang of) disappointment
decidido, -a resolute, determined
decidir to decide; —**se a** to decide to, make up one's mind
decir (i) to say, tell; *n. m.* word
declaración *f.* declaration
declarar to declare
decorado, -a decorated, adorned
decorativo, -a for amusement, for entertainment
decoro respect, decorum
decoroso, -a decent
decrepitud *f.* old age
dedicar to dedicate; —**se** to dedicate oneself; to stick to; to give oneself (to)

dedo finger
defecto defect
defender (ie) to defend
defensa defense
defensor *m.* defender
definido, -a definite
definitivo, -a utter, definite, definitive
deforme hideous, deformed
degollar to decapitate
dejadez *f.* lassitude
dejar to let, allow, leave, let alone; — **de** to stop, fail; — **caer** to drop, let fall; ¡**déjale quieto!** leave him alone!; —**se llevar** to let oneself be carried along with or away with; **dejándose encontrar** letting oneself be found; — **ver** to expose; — **en blanco** to pass by, leave unoccupied
dejo suggestion
¡**dejuro!** *S. A. for* **de juro,** positively
del (de + el) of the, about the, from the
delante de in front of
deleitable delightful
deletrear to spell
delgado, -a thin
deliberación *f.* deliberation, session, discussion
delicado, -a delicate
delicia delight
delicioso, -a delightful, charming
delito crime
demás other(s); **los** *or* **las** — the rest, the others; **lo** — the rest (of it), the others
demasiado *adv.* too (much); violently
demasiado, -a too much; *pl.* too many
democracia democracy

demonio devil; ¡ **Ay, —!** Oh, the devil!
demora delay
demostrar (ue) to show, seem
demudado, -a suddenly changed in color; pale
denigrante degrading
denso, -a dense, utter, complete
dentado, -a full of teeth
dentro inside; **— de** inside of, within
denuesto insult
deparar to offer
deporte *m.* sport
depositar to deposit, have
derecho, -a right, straight; **a la —a** to the right
derecho law; right; **— usual** common law; **tener —** a to have a right to; **hechos y —s** full grown
deriva; a la — adrift
derivar to drift; to derive
derramar to pour, spill, empty
derredor; en — (all) around
derribar to knock down, knock over; **— el chapeo** *coll.* to doff one's hat
desafiar to challenge
desagradable disagreeable, unpleasant
desagradecido, -a ungrateful, self-centered; *n. m. & f.* ungrateful wretch, scoundrel
desagrado displeasure
desalentado, -a discouraged, disheartened
desalojar to dislodge
desaparecer to disappear
desaparición *f.* disappearance
desarrollar(se) to develop, unfold
desastre *m.* destruction, ruin
desatarse to break loose
desbordar overflow

descansar(se) to rest
descanso rest
descarado, -a impudent, petulant, pert
descarga shot, volley (of bullets)
descargado, -a discharged
descargar to unload, let fly, discharge
descender (ie) to descend, go down, step down
descolgado, -a dislodged
descolgar (ue) to unfasten; to dislodge; **—se** to drop in, appear unexpectedly
desconfiado, -a suspicious
desconfiar (de) to distrust
desconocido, -a unknown; *n. m. & f.* stranger
describir to describe
descubierta; a la — in the open; openly, clearly
descubridor *m.* discoverer
descubrir to discover, expose, uncover; **—se** to take one's hat off
descuento deduction, discount
descuidado, -a neglected
descuidar to neglect, become careless, not to worry
descuido carelessness, negligence
desde since, from; **— luego** of course; **— que** from the time that; **— pequeño** from an early age; **— niños** from the time they were children
desdén *m.* scorn
desdeñar to disdain
desdeñoso, -a disdainful
desdicha ill-luck, calamity, misery, misfortune
desdichado, -a unfortunate, unhappy
desdicharse to bewail (one's fate)
desear to desire, want, wish

desembocar to come down, come out of
desenfreno rowdiness
desensillar to unsaddle
desentonado, –a discordant, harsh
deseo desire
desesperación *f.* desperation, despair
desesperanza despair, feeling of futility
desesperar to become desperate, despair
desestero act or season of taking the mats off the floor
desfalleciente faint
desfiladero defile, pass
desfilar to file off
desfondado, –a with the bottom out
desgracia misfortune, catastrophe
desgraciado, –a unfortunate, wretched
deshilacharse to unravel, break up
desierto, –a deserted
designar to appoint; to designate
desigual broken, uneven
desilusión *f.* pang of disappointment
desinteresado, –a disinterested
deslizar(se) to slip, slip along, slip down, slip over, slide; to glide
deslumbrar to dazzle
desmanear to unfetter
desmantelado, –a dismantled
desmayo faintness, lowering of strength
desmedrado, –a sparse, thin
desmelenado, –a dishevelled
desmontar to dismount
desnudar to draw (a gun); —se to undress; to bare oneself
desnudo, –a nude, bare
desoír to reject, not to heed, be heedless of

desorden *m.* disorder
desordenado, –a irregular
despacio slowly, slow
despacho office
desparpajo pertness, impunity, brazenness
despavorido, –a terror-stricken
despectivo, –a contemptuous
despedazar to break to pieces
despedir (i) to give off, bid farewell, see off; to leave; —se de to take leave of, say goodbye to
desperfecto damage
despertar(se) (ie) to wake up; el — the awakening; **despierta a Chopin** plays Chopin, evokes Chopin
despierto, –a awake
desplante *m.* (own) idea; injudicious action or speech
desplegar (ie) to open, unfold
desplomarse to tumble down
despoblar (ue) to depopulate, deplete
despojar to despoil; —se de to take off
despojos *m. pl.* (the) remains
despreciable despicable
desprecio disregard; scorn
desprovisto, –a without, lacking
después after, afterwards, later; — de after
desquite *m.* revenge, getting even
destacarse to stand out, drop out, draw out
destejer unweave, ravel
destellar to flash; *m.* flashing
destemplado, –a high-pitched, off-key
desteñido, –a gray, dismal
destinado, –a destined
destino destiny
destreza skill
destripado, –a gutted

destrozo havoc, destruction
desusado, -a (hitherto) unaccustomed
desvanecer(se) to vanish, disappear, fade away
detalle *m.* detail
detener to stop, arrest; — **en seco** to stop flat; —**se** to stop; to be suspended, lie in wait
determinar to determine, decide; —**se en** *or* **a** to decide to
detonación *f.* noise, shot, report of a gun
detonante with a loud noise
detrás (de) behind
devolver (ue) to return
devorar to devour
día day; — **de fiesta** holiday, fiesta day; **de** — by day, during the day; — **de labor** work day; — **por** — day by (after) day; **al otro** — the next day
diablo devil; ¡ —**s**! the devil!
diablura devilish trick
diáfano, -a clear, diaphanous, bright
diamantear to glisten, gleam, sparkle
¡ **diantres**! the devil!
diario daily newspaper
dibujo design; — **de escayola** sketching, modeling
díceres *m. pl. S.A.* news
dicha happiness
dicho, -a said
dichoso, -a happy
diente *m.* tooth
diestro, -a skilful
diferencia difference
diferenciar(se) to differ, differentiate
diferir to differ, defer, delay
difícil difficult

dificultad *f.* difficulty
dificultosamente with difficulty, laboriously, slowly
digestivo, -a digestive
digital *f.* foxglove, digitalis
dignarse to deign to
dignidad *f.* dignity
digno, -a worthy, deserving
dije *m.* trinket, jewel
dilación *f.* delay
diligencia stage-coach
diligente diligent, diligently
diluirse to fade away, be absorbed, be blotted out
diminutivo diminutive, term of endearment
dinamita dynamite
dinero money
Dios God; **a la buena de** — at random; ¡ **por** —! goodness!
diosa goddess
diptongo diphthong
diputado deputy
dirección *f.* direction; address; **en (con)** — **de** in the direction of
director editor, principal, director
dirigir to direct; —**se a** to go toward; to address
discípulo pupil, student, disciple
discretamente unpretentiously, discreetly
discretísimo, -a very discreet
discreto, -a discreet
disculpar to excuse
discurso speech
disgustar to displease
disgusto displeasure, unpleasantness, disgust
disimular to hide, conceal
dislocar to snap, dislocate
disminuir to diminish
disolverse (ue) to break up
disparar to shoot

disparo discharge, shot, volley
displicencia discontent, desolation
disponer (ue, u) to dispose; —**se a** to get ready to
disposición *f.* disposal
dispuesto, -a (a) ready to, disposed to
disputar to dispute, fight over
distancia distance
distinguido, -a distinguished
distinguir to distinguish
distinto, -a different, distinct
distracción *f.* distraction
distraer to distract
distraídamente distractedly, nonchalantly
distraído, -a nonchalant; **hacerse el —o** to try to appear nonchalant
distribución *f.* distribution
distrito district
disuadir to dissuade
diurno, -a appearing only in the day
divergencia disagreement, difference of opinion
diversión *f.* amusement, diversion
diversos, -as several, several kinds of
divertido, -a enjoyable, amusing, funny
divertir (ie, i) to amuse; —**se** to enjoy oneself, have a good time
dividir to divide
divino, -a divine, holy
doblar to turn
doble double
doblegarse to give in, give way to
docena dozen
docto, -a well informed, learned
documento document
dolencia ache, disease
doler (ue) to hurt, pain, ache
doliente filled with pain, painful

dolor *m.* pain, grief, sorrow; shame
dolorido, -a bruised
doloroso, -a painful, sorrowful
doma breaking and training of a horse
domador *m.* trainer, bronco-buster; master
domar to control, break in, tame, train, dominate
dominador, -a dominating
dominar to dominate, overcome, drown out; to whip
don *title used before the Christian name*
donaire *m.* charm, elegance
donde where, in which, about which, in regard to which; **en —** in which, where; **por —** because of which; **de —** from which; **— quiera** wherever, everywhere
¿ **dónde** ? where ? ¿ **a —** ? where to ? ¿ **de —** ? where from ? whence ?
dondequiera wherever, everywhere
dorado gilding; the gold covered section
dorado, -a golden, sunny, gilded
dorar to gild; —**se** to grow golden
dormido, -a drowsy, asleep, lulled to sleep
dormir (ue, u) to sleep; —**se** to fall asleep, go asleep
dormitar to drowse
dorsal back; **espina —** spinal column
dos two; **de — en —** in pairs
doscientos, -as two hundred
dosel *m.* canopy
dragón *m.* dragon
duda doubt
duelista *m.* duelist
duelo duel, struggle
dueño, -a *n. m. & f.* owner; **dueño de la palabra** master of his words

dulce *adj.* soft, sweet, easy, warm; *n. m.* sweet, piece of candy
dulcemente softly, sweetly
dulzura mellifluousness, purring sweetness, pleasure, sweetness, softness
durante during, for
durar to last
dureza hardness
durísimo, -a very hard
durmiente *n. m.* railroad cross-tie; *adj.* sleeping
duro, -a hard, stern
duro dollar

E

e (y) and (*used before words beginning with sound of "i"*)
ébano ebony
ebrio, -a drunk
eco echo
echar to pour, throw; — a to begin to; — abajo to overthrow; — una ojeada (a) to glance at; —se a to take to; to draw up to, point at; — a to begin, drive into; — a perder to ruin, spoil; — a un lado to push aside; — de ver to notice; — humo to blow smoke from one's mouth
edad *f.* age
edredón *m.* feather-pillow (eiderdown)
educación *f.* education
educar to educate
efectivamente in fact
efecto effect; en — in fact, indeed
efectuar to effect, carry out
eficaz efficient
efluvio exhalation, emanation, aroma, air
egipcio, -a Egyptian

egoísmo egoism
ejecución *f.* execution
ejecutar to execute, carry out
ejecutor *m.* (kind of) man
ejemplar exemplary, letter-perfect
ejemplo example; por — for example
ejercer to practice, exercise
ejercicio exercise
el (la, los, las) *def. art.* the
él (ella, ellos, ellas) *pers. pron.* he (she, they); it; him; them
elasticidad *f.* softness, elasticity
elección *f.* election
eléctrico, -a electric
elegancia elegance, grace
elegir (i) to choose, elect
elevarse to float, rise
elogio eulogy, praise
ella; ellas she, it, her; they, them
ello it; — es que the fact is that
ellos (ellas) they; them
embadurnar to smear
embarcarse to embark
embargar to overwhelm, seize
embargo; sin — however, nevertheless
embarrado, -a smeared with mud
embelesado, -a fascinated, enraptured
embestida attack, assault
embiste attack, blow
emboscado, -a in ambush
embriagado, -a intoxicated, fascinated, overwhelmed
embrutecer to coarsen, make stupid, roughen
emergir to burst forth in
emigrante *adj. & n.* emigrant
emigrar to emigrate
emisario emissary, messenger
emoción *f.* emotion
emocionado, -a deeply moved, filled with emotion

empapado, -a soaked, drenched
empellón m. shove
empeñarse (en) to insist (on)
emperatriz f. empress
empero but, notwithstanding
empezar (ie) (a) to begin (to)
empleado, -a employee, workman
emplear to use, employ
empleo job, position
empolvado, -a covered with dust
empotrado, -a embedded
emprender to start (on), undertake
empujar to shove, push
empujón m. push; a —es y lonjazos by pushing and clubbing
empujoncito little push
empuñado, -a to have in one's hand
empuñadura hilt
empuñar to grab, seize
en in, on, at, to
enagua skirt, petticoat
enaltecedor, -a uplifting
enamorado, -a lover; — de in love with
enamorar to make fall in love; to make love; —se de to fall in love with
enano dwarf
enarbolar to brandish
enardecido, -a inflamed, aroused
encabritarse to rear up, lift itself up on its stern
encaje m. lace, lace-work, inlaid-work
encajonar to shut in
encaminarse to walk; — a to go to, head for
encantador, -a charming
encantar to charm, fascinate
encanto charm; como por — as if by charm
encaramarse to climb up on, perch on

encararse con to face
encargar to encharge with; —se de to take charge of
encargo job, commission
encariñamiento fondness, liking
encender (ie) to light
encendido, -a of fire, glowing, burning; —s canas glowing gray
encerrar (ie) to enclose
encima (de) above, on top, to boot; quedar — to come out on top; por — de over the top of; caer — to fall on top of
encogerse to shake oneself; — de hombros to shrug one's shoulders
encomendarse (ie) to commend oneself
encontrar (ue) to find; meet; —se to meet; to find oneself; to feel; to be; —se con to meet
encontronazo collision; darse —s to jostle each other
encorvado, -a curved
encuentro encounter
enderezado, -a aimed at; leading to
enderezar to straighten, lift up; —se to raise one's hand against, straighten
endulzar to soften, sweeten
enea wicker
enemigo, -a enemy
energía energy
enérgico, -a energetic
energúmeno a person possessed; violent, impulsive person
enfermedad f. disease
enfermo, -a sick, diseased
enfriarse to grow cold
enfundado, -a covered (with patent-leather)
engalanado, -a dressed up; — como nunca dressed fit to kill

VOCABULARY   Eng–Env

engañar to deceive; —se to be deceived, fooled
engaño deception, ruse
engaste *m.* setting
engreído, –a vain, conceited
engrosar (ue) to swell, enlarge; to thicken, expand
enhorquetado, –a in the saddle
enigmático, –a enigmatic
enjambre *m.* swarm
enjaular to encage
enjugarse to dry, wipe
enjuto, –a lean
enlazar to rope, bind
enloquecido, –a in a frenzy
enojarse (de) to get angry (at)
enojo annoyance, anger; **con gran — de** much to the annoyance (anger) of
enorme enormous
enrarecido, –a rarefied, thinned
enredado, –a entwined, tangled, complex
enrevesado, –a difficult, involved
enriquecer to enrich; —se to get rich
enrojecer(se) to redden, blush
ensalzar to praise, glorify
ensangrentado, –a bloody, covered with blood
enseñanza education; **Colegio de Segunda —** Junior College, High School
enseñar to teach, show
ensillar to saddle
ensoberbecerse to become rowdy
ensueño dream, illusion
enteco, –a weak, sickly
entender (ie) to understand
entenebrecido, –a darkened, dark, somber
enterar to inform; —se (de) to find out (about), inform oneself (of)
entereza firmness; **con serena —** with firmness and complete presence of mind
enternecerse to grow (become) tender, be stirred
enternecimiento softening, pity, tenderness, compassion
entero, –a entire, whole; **el ser —** one's entire being
entintado, –a smeared with ink
entonación *f.* tone, voice
entonces then; **en aquel —** at that time, in that case
entrada entrance; **dar — a** to let in, admit
entrañas *f. pl.* innermost recesses, heart, soul; **hijos de mis —s** my dear children
entrar to enter (+ **en** or **a** *when followed by a noun*)
entre between, among; **— tanto** in the meantime, meanwhile; **por —** in among (through)
entreabierto, –a ajar
entreabrir to open halfway
entrecortado, –a broken (of words)
entrecortar to cut into
entregado, –a submissive; **— (a)** busy in, buried in
entregar to hand over; to yield; —se a to resort to
entrelazado, –a clasped, close together
entretanto in the meantime
entretener to keep in practice; to entertain
entrevista interview
entristecer to sadden
entusiasmarse to become enthusiastic
entusiasmo enthusiasm
entusiasta enthusiastic
envanecerse (de) to be vain *or* proud about; to boast

envejecerse to grow old; **envejecido en diez años** grown ten years older
enviar to send
envidia envy; **dar —** to cause envy, make feel envious; **poner —** to feel envy
envolver(ue) to envelop, wrap, involve
envuelto, -a wrapped up, covered
epicantus epicanthus (*Prolongation of the fold of skin over the angles of the eye, common in Mongolians.*)
épico, -a epic
episodio episode
época epoch, season, time
equilibrar to balance
equilibrio equilibrium, sense of balance *or* perspective; **juegos de —** juggling
equivocación *f.* mistake
equivocarse to make a mistake, be mistaken
era *f.* threshing-floor
erguido, -a erect
erguir to straighten, raise up
ermita hermitage
ésa (*see* **ése**); *coll.* **en una de —s** in one of his gagging attacks
esbelto, -a slender, graceful
esbozar to let play (*a smile*); to sketch
escala scale
escalera stairway, stairs, steps
escalofrío shudder, shuddering attack
escandalizarse to be scandalized
escándalo scandal
escandaloso, -a scandalous; **algo de —o** an element of the scandalous
escaño bench
escapar to flow, escape; **—se** to escape; **— a** to escape from; **se le escapa** escapes (from him, her)
escapatoria escape, get-away
escape *m.* escape; **a —** as quickly as possible
escaramuza skirmish
escarnio jeer
escasez *f.* scarcity, limitation
escayola; dibujo de — sketching, modeling
esclavo, -a slave
escoger to choose
escolar student
escoltar to escort, accompany; to aid
esconder to hide
escondrijo hiding place
escopeta shotgun
escotilla hatchway
escribir to write
escritor *m.* writer
escritorio desk
escrúpulo scruple
escuchar to listen
escudero squire, attendant
escudriñar to strain one's eyes, stare
escuela school
escultor *m.* sculptor
ese, esa (*pl.* **esos, esas**) that, that of yours; those
ése, ésa (*pl.* **ésos, ésas**) that, that one, that one of yours; those
esfinge *m.* & *f.* sphinx
esforzarse (**ue**) (**en**) to make a strong effort to
esfuerzo effort
esmalte *m.* enamel
eso *neut.* that; **por —** on that account, therefore, consequently; **a — de** at about (*time*)
espacio space
espacioso, -a spacious
espada sword

espalda shoulder, back; **de —s** with back turned; **recorrerle la —** to run up and down one's spine; **por la —** to his back, from behind
espantar to frighten
espantoso, –a terrifying, frightful
España Spain
español, –a *adj.* Spanish; *n.* Spaniard, Spanish woman
espartillo esparto-grass
espátula palette knife
especial special
especialidad *f.* specialty
especialista *adj. & n.* specialist
especie *f.* kind, species, news, rumor
espectáculo spectacle
espectativa *see* **expectativa**
espectro spectre, ghost
espejo mirror
espensas (expensas) expense
espera waiting, wait; **a la —** lying in wait
esperanza hope
esperar to wait, hope, expect, hope for; **— a que** to wait until
espesura thicket
espiga ear (of grain)
espina thorn; spine; **— dorsal** spinal column
espino thorn bush, hawthorn
espiral *m.* coil
espíritu *m.* spirit; **Espíritu Santo** Holy Ghost
espléndido, –a splendid
esplendor *m.* splendor; height
esponjarse to soak in, imbibe; to glow
esponsales *m. pl.* wedding betrothal, engagement; **marcha de —** wedding march
espuela spur
espuma foam
espumar to sweat, foam

esqueletoso, –a skeletal
esta, estas this, these
ésta, éstas this one, these; the latter; she, they
establecer to establish
establecimiento establishment
establo stable
estación *f.* season; station
estado state
estallar to burst, come to pieces
estallido report, sound
estampar to affix, stamp, impress
estampido report of a gun, shot
estancia ranch, farm; room
estanciero rancher
estanque *m.* basin, pool
estante *m.* shelf, bookcase
estar to be, to look, to seem; **— para** to be about to; **—·de +** *noun* to be a **—**; to exercise the profession of a **—**; **— de vuelta** to be back
estatua statue; **1.65 de —** 1 meter and 65 centimeters tall (5 ft. 6 in.)
estatura stature
este, estos this, these
éste, éstos this one, these; the latter; he, they
estelar starry, stellar
estéril sterile, barren
estertor *m.* shudder
estilo style
estima esteem
estimar to think highly of, esteem
estío summer
estirar(se) to stretch out, straighten out
estival *adj.* summer
esto *neut.* this; **en —** at this point; **— de** this matter of; **a todo —** while all this was going on
estoico, –a stoic

estómago stomach
estornudar to sneeze
estornudo sneeze
estrado dais, (lecture) platform
estratagema stratagem
estrechar to clasp
estrechez *f.* smallness
estrecho, –a narrow; *n. m.* straits; Estrecho de Magallanes Straits of Magellan
estrella star
estrellar to dash to pieces, shatter
estremecer to shake, make tremble *or* shudder; to break; —se to shudder, tremble
estremecimiento trembling, shudder
estría fluting, filament, tiny bands
estrictamente strictly
estrofa couplet
estruendo turmoil, din, clamor
estuche *m.* jewel-case
estudiante *m.* student
estudiar to study
estupefacción *f.* stupefaction, amazement
estupefacto, –a stupefied, amazed
estupendo, –a stupendous, stunning, huge
estupor *m.* stupor
eterno, –a eternal, perpetual
Europa Europe
europeo, –a European
evitar to avoid
exacerbación *f.* exacerbation, paroxysm
exactitud *f.* accuracy, exactitude
exacto, –a exact, punctual, heedful
exagerado, –a exaggerated
exaltación *f.* exaltation
examen *m.* examination

examinar to examine; —se to take an examination
exasperado, –a exasperated
exceso excess
excitar to excite; —se to become excited, upset, agitated
exclamar to exclaim
exclusivamente exclusively
exclusivo, –a exclusive
excomulgar to excommunicate
excursión *f.* excursion
excusa excuse
exhausto, –a exhausted, spent
exigir to demand
existencia existence
existir to exist
éxito success
exótico, –a exotic; *n. f.* –a exotic flower
exotista *m. & f.* exotic writer
expansivo, –a expansive
expectativa; de — expectant
experimentar to experience, feel
explicación *f.* explanation
explicar to explain, teach
explorar to explore
explosión explosion, breaking, shattering
explotar *S. A.* to explode
expresar to express
extender(se) (ie) to extend
extensible; silla — deck chair
extensión *f.* extension
extinguir to extinguish; to serve; to put out
extrahumano, –a superhuman
extranjero, –a foreign
extrañarse (de) to be surprised (at)
extraño, –a strange
extremado, –a extreme
extremo end, extreme
exuberancia exuberance
exuberante exuberant

F

fábrica work, structure, factory
fabricar to make, manufacture
facción *f.* rebel band; **facciones** *f. pl.* features
faccioso rebel, outlaw
fácil easy, facile
facilitar to facilitate, provide for, furnish
facultad *f.* school, faculty; university
facha look
fachada front, façade
faja band
falda skirt
faldón *m.* coat-tail
falta lack, need; **hacer —** to be lacking, need
faltar to overstep the bounds; to be lacking; to fail; ... **le faltase al respeto** he might be disrespectful
fama fame, reputation; **tener — de** to have the reputation of being
familia family
familiarizado, -a familiarized
famoso, -a famous
fandango the fandango (*a Spanish dance*)
fangoso, -a muddy
faro lighthouse
farol *m.* lantern
farolín *m.* braggart, boaster
farsa farce
fascinado, -a fascinated
fatal fatal, deadly
fatalidad *f.* fatality
fatiga fatigue
fatigado, -a weak, fatigued
fatigoso, -a troublesome, wearying
fatuo, -a fatuous, scatterbrained
favor favor; **a — de** thanks to, due to
favorito, -a favorite
faz *f.* face, countenance
fe *f.* faith, belief
febril feverish
felicidad *f.* happiness
felicitación *f.* congratulation
felino, -a cat-like, feline
feliz happy
felpa *coll.* "licking," drubbing, reprimand; plush
felpudo, -a velvety
femenino, -a feminine
fenómeno phenomenon
feo, -a ugly; **ponerse —** to look ugly
feón *coll.* terrible, awful
fermentación *f.* fermentation, activity
feroz cruel, ferocious
ferrocarril *m.* railway
festín *m.* feast
fez *m.* fez, Turkish cap
fiar to entrust; **—se de** to trust
fibra fiber
fiebre *f.* fever, intense excitement
fiera wild animal
fiereza fierceness
fiero, -a fiery
fiesta fun, holiday, feast; **de —** merry; holiday; **con voz de —** in a merry voice; **hacer — de** to make a merry display of
figura figure
figurar to figure; **—se** to imagine
fijamente fixedly
fijar to fix, fasten; **—se en** to notice, look at, fix on; **— la planta** to put down the sole of the foot
fijeza; con — fixedly, in a stare
fijo, -a fixed
fila row, line, rank
filantrópico, -a philanthropic
filántropo philanthropist

filo edge
filosofía philosophy
filósofo philosopher
filtración *f.* filtration, seeping of water
fin end, purpose; **por (en, al) —** finally, in short; **a — de (que)** so that, in order to; **un sin — de** a great number of; **dar — a** to put the finishing touches on
finado, –a deceased; finished, ended
final *m.* end, limit, final
finalizar to come to an end
financiero, –a; buey a la —a beef "a la finance"
finar to end
finca (country) estate
fingir to pretend, feign; to resemble, suggest
fino, –a tapering, fine, thin, slender
finteo feinting; series of feints
firma signature
firmamento firmament
firmar to sign; **¡ a —!** go ahead and sign! Let's go ahead and sign!
firme strong, firm
firmeza firmness
fisiológico, –a physiological
fisonomía face, features
flaco, –a thin, lean
flauta flute
flor flower; best people; **en —** flowering
florido, –a in flower
flotante flowing
flotar to float
fogón *m.* hearth; kitchen stove
fogoso, –a impetuous, ardent
follaje *m.* foliage, gold-leaf
fondo background, bottom, depth, middle; **al (en el) —** in the background, bottom, etc.
forajido outlaw
forastero, –a stranger, outsider
forcejear to struggle to get free
forjado, –a forged, wrought
forjar to forge
forma form, manner; **en — de** in the form of; **en esta —** in this manner; **—s** lines, figure
formar to form
formidable uncommonly large, dreadful, formidable, loud
formular to express, formulate
fornido, –a strong, muscular
fortuito, –a accidental, unexpected, fortuitous
fortuna fortune; **por —** fortunately
fosco, –a stubborn
fosforecer to phosphoresce
fracaso destruction, breaking, shattering; failure
fragancia fragrance
fragante fragrant
frágil fragile
fragor *m.* noise, din, clamor
frámea javelin
francés *m.* the French language
francés, –a French; Frenchman, Frenchwoman
Francia France
franco, –a frank, open, candid, sincere
frase *f.* sentence, phrase
frecuencia frequency
frenético, –a furious, frantic, mad
frente *f.* forehead, brow; *m.* front; **— a** in front of, opposite, facing; **— a —** face to face; **al —** in front, ahead
fresco, –a cool, fresh; **hacer —** to be cool
frescura freshness, coolness
frío, –a cold, expressionless, unfeeling
friolento, –a cold, raw

friso frieze
frívolo, -a delicate, frivolous
fruncir to frown; to knit the eyebrows
fruto fruit, harvest
fuego fire, fire-colored; **hacer —** to fire (a gun)
fuente *f.* fountain; tray, dish
fuera (de) outside (of); **— de sí** beside himself, at his wit's end
fuerte strong; **más —** more violently
fuerza strength, force; *pl.* strength; **de —** unwillingly
fuga flight
fugaz fleeting, passing
fulgor *m.* brilliance
fulgurante burning, stabbing
fulminante violent
fumar to smoke
fundador *m.* founder
fundar to found
fundido, -a fused, blended
fundir(se) to fuse, blend, melt, mingle
fúnebre gloomy, funereal
fúnebremente somberly, ominously
furioso, -a furious, furiously
fusil gun, rifle
fusilar to shoot, execute before a firing squad
fútil trifling, futile, useless
futura *coll.* fiancée
futuro, -a future

G

gabán *m.* overcoat
gabinete *m.* room
galán *m.* beau, gallant
galantear to court; **seguía galanteándola** he kept on flirting with her
galantería gallantry, compliment
galgo greyhound
galicano, -a gallican, French
Galicia province of northwestern Spain
galope gallop; **dar el primer —** to begin breaking in
galpón *m. S. A.* quarters for peones, slave quarters
gallardo, -a graceful
gallego Galician, of Galicia (*a province of northwestern Spain*)
gallina hen, chicken
gallinazo vulture, turkey buzzard
gallito bully, cock of the walk; little rooster
gallo bully; rooster
gama gamut, scale
gana desire; **tener —s** to desire to
ganado cattle
ganar to win, earn, gain; to reach
ganchudo, -a hooked
gangrenoso, -a gangrenous
Garcilaso (de la Vega) a Spanish poet of the Renaissance
garganta throat
gárgola gargoyle
garra talon, claw
garrapatear to scrawl
garrón *m.* foot, paw; spur, talon, hoof
garza heron
gastar to spend, wear out, waste
gasto expense
gastronómico, -a gastronomic
gaucho *S. A.* cowboy
gemido moan
gemir (i) groan, moan
general *m.* general; **mi —** (*omit the word* **mi** *in translating*)
género gender, genus, kind; material, goods
generosidad *f.* generosity

generoso, -a open hearted
genial cheerful, genial
gente *f.* people
germano, -a German
gesticulante gesticulating
gesto gesture
gigantesco, -a gigantic, large
gimnasia gymnastics
gimotear to whimper
girar to spin; **— alrededor** to revolve around
gloria glory; **huelen a —** they have a lovely fragrance
glorioso, -a glorious
Gobernación; Ministerio de — Department of the Interior
gobernador *m.* Governor
gobierno government
goce *m.* joy, enjoyment
golfo gulf
golondrina swallow
golpe *m.* blow; **a —s** with blows; **un buen — de** quite a number of
golpear to strike, hit; to stamp
gordo, -a fat, stout
gorro cap
gota drop
gótico, -a Gothic
gotita little drop
gozar (de) to enjoy
gozo joy, pleasure
grabar to engrave
gracejo witty way of speaking, charm
gracia pardon; fun; grace; **gracias** thanks
gracioso, -a graceful, funny
graderío series of raised seats (*around lecture platform*)
grado degree; stage; **de —** willingly; **de buen (mal) —** willingly (unwillingly)
granado pomegranate tree
grande great, large; **gran cosa** greatly
granillo grain
granítico, -a hard, granite-like
granito granite
grano grain; **vamos al —** let's get to the point
granuja *fam.* waif, ragamuffin, urchin
gratificación *f.* recompense, salary
grato, -a pleasant, graceful
grave grave; **lo —** the most serious thing
greca fret, hem (*of dress*)
greda chalk, potter's clay
gresca fight, quarrel; **armarse la —** to start the fight
griego, -a Greek
grifo griffon
grillo cricket
gris gray
gritar to shout
griterío shouting
grito cry, shout; **a —s** in shouts, wishing to shout
grosería ill manners, grossness; gross word
grosero, -a *adj.* coarse; *n.* coarse fellow
grueso, -a large, thick
grulla crane
grupa rump, croup (*of a horse*)
grupo group
guacamayo macaw (*brilliantly colored bird of the parrot family*)
guapetón, -a pretty, full-blown beauty; fussy
guapito fellow, kid
guapo, -a pretty, good-looking, spruce, neat; bold, daring; **—o** bully, bold *or* daring fellow, young blade

guardar to keep, have, put aside; —**se (de)** to be careful not to
guardia guard; **en —** on guard; **— civil** Civil Guards (*Spain's national police force*)
guarnecido, -a adorned, decorated
güerito, -a *Mex.* little blond
guerra war
guerrero warrior, veteran
guerrillero bandit, guerilla warrior
guía *m.* guide
guiñada flash, twinkle
guiñar to wink
Guipúzcoa *one of three Basque provinces in northern Spain*
guisante *m.* pea
guitarra guitar
gula; de — sensual, voluptuous
gusano worm; **— de luz** firefly, glowworm
gustar to please, enjoy, like; to taste; **—se** to like, enjoy
gusto pleasure, taste; **tener — en** to be glad to; **saltar de —** to jump up and down from pleasure; **por su —** willingly

H

habano, -a from Havana
haber (*auxiliary and impersonal*) to have; **— de** to be to, be about to, have to, must, shall, etc.; **hay, había, hubo, habrá,** etc. there is (there are), there was (there were), there will be, etc.; **— que** (*impersonal*) must, to be necessary to, etc. (*followed by an infinitive*); **¿qué hay?** what's the news?; **¿Por qué no había de dejarme quemar?** Why didn't I let myself be roasted first?; **¿Qué hubo... de?** What about...? What happened (to)?
hábil quick
habilidad *f.* skill, ability
habilitar to furnish, fix up
habitación *f.* room
habitar to live in, inhabit
hábito habit
habituado, -a accustomed, habituated
habitualmente habitually
hablar to speak, talk
hacer to make, do, cause; **—** (*followed by infinitive*) to have or cause to be done (**hice escribirlo** I had it written, etc.); **—se** to become; to turn; **— publicar** to have published; **— caso (de** *or* **a)** to notice, pay attention to; **se hizo el silencio** there was a silence; **— falta** to need; **hace (dos, tres semanas,** etc.**)** two, three weeks ago; **— pedazos** to tear to pieces, break to pieces; **— el amor** to court; **— la vida (de)** to lead the life (of); **— resistencia** to resist, offer resistance; **¡hágase tu voluntad!** thy will be done!; **— a todo** to serve all purposes; **se me hace que** something tells me that; **— fuego** to fire; **— "chápale"** to set on, sick on, goad on; **— como que** to act as if
hacia toward; **— atrás** behind, back, backwards; **— adelante** ahead, forward
hacinamiento mad swarm, piling in
hacha axe
halagar to flatter, lure
hallar to find; **—se** to be; **— cabida** to find a place (space)

hambre hunger; **tener —** to be hungry
harina flour
harto, -a tired; full; fed-up, surfeited
hasta until, to the point of, even, over, up to, as many (much) as; **— que** until
hay *see* **haber**
haz *m.* sheaf, fagot
hazaña exploit
hecho fact, deed, occurrence
hecho, -a (*past part. of* **hacer**) done, made; **—s y derechos** full grown
hechura form, shape
hedor *m.* stench
hegemonía leadership
helado, -a frozen, icy, freezing
heliotropo heliotrope
henchido, -a swollen, laden
heno hay; **olor a —** odor of hay
heráldico, -a aristocratic
hercúleo, -a a herculean, super-strong
heredar to inherit
herida wound
herido, -a wounded; **el —o** the man wounded, the wounded man
herir (ie, i) to wound, cut, hurt, hit
hermano, -a brother, sister
hermoso, -a beautiful, handsome
hermosura beauty
héroe *m.* hero
heroico, -a heroic
heroísmo heroism
hervir (ie, i) to effervesce, boil
hidalguía liberality, nobility
hidráulico, -a hydraulic
hidrógeno hydrogen
hielo ice
hierático, -a sacred
hierba weed, grass, herb
hierro iron; rod, poker

hijito son, child
hijo, -a child, son, daughter; *pl.* children; **el Hijo,** the Son, Jesus
hilar to spin
hilo strand, wire
hilvanar to piece together
hinchar to swell up
hinchazón *m.* swelling
hípnico, -a hypnotic
hipócrito, -a hypocritical; **de —** hypocritical
historia story, history
hocico muzzle, snout, nose; *pl.* nostrils
hogar fireplace, hearth; home
hoguera bonfire
hoja sheet, leaf, blade; **— de acero** steel blade; **— de otoño** colored like an autumn leaf
hojarasca leaf-work; excessive foliage
holgorio *fam.* frolic, hilarity, spree
hombre man; **— de ley** full-blooded (real) man
hombrecillo little man
hombretón *m.* huge man
hombría masculine strength and courage; man to man (conflict)
hombro shoulder
hombrón *m.* huge man
homenaje *m.* homage, tribute
hondísimo, -a very deep
hondo, -a deep, deeply sunk, utter; **lo —o** the depths
honradez *f.* integrity, sense of honor
honrado, -a honorable, just
hora hour, time (of day)
hormigueante seething, buzzing, swarming
horno oven
hors d'œuvres (*French*) appetizers
hortensia hydrangea
hosco, -a sullen

hospitalario, -a hospitable
hostias *f. pl.* communion wafers
hotel *m.* hotel; villa, house
hoy today
hoyito dimple
hoyo bed, hole
hoz *f.* sickle
hucha large chest
huella track, footstep
huérfano, -a orphan
huerta countryside, orchard, garden, field
huerto orchard
hueso bone
huesta army, host
hueste *f.* host
huesudo, -a bony, big-boned
huída flight
huir to flee
hule *m.* oilcloth
húmedo, -a moist, wet
humildad *f.* humility
humilde humble
humo smoke; **echar —** to blow smoke from one's mouth
hundir to sink (in), draw in; **—se** to sink
hurgar to prod around in, poke
husmear to rummage about for

I

ida departure, setting out; the trip in; **de (a la) —** on the trip in, on the trip down
idéntico, -a identical
idilio idyll
idiota idiot
ido, -a (*past part. of* **ir**) gone
ídolo idol
iglesia church
ignorante *adj.* ignorant; *n.* ignorant person
ignorar to be ignorant of
igual equal; **al — que** the same as; **de su igual** of his age; **loco —** such a fool
Iguazú river in northern Argentina
ijar *m.* flank (*of an animal*)
iluminar to illuminate
ilusión *f.* hallucination, illusion
ilustrado, -a learned, erudite, illustrious
ilustre illustrious
imagen *f.* image, form
imaginación *f.* imagination
imaginar to imagine
imbécil *n.* imbecile; *adj.* foolish
impacientar to make impatient; **—se** to grow impatient
impasible emotionless, impassive
imperativo, -a commanding, of command
imperceptiblemente imperceptibly
imperecedero, -a unperishable
imperio command; fame; dignity and sway; empire
imperioso, -a commanding, imperious
impertinente *adj.* impertinent; *n.* impertinent person
implorar to beg for
imponente imposing, awe-inspiring; **— esfuerzo** supreme effort
imponer (u) to impress, fill with fear, impose, oblige; **—se** to impose one's will; to become popular; **— correctivo** to teach how to behave, teach a lesson to
importador, -a importer
importar to matter; to import; **poco importa** it makes little difference
importuno, -a importunate, forward; *n.* nervy, annoying fellow
imposibilitar to make impossible

impreciso, -a vague, indefinite
impregnado, -a impregnated, filled
impregnar to fill
impresionar to impress
improvisado, -a improvised
imprudencia imprudence, indiscreción
impulsar to impel, cause
impunemente with impunity, without fear of punishment
inagotable inexhaustible
inaudito, -a rare, unheard-of, supreme
incapaz incapable
incendiario, -a burning
incesante incessant, unceasing
inclinado, -a inclined, bent over
inclinar(se) to bend over
incluir to include
incomodidad f. discomfort
incómodo, -a upset, uncomfortable
inconmovible changeless, eternal, enduring
inconciencia unconsciousness
incondicionalmente unconditionally
inconscientemente unconsciously
incontable untold
incontenible without restraint, uncontrollable
incorporarse to sit up
increíble incredible
indeciso, -a vague, indecisive, indefinite, hesitant
indefectiblemente invariably
indefinible unspeakable, indefinite
indeleble indelible
independencia independence
indescriptible indescribable
indiano, -a adj. new-world; n. person who has returned to Spain from the New World
Indias; las — America, the New World

indicadísimo, -a very appropriate
indicar to indicate, point out, tell
indiferente adj. indifferent; n. indifferent man or woman
indignado, -a indignant
indignar to make indignant; —se to grow indignant
indio, -a Indian
indisposición f. indisposition
indispuesto, -a indisposed, ill
individuo individual
indómito, -a ungovernable, unmanageable
indudablemente undoubtedly
indulgencia forgiveness, indulgence
indulto pardon
indumentaria clothes, garments
inefable ineffable, unutterable, unspeakable
inercia inertia
inerte inert, motionless
inexorablemente inexorably
inexpresivo, -a inexpressive
infamia infamy, disgrace
infancia infancy
infatigable indefatigable, tireless
infantil childish
infeliz adj. unhappy; n. poor wretch
infestar to infest
inflar to fill, inflate
influyente influential
información f. report, information
informar to inform; — de que to inform that
infructuoso, -a fruitless
ingenuo, -a ingenuous, open, sincere; natural; matter of fact
Inglaterra England
ingle f. groin, part next to thigh
inglés, -a English; Englishman, Englishwoman
iniciar to begin

inicuo, -a iniquitous, wicked
ininteligible unintelligible
injusticia injustice
injusto, -a unjust
inmaculado, -a immaculate, stainless
inmediación(es) *f.* vicinity, neighborhood; suburb
inmediato, -a nearby; immediate
inmensidad immensity
inmenso, -a immense, huge
inmodestia immodesty
inmóvil motionless, still; **por lo —** it was so still
inmovilidad *f.* immobility
inmutable changeless
inmutarse to change color, grow pale
innumerable numberless, innumerable
inocentón, -a romantic; simple and credulous
inoficioso, -a *S. A.* irrelevant
inquieto, -a disturbed, upset, restless, troubled
inquietud *f.* restlessness
inscripción *f.* inscription
inseguro, -a uncertain, insecure
insensiblemente almost imperceptibly
insinuación *f.* insinuation
insinuar to remark, suggest, insinuate
insistir (en) to insist (on)
inspeccionar to inspect
inspiración *f.* inhalation, inspiration
inspirar to inspire
instalar to install; **—se** to be installed, install oneself
instancia; de primera — of the first rank; on the first impulse
instante instant, moment
instinto instinct
instituto institute
insufrible insufferable, unbearable
insustancial trifling, weak
intacto, -a intact
íntegramente wholeheartedly
intelectualidad *f.* intelligensia, intellectual elements
intensidad *f.* intensity
intenso, -a intense; close
intentar to try to, attempt
interés *m.* interest
interesado, -a interested; *n.* interested person *or* party
interesar to interest; **—se en (por)** to be interested in
interior inside, interior
interlocutor *m.* questioner
internarse en to enter
interrogador, -a scrutinizing, questioning
interrogar to ask, question
interrumpido, -a interrupted
interrumpir to interrupt
intersticio gap, break
íntimamente intimately, at heart
íntimo, -a intimate, inner
intriga intrigue, connivance
inundar to flood
inútil useless, worthless
inútilmente vainly
invadir to invade, extend over
invariablemente invariably
invasión *f.* seizure, invasion
inventar to invent
inverso, -a opposite
investigación *f.* investigation
invierno winter
invitar to invite
invocar to call on, invoke
invulnerabilidad invulnerability
ir to go; to get along; **¡Voy!** I'm coming!; **iba haciéndose mayor** it kept getting larger;

—se to go off, go away; vase muriendo is slowly dying; ¿ Cómo te va? How goes it?; — al grano to get to the point
ira anger
iracundo, -a enraged
irguiendo (*from* erguir) straightening
irisar to make irridescent
ironía irony
irónico, -a ironic
irradiar to irradiate, fill with, send off, spread
irrintzi *Basque* sharp cry, shout
irritado, -a irritated, irritable
isla isle, clump
izquierdo, -a left; a la — to the left

J

jacinto hyacinth
jaco pony, nag
jactancia boasting
jadeante panting
jamás never; ever
japonería Japanese curio
japonés Japanese language
japonés, -a Japanese
jaranear to joke, flirt, carouse
jardín *m.* garden
jaula cage
jefe chief, commander, boss; redactor en — editor in chief; — de las Armas Commandant
jerarquía rank, status, hierarchy
Jesús Jesus; ¡ — ! Goodness!
jinete *m.* rider
jinetear to break *or* tame a horse
¡ jo jo ! ho ho !
joven *adj.* young; *n.* young man *or* young woman
jovial jovial, cheery

joya jewel
júbilo joy
juego game; — de ratón cat and mouse game; —s de equilibrio juggling; — de pelota pelota court
jugador *m.* gambler
jugar (ue) to play, gamble; se jugaba people were gambling
jugarreta nasty trick
juguete *m.* toy; (como) de — like a toy
juguetón, -a playful
juicio judgment
jumento; pedazo de — you jackass
junco reed, rush
junta meeting, session
juntar to join, bring together, get together, come together, save; — se con to join, get together with
junto, -a together; junto a next to, along with, near; muy —s very close together
juntura joint
juramento oath
jurar to swear
juro; ¡ de — ! of course, positively
justamente precisely, just
justicia justice
justiciero, -a just, justice loving
justo, -a just, exact
juventud *f.* youth
juzgar to judge

L

la *f. art.* the; — que the one which, the one who
la *obj. pr.* her, you, it; ¡ buena la hemos hecho ! we've made a fine mess of it !
labio lip; suspensos de sus —s

hanging on his words; —s de **corcho** cork-like lips
labor labor, work; **día de —** work day
laboratorio laboratory
labrado, -a wrought
labrador *m.* farmer
labradora peasant woman
laca lacquer
lacio, -a straight-haired
láctea milky; **Vía —** Milky Way
ladear to turn to one side, tilt
ladera slope
lado side; **en todos —s** everywhere; **en cualquier —** anywhere; **hacia todos —s** in every direction; **vuelve a otro —** he turns in another direction; **por otro —** on the other hand
ladrillo brick
ladrón *m.* thief; **— de puños** a brazen rascal, an old hand
lágrima tear
lamentable *adj.* lamentable; *n.* poor fellow
lamentar to regret, lament
lámpara lamp
lance *m.* incident
lánguido, -a languid
lanzar to hurl, throw, send forth; to gasp
lapso lapse *or* course of time, short period
largar to let go
largo, -a long; **tirado — a —** stretched out lengthwise; **a lo — de** along
laringe *f.* larynx
las (*def. art. f. pl.*) the; **— que** the ones who, those who; (*dir. obj. pr.*) them, you
latir to beat, pound
laurel *m.* laurel; laurel wreath

lavar to wash
laxitud *f.* neglect
lazaso blow with the lasso
le *obj. pr.* it, him; to her, to you, to him
lección *f.* lesson
lector *m.* reader
leer to read
legado legacy
legión *f.* legion
legítimo, -a genuine
lego layman
legua league; **a mil —s** a thousand miles away
lejano, -a distant, in the distance
lejos far, distant; **a lo —** in the distance; **allá —** far away; **desde (de) —** from a distance
lengua tongue
lentejuela spangle
lentes *m. pl.* eye-glasses
lentitud *f.*; **con —** with slowness, slowly
lento, -a slow
Leñas; Las — town in Argentina
Lérez river in Galicia
les (*obj. pron.*) them, to them; you, to you
letra letter; **al pie de la —** word for word, literally
levantar to raise, get together; **—se** to get up, rise up
leve slight, scant, small, tiny
levidad *f.* lightness
levita long coat
ley law; **hombre de —** full-blooded (real) man
leyenda legend
libertad *f.* liberty
libra pound; **—s** money
librar to free; **—se** to free oneself
libre free, empty; **al aire —** in the open air

libro book
ligadura binding, bandage
ligar to bind up; —**se** to bind tightly
ligeramente slightly
ligereza unsteadiness, light-headedness
ligero, -a swift, swiftly moving; slight, light
lima file
limar to file
limitar to limit, border
límite *m.* limit
limítrofe *adj.* border
limpiar to clean; —**se** to wipe off, tidy up, clean up
limpieza cleanliness
limpio, -a clean, clear
linde *m.* border
lindeza beauty
lindo, -a pretty, beautiful
línea line, border; railway
líquido liquid
lirismo abuse of lyricisms; ¡ dejémonos de —s ! let's put an end to our abuse of lyricisms !
listo, -a smart, ready
lisura care, smoothness
literato writer, literary person
literatura literature
lívido, -a livid, purple
lo *obj. pr.* him, it, the; — **de** the matter of, affair of; — + *adj. or adv.* = *substantive expression;* — **que** what, that which, how much; — **cual** which
loar to praise
lobo wolf
lóbrego, -a dark, gloomy
lobreguez *f.* gloomy hole, pit
localidad *f.* locality
localizado, -a localized
loco, -a *adj.* mad; wild; *n.* fool

locuaz talkative
locura madness, folly
lógicamente logically
lograr to succeed in, manage to, gain, attain, obtain
lomo back (*of animals*); **de** — squarely on the back; with the blunt side
Londres London
lonjazo clubbing
los (*def. art. m. pl.*) the; — **que** the ones who, those who; (*dir. obj. pr.*) them, you
losa slab
luciente brilliant, shining
lucir to shine, show off
luctuoso, -a regretful
luchador fighter, horse-breaker
luchar to fight, struggle
luego then, so, later (on), next; **desde** — of course
lugar *m.* place, room
lúgubre dismal
lujoso, -a ornate
luminoso, -a luminous, bright
luna moon; **con una media** — decorated with a half moon
lustre *m.* color
lustroso, -a polished, shiny
luz *f.* light

Ll

llama flame
llamado; **el** — the one called
llamar to knock, call; —**se** to be named, called; — **la atención** to attract attention
llano plain
llave *f.* key
llegada arrival; **hasta** — **la noche** until nightfall
llegar to reach, arrive; — **a** to

VOCABULARY

reach the point of, get to, come to; — **a términos** to reach such an extreme
llenar to fill; —**se** to be filled; — **de** to fill (flood) with
lleno, -a filled, full, replete
llevar to carry, bear, wear, lead, take; — **a cabo** to carry out; **lleva pasado ... sobre** he has ... around; **como se le llevaban** how they forced him along; — **puesto, -a** to have on; — **aprendido** to have memorized
lloica *S. A.* thrush
llorar to weep, cry
llover (ue) to rain
lluvia drizzle, rain

M

machete cutlass, machete, cane-knife
macho male; mule
madera wood
madero piece of wood, beam
madre *f.* mother
Madrid capital of Spain
madrigal madrigal, love lyric
madrugada early morning, early dawn
madrugador, -a early riser; early rising
madrugar to get up early
madurar to ripen
maduro, -a ripe
maestro teacher; master
Magdalenista Magdalene
magia magic, magic charm
magistralmente in a masterly manner
magnate *m.* grandee
majadero, -a idiot, meddling fool
majestad *f.* majesty

majestuoso, -a all-important, majestic
mal *m.* evil, harm; disease, ill; *adv. & adj.* badly, bad
malcriado, -a ill-bred
maldad *f.* wicked stubbornness, evil
maldito, -a accursed; unlucky
malestar *m.* illness
malhumorado, -a in a bad humor
malicia cunning, mischievousness
malicioso, -a mischievous
maligno, -a perverse, mischievous, evil-minded
malo, -a evil, bad, mean; sick; **mal dado, -a** wrongly given
maltrecho, -a wounded
malla mesh, net
manada herd, drove
manantial *m.* spring (*of water*)
mancha spot, stain, splotch; **una leve —** a tiny dot
manda bequest, legacy
mandar to order, command, send; **— +** *inf.* to have (something done)
mandarín *coll.* a petty tyrant or despot; mandarin
mandarinito little mandarin
mando command
manejar to handle, manage
manera manner, say; **de — que** so, so that; **de esta —** in this way; **uno, -a a — de** a kind of
manga hose; **— de riego** water hose
mango hilt, handle
manía mania, madness
manifestación *f.* manifestation
manifestar (ie) to express, manifest
maniobra manœuvre
manipulación *f.* manipulation

manipular to manipulate
mano *f.* hand; —os front legs (*of an animal*); **a —** near at hand
mansísimo, -a very tame
manso, -a soft; tame
manta woolen blanket, mantle
mantener to maintain, keep up, keep; **—se en pie** to stand
manto mantle
maña trick
mañana morning; tomorrow; **tan de —** so early in the morning; **a media —** in the middle of the morning
mañaneador *m.* early-riser
máquina locomotive engine; machine, machinery
maquinalmente mechanically
mar *m. & f.* sea
maravilla consternation, wonder, marvel
maravilloso, -a marvellous
marcar to mark, mark down, put down
marco setting, frame
marcha departure, passage, march; **— de esponsales** wedding march
marchamo custom tag *or* mark
marchar(se) to leave, go away, go to, march
marchitarse to wither
marfil *m.* ivory
margarita daisy
margen *m. or f.* bank
maridito husband, dear husband
marido husband
marino sailor
mariposa butterfly
mármol *m.* marble
marras; de — (of) long ago; aforesaid
martillazo; a —s by (with) blows of the hammer *or* pick

martilleo hammering
mártir *m. & f.* martyr
mas but, yet
más more, most; **— que** except, only
masa mass; **en —** in a body
máscara mask
mascota mascot
masculino, -a masculine
masía farm, country house
mata tangle, mop (of hair)
matar to kill
mate *a South American tea*
matorral *m.* thicket
matrimonio couple (husband and wife); marriage
mayor larger, largest; older, oldest; greater, main, greatest
me *pr. adj.* me, to me
mecánica; banco de — work bench
mecer to rock
mechón *m.* lock *or* tuft of hair
medalla medal, plaque
media stocking; **a —s** *see* **medio**
mediano, -a fair, average, medium
mediar to intervene
medicamento medicine
médico doctor
medido, -a measured
medio means; center, middle; **en — de** in the midst of
medio, -a half; **a —as** halfway, fifty-fifty; **a —o camino** half way
mediodía *m.* noon; south
medir (i) to measure, look over
Méjico Mexico (*Spelled with* x *in Mexico*)
mejilla cheek
mejor better, best
melancolía melancholy
melancólico, -a melancholy

melenudo, -a (*from* **melena**, mane *of a horse*) bushy headed, shaggy-haired
melodía melody
meloso, -a tender, sweet; mild (mannered)
memoria memory
mencionar to mention
Mendelssohn (Felix, 1809-1847) celebrated German musician, composer of "A Midsummer Night's Dream" and other works
mendigo beggar
mendocino, -a of the Mendoza district; native of Mendoza (Argentina)
menester duty, work; **ser —** to be necessary
menor slightest, least, younger, smaller
menos less, least; **de —** less; **al —** at least; **lo —** (**por lo —**) at least
menosprecio contempt, ridicule
mente *f.* mind
mentir (ie) to lie, prove false
mentira lie, falsehood
mentón *S. A.* mien, bearing
menudear to become frequent, fall fast
menudito, -a very small
menudo; a — often
menudo, -a small
merced mercy; **vuestra —** you
merecer to deserve
meridiano, -a *adj.* noon, mid-day
mes *m.* month
mesa table
mesar to tear (*the hair*); **—se los cabellos** to tear one's hair
meseta plateau
metal *m.* metal
metálico, -a metallic, drawn
meter to stick, place; **—se (en)** to butt in, meddle; to go in, get into; **—se con** to meddle with, quarrel with
metido, -a shut in, stuck in
metro meter
mezclar to blend, mix
mezquino, -a cheap, mean
mezquita mosque
mi, mis *poss. adj.* my
mí me
miedo fear; **tener —** to fear, be afraid
miedoso, -a fearful, timid
miel *f.* honey
mientras meanwhile, while; **— que** while; **— tanto** meanwhile; otherwise
mies *f.* ripe grain, harvest
mil a thousand
milagro miracle
milagroso, -a wonderful, miraculous
milímetro milimetre
militar *m.* soldier
milla mile; **corre seis —s** it flows at a speed of six miles per hour
mimar to pet
mimo indulgence, pampering, attention
mina mine
minero miner
ministerio department, ministry
minúsculo, -a very small, tiny
minuto minute
mío, -a *poss. adj. & pr.* mine, of mine
miope near-sighted
mirada gaze, glance, look; **echar una —** to glance
mirador *m.* lookout
mirar *n.* look; **— de reto** a look of challenge (defiance)
mirar to look, look at; to consider; **— a** to face; **¡mire que...!**

remember that! — **de reojo** to look sidewise

mirlo blackbird

mirón *m.* onlooker, observer

misa mass; — **mayor** high mass

misántropo misanthrope, a hater of mankind

misericordia mercy, compassion; **de** — out of compassion

mismamente *coll.* exactly; just; to a tee

mismo, -a same, very; **lo** —**o que** the same as; **él, ella mismo, -a** he himself, she herself, etc.; **pienso lo** —**o** I think the same; **dar lo** —**o** to be all the same to

míster *English* Mister

misterio mystery

misterioso, -a mysterious

místico, -a mystic

mitad *f.* middle

mitológico, -a mythological

mocetón *m.* big fellow

mocoso young, small boy, child

modelado, -a outlined, modelled

modelar to model

modestamente modestly

modestia modesty

modo way, manner; **de este** — in this manner; **un a** — **de a** kind of, by way of; **de cualquier** — anyway; **de** — **que** so that, so

mofarse de to make fun of

moflete *m.* chubby cheek

mohino, -a peeved, sullen

mohoso, -a musty, mouldy

mojado, -a wet

mojar to wet

mojicón *m. coll.* blow in the face with clenched fist

moler (ue) to grind

molestar to annoy, bother; —**se** to be annoyed

molesto, -a bothersome

molinera miller's wife

molinero miller

molino mill

momento moment, minute; **al** — at once

monástico, -a monastic

moneda coin

monísimo, -a cute, very cute

monje *m.* monk

monótono, -a monotonous

monserga gabble, gibberish

monstruo monster

monstruoso, -a huge, monstrous

montaña mountain

montar to mount, ride; — **a caballo** to ride horseback

montaraz wild; born or raised in the mountains

monte *m.* woods, hill, mountain, highland; a game of cards

montera cap

montón *m.* pile, heap

monumento monument

moquete blow on the nose; **siguió un** — there was a blow on the nose

morada dwelling

morador *m.* occupant

moral *n. f.* morality; *adj.* moral

morar to dwell

morcilla blood pudding

mordedura bite

moreno, -a dark, brown

moribundo, -a dying, quickly-fading

morir(se) (ue) to die

moro, -a moor

morocha *S. A.* vigorous, fresh looking girl

morradeo *coll.* (*from* **morrada**, *a blow with the head*) a knock down drag out fight

morrudo, -a thick-lipped, "snouty"; stubborn
mostrar (ue) to show; —**se** to become, seem to be
mota kinky-head
motín *m.* uprising, prank, disturbance
motivo motive, reason; **con — de** in connection with
movedizo, -a shifting, swaying, flickering
mover(se) (ue) to stir; to move; to be produced; **moviera** had moved
móvil unsteady, moving
movimiento movement
mozo, -a young; young man, young woman; **buen, -a mozo, -a** fine looking (strapping) young man, young woman
mucosa nasal passage
muchachita little sweetheart
muchacho, -a boy, girl
muchachote big fellow
muchísimo, -a very much
mucho, -a much, a great deal; **muchos, -as** many, a great many
mudo, -a mute, silent
mueble *m.* piece of furniture; *pl.* furniture
mueca hideous grimace, contortion
muela tooth
muelle *adj.* soft; *n. m.* wharf, pier, dock
muerte *f.* death; **de —** deathly
muerto, -a dead (one); **—o** (*past part. of* **morir**) died
mujer *f.* woman, wife
mujercita little wife; little woman
mujerona plump woman
mulato, -a mulatto
multiplicado, -a unusual, many times average, multiplied

multitud *f.* multitude, crowd
mullido, -a soft
mundo world, country; **todo el —** everybody, everyone; **hombre de —** man of the world
muñeca doll, wrist
muñidor *m.* beadle, lesser official
muralla wall
muro wall
murmurar to mutter, murmur
murmurio murmur
musculoso, -a muscular
musgo moss
música music
muslo thigh
mustacho mustache
mutuo, -a mutual
muy very

N

nacer to be born, grow, begin
nada anything; nothing; not at all; at all; **— más** just, only; **la —** nothingness
nadie no one, nobody; anyone, anybody
naipada deal, play
naipe card
naranjal orange grove
naranjo orange tree
nariz *f.* nose
narración *f.* story
narrar to tell, narrate
naturaleza nature
naufragar to be shipwrecked, lost; to be futile, have no effect on
naufragio shipwreck
navaja *f.* knife
Navidad *f.* Christmas
navío ship
necesidad *f.* necessity
necesitar to need

nefasto, -a ominous
negar (ie) to deny; **—se a** to refuse
negativa denial
negociante *m.* trader, merchant
negocio(s) business
negro, -a *adj.* black; *n.* negro
negrura blackness
nervio nerve
nervioso, -a nervous
nesca-zarra (*Basque*) old maid
neurastenia neurasthenia, nervous debility, prostration, abandonment
neurasténico, -a neurasthenic, one who is a nervous wreck
nevar (ie) to snow
ni neither, nor; **— ... —** neither ... nor
nicho niche
nidada nest of birds, nest of birds' eggs
nido nest
niebla mist
nieto, -a grandson; granddaughter; *pl.* grandchildren
nieve *f.* snow
nimio, -a unimportant, insignificant
ninguno, -a not one, none, no one, neither one, not any; any, anyone
niñez *f.* childhood
niñito, -a child; little fellow
niño, -a boy, girl, child
nipón, -a Japanese
nitidez *f.* whiteness
nítido, -a neat
no no, not
noble *adj.* noble; *n. m.* nobleman
noblemente courageously
nobleza nobility
noción *f.* notion, idea
noche *f.* night; **de —** at night; **esta —** tonight; **por la —** at night
Nochebuena Christmas Eve
nodriza nurse
nogal *m.* walnut
nombrar to appoint
nombre *m.* name
norte *m.* north
nortero, -a north
nos *obj. pr.* us, to us
nosotros, -as we; us
nostalgia longing, nostalgia, homesickness
nota note
notable *adj.* fine; *n. m.* prominent person
notar to notice
noticia news
novela novel
novio, -a sweetheart
nube *f.* cloud; crowd
nubecilla small cloud
nublado cloudy, overcast
nuca back of neck, nape
nudoso, -a knotty, muscular, strong
nuestro, -a *poss. adj. & pr.* our, ours, of ours; **Nuestro Señor** our Lord, Christ
nuevo, -a new, fresh; **de —o** again; **campo —o** fresh, green countryside
numerario, -a regular
número number
numeroso, -a numerous
nunca never, ever
nupcial nuptial
nutrirse de to depend on, feed on

O

obedecer to obey
obediente obedient
obispo bishop

obligación *f.* obligation
obligado, -a obliged; **verse — a** to be obliged to
obligar to oblige, make
obra work; **hacer —s** to do construction work, make repairs
obraje *m.* works, headquarters
obrero workman
obscurecer to grow dark
obscuridad *f.* darkness
obscuro, -a obscure, dark
obsequiar to treat, regale
obsequio gift, treat, token
obsequioso, -a obsequious
observación *f.* observation, remark, advice; **—es del caso** advice in the matter
observar to remark, observe, add
obsesionar to obsess
obstáculo obstacle
obstante; no — nevertheless, notwithstanding
obstinadamente stubbornly
obtención *f.* manufacture; attainment
obtener to obtain, get; **obtenido el dato** the information obtained
ocacidad *f.* hollow
ocasión *f.* opportunity, chance; occasion; **en —es** at times
océano ocean
ocre *m.* ochre, yellowish color
ocultar to hide
ocultismo occultism
oculto, -a hidden
ocupación *f.* occupation
ocurrencia occurrence, incident; witticism
ocurrir to occur; **se le ocurría** it occurred to him; **lo ocurrido** what had happened
odiar to hate
odio hate; **tener —** to hate

ofender to offend
ofensa offence
ofertar to offer
oficial *m.* officer
oficina office
oficio business, game, office; **de —** official; **por —** by profession (occupation), as a profession
oficiosidad *f.* attention
ofrecer to offer
oído *m.* ear
oír to hear
ojalá I hope, wish, pray God that
ojeada glance; **echar una —** take a glance
ojear to glance over
ojeroso, -a with dark circles under the eyes
ojo eye; **¡ojo!** be careful, beware, be on the lookout; **— de gato** piercing eye
oleaje *m.* surge, succession of waves
oler (hue) to smell; **— a** to have the fragrance of, smell of; **— a gloria** to give off a heavenly perfume; **huele a quemado** it smells like something's burning; **— mal** to look bad
oliente; bien — fragrant
olor *m.* odor; **— a** odor of
olvidar to forget; **—se de** to forget (about)
olvido forgetfulness
omiso; hacer caso — to pay slight attention
omitir omit
omnipotencia omnipotence
onda wave, scallop
ondulado, -a reverberating, undulating
ondular to wave
opaco, -a opaque, thick
operación *f.* experiment

opinar to be of the opinion that, think
oportuno, -a opportune, timely
orador *m.* orator
orden *m.* class, order; *f.* command, order; — **mal dada** wrongly given order; **a la —** at your orders
ordenar to put in order, to regulate
oreja ear
Orense *capital of the Spanish province of Orense (Galicia) and an episcopal see. Pop. 15,194.*
organizar to organize
órgano organ
orgullo pride
orgulloso, -a proud, haughty, stuck-up; **de —a no tiene nada** she isn't at all proud
oriente *m.* east
origen *m.* origin
original *m.* connoisseur
originarse por to have its origin in
orilla side, bank
oro gold
osar to dare, venture
oscilar to waver, move back and forth
oscurecer to darken, obscure
oscuridad *f.* darkness
oscuro, -a dark
oso bear
ostentar to display
otoño autumn
otro, -a other; another, any other; **al —o día** the next day
overo; salir — to turn out spotted (*that is, like his father, "a chip off the old block"*)
ovillo; hacerse un — to rear up into a circle
oyente *m. & f.* hearer

P

paciencia patience
pacientemente patiently
pacífico, -a peaceful; **el Pacífico** Pacific Ocean
padecer to suffer
padre father; *pl.* parents; **el Padre** the Father, God
paella *Valencian rice and meat dish; the feast at which it is served*
pagano, -a pagan
pagar to pay, pay for
página page, sheet
pago district; town; pay
país *m.* country
paisaje *m.* landscape
paisanaje *m.* neighborhood
paja straw
pajarito little bird
pájaro bird
pala oar
palabra word; **tomar la —** to take the floor
palabrería wordiness
palabrota coarse expression
palacio palace
palanca lever, bar
palear to row with one oar, canoe
palenque *m.* paled fence, stockade, hitching-rail
palidecer to grow pale
pálido, -a pale, pale color
palito stick
palma palm
palmada handclap; **dar —s to** clap one's hands
palmadita pat; **dar —s to** pat, slap
palmatoria small candlestick with handle
palmear to slap on the back, pat, stroke

palmotear to clap the hands, applaud
palo stick, wood, beam; **andar a —s** to fight with
paloma dove, pigeon
palpar to feel
palpitar to throb; to flicker
pámpano branch, budding tendril, green shoot
pampas *f. pl.* prairie, pampas
pamplina *coll.* trifle, futility, hot air; chickweed
pan bread; livelihood, living; **ganar** *or* **conquistar el —** to earn a living
pana corduroy
pánico panic
pantagüélico, -a huge (*Reference is to Rabelais' famous giant, Pantagruel*)
pantalón *m.* trouser leg; **—es** pants, trousers
pantalla screen, shade
pantorrilla calf of the leg
panza belly, paunch
paño cloth
pañuelo handkerchief
papá *m.* father, papa
papel *m.* paper
papelote *m.* (old) paper (*meaning that the content is dry and old*)
papuchada blow; **dar —s** to hit
par; a la — equally; **de — en —** wide open; **al — de** beside, alongside
para for, by, in order to; **— que** in order to, so that; **— qué** reason, why; **— con** toward; **— siempre** forever; **tengo — mí** I think
parabellum *m.* a large bullet, a dumdum
parado, -a standing, stopped
paraguayo, -a Paraguayan

paraíso *a South American tree*, the paradise tree; the top gallery of a theater; paradise
paralítico, -a paralytic
Paraná *river in northern Argentina*
parangón *m.* comparison
parar to stop, parry; **—se** to stop; to stand up, get up (*often used in this latter sense in Spanish America*)
parche *m.* patch; (sticking) plaster
pardo, -a brown
parecer to seem, resemble, appear; **si le parece** if it suits you, if you wish; **—se a** to resemble
pared *f.* wall, bank
pareja pair, couple
pariente *m.* relative
parlamentario, -a parlimentary
parlanchín, -a *adj.* talkative, chattering; *n.* chatterbox, glib talker
parlotear to chatter, prattle
parpadeo winking, blinking, eyebrow lifting
párpado eyelid
parra grape-vine
parrilla spit, broiler
párroco parson
parroquia parish
parte *f.* part; share; **en** *or* **por todas —s** everywhere; **por su —** for (his) part; **por la — que** on the side that; **en qué —** where; **por otra —** on the other hand
partícipe *m. & f.* participant; partner
particular peculiar, private, special; **professor —** special professor; **nada de —** nothing unusual about it
particularmente particularly, especially

partida band, gang, a gang of boys playing a game; departure
partido party
partir to split; to depart, leave; a — de starting from (with)
parvedad *f.* niggardliness, frugality
pasada; a la — on passing
pasadizo passage, corridor
pasado, -a (*past part. of* **pasar**) past
pasajero passenger
pasar to pass, go beyond; to go *or* pass through; to go *or* pass by; to happen; to come in; to spend (time); to endure, go through; **pasando el jardín** on beyond the garden; ¿ Qué te pasa ? What's wrong with you ? What do you want ?; — la voz to pass the word along
pasar *m.* livelihood
pasear(se) to walk
pasillo passage
pasión *f.* passion, anger, hate
paso step, passage, pace, path; al — in passing; de — on the way, in passing; a — acelerado with quickened steps
pasta dough; *coll.* makings
pastor *m.* shepherd
pata leg, foot (*of beasts*), paw
pataleo kicking
paterno, -a paternal
patíbulo place of execution
patio, courtyard
patita little leg
patria country, fatherland
patriarcal patriarchal
patriota *m.* patriot
patrón *m.* boss, owner
patrona boss's wife
patroncita the boss's daughter
pausadamente slowly, deliberately

pavimento pavement, stone floor
pavor *m.* fear
pavoroso, -a frightful, terrible, frightening
paz *f.* peace, calm; y en — and that's the end of it
pecador sinner; yo — *the first words of a prayer:* " I, miserable sinner..."
pecho chest, breast; de — flat on (his) chest
pedazo bit; piece; **hacer** —s to tear into pieces
pedestal *m.* pedestal
pedido request, order
pedir (i) to ask for, request, ask that
pedrada blow with a stone, a thrown stone
pedregullo *S. A.* gravel
pegado, -a a face against; back against; sticking against
pegar to stick (against), hit, strike; to press against; — un tiro to shoot
peinar to comb; **iban peinadas con mucha lisura** they kept their hair tidy
peldaño step (of a stairway)
pelea fight
pelear to fight
peligro danger
peligroso, -a dangerous
pelo hair
pelota Basque ball game (pelota *or* jai-alai *in English*)
pelotón *m.* squad, platoon, gang
pena pain, penalty, trouble; **valer la —** to be worth the trouble
penacho plume, tuft, wisp
pendenciero fighter, quarrelsome person
pendiente *f.* slope

penetrante penetrating, sharp
penetrar to go in, penetrate
pensador *m.* thinker
pensamiento thought, mind
pensar (ie) to think; to consider; — **en** to think about; — **de** to have an opinion on, think of; **así lo iba pensando** that's the way he was thinking it out
pensativo, -a pensive, thoughtful
penumbra shadow; **en honesta —** in virtuous seclusion
peña cliff
peón *m.* peon, day-laborer
peor worse, worst
pequeño, -a small; small one, child
peral *m.* pear tree
percibir to perceive
percutir to beat on
percha hat-rack
perder (ie) to lose, miss, fail in; to forget; **— de vista** to lose sight of
perdón *m.* pardon; **con —** begging your pardon
perdonar to pardon, excuse
peregrinar to wander
peregrino, -a pilgrim
perentorio, -a peremptory
pereza laziness
perezoso, -a lazy
perfectamente perfectly, perfectly well
perfecto, -a perfect
pérfido, -a perfidious, treacherous
perfil *m.* profile
perfumado, -a perfumed
perfume *m.* perfume
periódico newspaper
periodista *m.* journalist, reporter
período period, time
perjudicar to hurt, harm

perla pearl; **de —s** very appropriately
perlado, -a rippling
perlino, -a pearl-colored
permanecer to remain, stay
permitir to permit, allow; **me permito** + *inf.* I am taking the liberty of ...
pero but
perorar to declaim, expound
perseguir (i) to continue, pursue
persiana Persian blind
persona person; *pl.* people
personaje *m.* person
personalidad *f.* personality
persuadir to persuade; **—se** to be persuaded
pertenecer to belong to
pesadamente heavily
pesadilla nightmare
pesado, -a unbearable, boring, hard, difficult, heavy
pesar *m.* grief, sorrow, regret; **a — de (que)** in spite of (the fact that)
pesar to weigh
pescante *m.* driver's seat; coach box
pescuezo neck
peseta *Spanish coin (worth 20¢ at par)*
pesito money
peso weight; coin; *pl.* money; **—os oro** gold pesos
pétalo petal
petrificado, -a hardened, petrified
pez *m.* fish
piadoso, -a merciful, kind, pious; **mentira —** white lie
picada *S. A.* path, road; **por las —s rojas de sol** along the red-hot sun drenched paths
picar to sting, bite

picaresco, -a picaresque
pícaro rogue, scamp
picarón *m.* scamp
pico mouth, beak; pick, pick-axe
pie footnote, foot; **de (en) —** standing; **a —** on foot; **con los —s para la cueva** with one foot in the grave; **al — de la letra** word for word, literally; **ponerse a los —s de** to pay one's respects to
piececito tiny foot
piedad *f.* mercy, pity, piety
piedra stone; *pl.* ruins
piel *f.* skin
pierna leg
pieza room
pillete *familiar* urchin
pillo *familiar* rascal, crook
pimienta pepper; liveliness
pinchar to spear, prick, pinch
pino pine
pintar to paint; to color; to begin to ripen
pintor *m.* painter
pintoresco, -a picturesque
pintura painting
pipa pipe
pique path
pisar to step on
piso floor, apartment
pistola pistol
pistón *m.* percussion cap
pitazo whistle
pitillo cigarette
pizarra slate
placa plaque
placer to please
plafond (*French*) ceiling
plan *m.* plan; scheme; description
planchado, -a ironed
planicie *f.* plain, plateau
plano plane; **por un —** along a plane

planta (sole of the) foot; plant
plata silver; money
plateado, -a silvery
plato vessel, dish, plate
playa beach
plaza square
plazo time, time-limit, period of time
plazoleta open space
plazuela little old plaza
plegarse (ie) to bend, fold, close
pleno, -a full; **en —** in the midst of; **en —a luz** in full daylight
pliegue *m.* wrinkle
poblado, -a populated, laden
poblar (ue) to populate, fill, cover
pobre *adj.* poor; *n.* poor fellow
pobreza poverty
poco, -a little; *pl.* few, a few; **— a —** gradually, little by little; **a —** in a little while
poder *m.* power
poder (ue, u) to be able; **no — más** not to be able to endure any more; **no — menos** not to be able to help; **—le a uno** to be able to whip one
poderoso, -a intense; powerful
poeta *m.* poet
policía *f.* police; *m.* policeman
pólipo octopus
político, -a *adj.* & *n.* political, politician; discreet
polvillo fine dust
polvo dust
pólvora powder
polvoriento, -a dusty
pollera *coll.* skirt; chicken coop
pollo chicken
pompa pomp, grandeur
pómulo cheekbone
ponderación *f.* sense of judgment
ponderar to discuss, ponder

poner (u) to put; —**se** to put on; to become; —**se a** to begin; —**se en pie** to stand up; — **envidia** to feel envy; —**se al lado de** to take the side of; —**se a los pies de** to pay one's respects to; —**se bien** to recover
poniente; **al** — toward the west
popa stern
por on account of, for the sake of, during, through, across, along, for, by; — **su parte** for their part; — **esto (eso)** on this (that) account; — **si** in case; — **lo que más quiera** in the name of what you love most; — **día** per (a) day
porcelana porcelain
porque because; so that, in order that
¿ **por qué**? why?
porte *m.* carriage; deportment
portento prodigy
portón *m.* doorway
porvenir *m.* future
poseer to possess
posesión *f.* possession
positivo, -a positive, certain; **es** — it is absolutely true
poste *m.* post
postergado, -a kept back (behind)
potente strong
potrillo little colt
potro colt
pozo pit, well
práctica practice; **en** — in practice
prado meadow
precaución *f.* precaution
preceder to precede
precepto precept
precioso, -a precious, **dear**
precipicio precipice

precipitarse to move rapidly
precisamente precisely, in fact, exactly
precisar (de) to need to, have to
preciso necessary
predestinado, -a predestined
predilección *f.* predilection
predilecto, -a favorite
predominar to predominate
preferir (ie, i) to prefer
pregunta question; **hacer una** — to ask a question
preguntar to ask; —**se** to ask oneself, to wonder
preguntón, -a inquisitive
prematuramente prematurely, too soon
premio reward
prenda sweetheart; dear child; article of clothing
prender to fasten, catch
prendido, -a fastened
preocupación *f.* worry, preoccupation
preocupante dangerous, seriously annoying
preocupar(se) to worry, preoccupy, be preoccupied; —**se por** to be worried by *or* about
preparar to prepare; — **con tiempo** to prepare ahead of time
presa prey; — **de** overcome by, overwhelmed by
presentar to present, introduce
presentimiento presentiment
presentir (ie, i) to sense, have a presentiment of
presidio prison, sentence
preso, -a prisoner; dammed up; **tiene** —**as las aguas** is holding the water back; **dése** —**o** you are under arrest
prestar to pay, lend; —**oído** to

listen attentively; — **atención** to pay attention
prestigio fascination, prestige
presuroso, -a in haste, hastily
pretender to pretend, try to, expect to
pretendiente *m.* pretender, gallant
pretensión *f.* claim
pretexto pretext
prevalecer to prevail
previo, -a previous
Prière des bardes, La "The Poets' Prayer," musical selection by the French composer Jean François Lesueur (*1763-1837*)
primavera spring
primero, -a first, best; **por — vez** for the first time
primitivo, -a primitive
primoroso, -a fine, dexterous
princesa princess
principio beginning, principle; **al — (en un —)** at first, in the beginning; **desde un —** from the beginning
prisa hurry; **esas —s** that hurry; **tener —** to hurry; **de —** in a hurry
prisión *f.* imprisonment
prisionero, -a prisoner
privar to deprive
proa prow; **— a** forward, ahead, toward
probar (ue) to taste, try, test
procedimiento proceeding
proceso trial
proclamar to proclaim
procura search
procurar to try (to)
prodigar to lavish
pródigo, -a lavish
producir to produce

proeza prowess, daring deed, exploit; disturbance
proferir (ie, i) to utter
profesor *m.* professor
profundamente profoundly, deeply, penetratingly
profundísimo, -a very (extremely) deep
profundo, -a deep, profound
prohibir to prohibit
prolijo, -a thorough, prolix, particular, careful
prolongar to prolong
promesa promise; **todo eran —s** the promises didn't materialize
prometer to promise
prometido, -a promised; **lo —o** what had been promised
promoverse (ue) to break out
pronto soon; **de —** suddenly, unexpectedly; **por lo (el) —** for the time being; **por lo — que** because of the rapidity with which; **tan — ... tan —** first ... then
pronunciar to pronounce
propicio, -a favored
propiedad *f.* property
propietario land-owner, landlord
propio, -a own, of one's own, proper, self, very; **el — don Clemente** Don Clemente himself
proponer (u) to propose; **—se** to propose to
proporcionar to give
proseguir (i) to continue, keep on, pursue
prosopopeya *familiar* splendor, affected gravity and pomp
protagonista *m.* protagonist, principal character
proteger to protect
protesta protest

protestar to protest
provenir (de) to spring from
Providencia Providence; political boss
provincia province
provisional provisional, temporary
provocador *m.* trouble-hunter, trouble-maker
provocar to provoke, egg on
proyectil *m.* projectile
proyecto project, plan
psicología psychology
púa prong, barb; **alambre de —** barbed wire
publicar to publish; **hacer — to have published**
público spectators
púdico, -a modest
pueblecillo village
pueblo town; large number; nation
puente *m. & f.* bridge; **Puente del Inca** town in Argentina near the Chilean border
puerta gate; door
puerto port
pues well; then; for; **— bien** well, well then
puesta setting (of sun)
puesto; — que since
puesto, -a put, to have on; **llevar — to have on**
pugnar to fight, strain
pujante powerful, potent, exuberant; **— de juventud** exuberant with youth
pulcramente neatly
pulido, -a polished
pulso steady hand; **— de tirador** steady marksman's hand
pulverizada fine
puma *m.* mountain lion, puma
punta toe, point, tip
puntada stitch, sharp pain

puntapié *m.* kick
puntiagudo, -a sharp-pointed
puntillas; en — on tiptoe
puntito tiny point, dot
punto moment, point; **a — de** on the point of, to such an extent that; **al —** immediately, at once; **— de vista** point of view
puñado handful
puñalada dagger-thrust
puñela *coll.* coward
puñetazo blow with the fist
puño fist; **de —s** old hand
pupila eye, pupil
pupitre *m.* desk
pureza clearness
purismo purism (*insistence upon nicety and purity in literary expression*)
puro, -a pure
púrpura purple
purpurado *n. m.* a cardinal
purpúreo, -a purple
putrefacto, -a decayed, putrefied

Q

que *conj.* than; that; for; so; as; since; let (*introducing an indirect command; also used to introduce a question*); **a —** until; **no más —** only
que *rel. pr.* who, which, that, whom; **el, la —, los, las —** who, which, that; he, she, the one who *or* which; those, the ones who *or* which; **lo —** that which, what; how much; **es —** the fact is that
¡**qué**! what! what a! how!
¿**qué**? what?; ¿**a —**? why? what for?; ¿**por qué**? why?; ¿**para —**? for what reason?; ¿**— tal**? how is everything?

quebrada ravine, deep pass
quebrantado, -a utterly exhausted
quebrar(se) (ie) to break
quedar(se) to remain, stay, be left; **— de pie** to remain standing; **— encima** to come out on top; **—se con** to keep
quehacer *m.* task, work, chore
Queiroz, Eça de famous Portuguese novelist
queja complaint
quejarse (de) to complain (of)
quemadura burn
quemante burning, consuming
quemar to burn; **dejarme —** let myself be burnt
querer (ie, i) to love, want, wish; **quiso decir** tried to say; **— decir** to mean
querido, -a dear, beloved
quien(es) *rel. pr.* who, he who, the one who, whoever; that which; **a —** whom
¿ quién(es)? *interrog. pr.* who? whom?; **¿ de —?** whose?; **a —** whom, to whom
quietecito, -a very quietly, very softly
quieto, -a quiet; **dejar —** to leave alone
quietud *f.* repose, serenity
quijada jaw
química chemistry
quinientos, -as five hundred
quitar to take away, remove, wipe off; **—se** to take off, take away
quitasol *m.* parasol
quizá(s) perhaps

R

rabia deep-seated hatred, rage; **tener —** to hate, despite; **¡ le tenían una —!** how they hated him!
rabioso, -a furious
rabo corner of the eye
racimo cluster of grapes
radio radius
raído, -a worn, threadbare, frayed
raíz *f.* root; **echar raíces** to take root; **a — de** immediately after
rama branch
ramaje *m.* branches
rana frog
rancho house, farm, hamlet; rations
rapado, -a frayed
rapaz predatory bird
rapaz, -a young boy (girl), son (daughter), child
rápido, -a rapid
raramente seldom, rarely
raro, -a rare, strange; **de —o en —o** occasionally, from time to time
rascar to scrape, scratch
rasgar to tear asunder, shove aside, break through, break, rend, disturb
rasgo aptly chosen phrase, gesture, feature
rastra; a —s by dragging
rastro trace
rastrojo stubble
raterillo a petty thief, tenderfoot
ratero thief
rato time, period of time, while; **a —s** occasionally; **al poco —** after a little while; **—s perdidos** idle moments
ratón *m.* mouse; **juego de —** cat and mouse game
raudo, -a swift, swiftly
rayo ray, beam

raza race; **tipo de —** full-blooded racial type
razón f. reason, right; **tener —** to be right
reaccionario, -a reactionary
real regal; real
realidad f. reality
realísimo, -a very well
realizar to realize
realmente really
reanudar to renew, recommence
reaparecer to reappear
rebanar to graze, split open
rebelarse to rebel; **— a** to rebel against
rebencazo blow with a whip
rebenque m. whip
rebolinchar to twirl around
rebosar to overflow
rebotar to overflow; to rebound
recadito message, tale, whispering
recaer (por) to drop in (at), pass by
recalcar to emphasize
recamado, -a embroidered
recelo misgiving, suspicion
receloso, -a suspicious, distrustful, distrustfully
receptor m. receiver, treasurer
receptoría treasury, treasurer's office
recetar to prescribe
recibidor m. teller
recibimiento reception
recibir to receive
recién; el — llegado the recent arrival
reciente recent
recinto precinct
recio, -a strong, violent, robust, vigorous; clumsy
reclamar to demand
reclinarse to lean, recline
recluirse to be enclosed, be lost in, swallowed up by
recobrar(se) to recover
recoger to pick up, gather or take (in); **—se** to retire
recogido, -a gathered up
recomendar (ie) to recommend
recomenzar (ie) to recommence, begin again
recompensa reward, recompense
reconciliación f. reconciliation
reconfortante comforting
reconocer to recognize; **—se** to find oneself
reconocimiento gratitude
recordar (ue) to remember, recall, call to mind
¡recordóns! a Valencian oath ("what the devil!")
recorredor track inspector
recorrer to cover, go over, traverse; **—le la espalda** to run up and down one's spine
recorrido trip, journey, stretch
recortado, -a outlined
recostado, -a leaning against
recostar (ue) to lean against, recline
¡Recristo! an oath ("Good Lord")
rectamente straight, directly
rectángulo opening for window
rectificar to correct; **—se** to stand correction
rector m. President (of a University)
recuerdo remembrance, souvenir, memory
recurrir a to resort to
rechazar to reject, refuse, repulse
rechifla mockery, ridicule, cat-call, whistle
rechinar to creak
rechoncho, -a coll. chubby
redacción f. wording
redactar to edit, draw up, redact

redactor *m.* editor; **— en jefe** editor in chief
rededor *m.;* **en —** around
redoblar to redouble
redondo, -a round
reducir to reduce
referente the one telling the story
referir (ie, i) to refer, relate; **—se a** to refer to
reflejar to reflect
refriega scuffle
refulgente gleaming
refulgir to glow
regalar to make a present of, give
regalo gift
regar (ie) to spray
regazo lap
regentar to occupy (a position), hold
régimen *m.* regime
regionalismo regionalism
reglamento rules and regulations
regocijo joy
regresar to return
regreso return
regular medium, fair, ordinary, average; **por lo —** generally
reidor, -a laughing, merry
reina queen; **— Sol** Queen of Sunlight
reinado reign
reinar to reign
reino kingdom
reír(se de) (i) to laugh (at); **— a carcajadas** to guffaw
reja iron barred grating on a window; barred window; bar
rejilla grating
relación *f.* relation; account
relacionar(se) con to be related with (to); to have to do with
relamerse to lick one's lips

relámpago flash of lightning; sudden stab (*of pain*)
relampaguear to flash
relampagueo throbbing, flash, stabbing pain
relatar to tell
relieve *m.* relief
relincho neigh
reloj *m.* watch, clock
relucir to shine
rellano landing (*of a stair*)
rematado, -a ending in
remedio recourse, help
remendado, -a patched
remiendo repair, patch
remo oar; **—s** legs (*of an animal*)
remolino eddy, whirlpool
remordimiento remorse
remover (ue) to stir, turn; **—se** to fidget about, rearrange oneself
rencor *m.* rancor; **guardar —** to hold a feeling of rancor, to bear a grudge
rendido, -a exhausted, yielding completely
rendimiento courtesy, obsequiousness
rendir (i) to be capable of; to render; to overcome; to give up; **—se** to give up
renunciar to resign, withdraw; **— a** to refuse to
reñir (i) to scold; **—se** to fight, quarrel
reo criminal, offender, prisoner
reojo; mirar de — to look out of the corner of one's eye, look sidewise
reparar (en) to spare (*an expense*); to notice
repartir to divide
repasar to mend
repeler to repulse, repel

repente; de — suddenly, unexpectedly
repentino, –a sudden
repetido, –a repeated
repetir (i) to repeat
replicar to reply
reponer (u) to reply; **—se** to recover; **—se del todo** to feel completely well
reposo rest, respite, repose
representante *m.* representative
representar to represent, act, enact; to possess
reproche *m.* reproach; **hacer —s** to reproach
requerir (ie, i) to examine; to require
resbalar(se) to slip, lose one's footing
reseco, –a parched
residuo residue, remainder
resignación *f.* resignation
resignado, –a resigned
resignarse (a) to resign oneself (to)
resistencia resistance
resistir to resist, stand, endure
resolver (ue) to resolve, decide
resonante strong, resounding
resoplido snort
resorte *m.* spring; elasticity
respectar (*or* **respetar**) to respect; to be about (concerning); **por lo que respecta** as for
respectivo, –a respective, corresponding
respetado, –a respected
respeto respect
respetuoso, –a respectful; **de —o** of respect
respiración *f.* breathing, breath
respirar to breathe
responder to respond
respuesta reply, answer; **no se daba —** he couldn't find the answer
restante remaining
restauración *f.* restoration
restaurar to restore
resto rest; **—s** left-overs, remains
resudado, –a soaking wet with perspiration
resueltamente with determination
resuelto, –a resolved, determined
resultar to result, result in, turn out, result to be
retablo shrine; **— de ánimas** shrine for departed souls
retaco fowling-piece
retardar to retard
retirada retreat
retirado, –a unfrequented, out of the way, retired
retirar to withdraw; **—se** to withdraw, retire, leave
reto defiance, challenge
retorcer(se) (ue) to twist, curl
retorcido, –a twisted, kinky
retorno return; **de —** on the way back
retozar to course
retrato portrait
retroceder to draw back, draw away from
reunión *f.* gathering
reunir to bring together, gather, embody; **—se** to gather, meet
revancha revenge
revelación *f.* revelation
revelar to reveal; **fueron revelando** gradually revealed
reventar (ie) to burst
reverendo, –a reverend
revés *m.* backhand blow; **al —** on the contrary
revivir to relive
revolar *m.* fluttering

revolar (ue) to fly about
revolotear to flutter, fly about
revolución *f.* rebellion, revolution
revolverse (ue) to whirl around
revuelo flurry
revuelta bend, turn; **vueltas y —s** turns and windings
revuelto, –a turned upside down, upset
rey *m.* king
rezar to pray
riachuelo stream, brook
ricachona *coll.* rich woman
rico, –a rich
ridiculez *f.* ridiculousness
riego; manga de — water hose
riente laughing
riesgo risk
rimero pile, heap
rincón *m.* corner
río river
riojano, –a native of Rioja (Argentina)
risa laughter
risueñamente smilingly, affably
rítmico, –a rhythmic
ritmo rhythm
rizar to curl; **—se** to curl up
robar to steal, rob
roble *m.* oak
robo theft
robusto, –a robust
roca rock, cliff
rocío dew
rodar (ue) to fall, rove, wander, whirl and collapse; to make roll, scatter; to crush; **andar rodando** to travel along, wander
rodear (de) to surround, encircle (with, by)
roder Valencian outlaw
rodilla knee
rogar (ue) to beg, ask

rojo, –a red
romántico, –a romantic
romanza song, aria
romería pilgrimage (*there is usually a picnic with the pilgrimage*)
romper to break; **— a +** *inf.* to break out —ing
ronca boastful challenge; **echar —s** to boast
ronco, –a hoarse
roncoso, –a *adj.* bullying, hoarse, raucous; **—o** *m.* swell-head, braggart
ropa clothes
rosa rose; rose colored
rosado, –a fresh red, pink; flushed
rosal *m.* rose bush, rose
rosario rosary
roseta; — de fiebre flush of fever
rosetón *m.* rosette, large rose on sculpture or wrought iron-work (*circular architectural design*)
rostro face, countenance
roto, –a broken, torn up, broken down
rotundo, –a clear, plain
rozamiento touching
rozar to brush against
rubio, –a blond, golden
ruboroso, –a blushing from shame
rúbrica flourish added to one's signature
rubricar to cut, flourish (*See note, page 32, line 7.*)
rudeza ignorance
rudo, –a rough, rude
rueca distaff, spinning-wheel
rueda wheel
rugir to roar
ruido noise
ruidosamente noisily
ruina ruin
ruiseñor *m.* nightingale

rumbo course, direction
rumor *m.* sound, rumor
rumoroso, -a noisy
rústico, -a rustic; *n.* countryman, countrywoman, rustic
ruta route

S

sabedor, -a (de) cognizant (of), learning (of), well acquainted (with)
saber to know; to taste; to learn, discover
sabiduría wisdom
sabio, -a wise, learned; learned person, scholar
sable *m.* sabre
sabor *m.* taste, savour
saborear to enjoy, relish
sacar to get, draw out, take out, stick out
sacerdote *m.* priest
saco coat
sacrificio sacrifice
sacrílego, -a sacrilegious
sacristán *m.* sexton
sal *f.* salt; wit
sala hall, room
salida outlet, exit; **a la —** as they came out; in the outskirts
salir to leave; to come out; to get out; to escape from; to stick out; to turn out (up); **— barato** to come out cheap
salitrero, -a saltpetre
saliva spit; ¡ **tírale —** ! spit on him !
salmodia chant, song
salón *m.* saloon, salon, lounge
saloncito little room
salpicado, -a dotted, spangled
saltar to jump, leap; to come loose; to suddenly appear

salto leap, jump
saltón; ojos saltones pop-eyes
saludar to greet, speak in greeting, salute
saludo greeting, salute, bow
salvadera powder-shaker (*to dry ink*)
salvaje *adj. & n.* savage
salvamento the work of life-saving, salvage
salvar to save
salvavidas *m.* life-preserver
salvo excepting, unless otherwise
sangrador *m.* groove to let blood run out
sangrar to bleed
sangre *f.* blood; blood-red color
sangriento, -a bloody; blood-red
sano, -a wholesome, lofty; in good health
santiguarse to cross oneself
santísimo, -a most holy
santo, -a *adj.* holy, sacred; *n.* saint; **viernes santo** Holy Friday
sañudo, -a violent
sapo toad
sargento sergeant
sarmiento vine shoot, runner, branch
satélite *m.* satellite, follower
sátiro satyr
satisfacer to satisfy
satisfecho, -a satisfied, content
savia sap
se *refl. pr.* himself, herself, oneself, yourself; themselves, yourselves; each other, one another
secarse to dry up
seco, -a dry, withered, lean; harsh; **en —o** flat, on the spot
secular lasting for ages, centenary
sed *f.* thirst
seda silk

sedoso, -a soft
seducido, -a fascinated
seductor *m.* Beau Brummel, fascinating ladies' man
segador *m.* reaper, harvester
segar (ie) to harvest, gather
seguida; en (a) — at once
seguido, -a (de) (*past part. of* **seguir**) followed (by)
seguir (i) to follow, continue, go ahead; — + *pres. part.* to keep on —ing; **siguió un moquete** there was a blow on the nose
según according to (what); as; depending
segundo, -a second; **(de) segunda** second class
seguramente surely, of course
seguridad *f.* certainty
seguro, -a secure, safe, sure, confident; certain; **su — servidor(a)** yours truly
selva woods, jungle
semana week; **todas las —s** every week
semejante such a, similar
semiderruído, -a half fallen
semirrosado, -a pink
semitendido, -a half stretched out
sencillo, -a simple; single (*of flowers*)
senda path
senil senile, due to old age
sensación *f.* sensation, feeling
sensato sensible, wise, right
sensible sensitive, sensible; **herida en lo más — de su orgullo** her pride hurt to the quick
sentado, -a seated; **estar —** to be seated
sentar (ie) to sit; to agree; **—se** to sit down; **— un pie en el vacío** to make a misstep

sentencia sentence
sentimiento feeling, sentiment, regard
sentir (ie, i) to feel, regret, hear; **—se** to feel
señalar to point at, point out
señor sir, Mr., lord; gentleman, man; **Nuestro Señor** Our Lord; **Señor Dios** Lord God
señora Madame, Mrs., married woman
señorita young girl, miss
señorón *m.* important man
separar to separate; **—se de** to separate from, draw away from
sequedad *f.* dryness
ser to be; *m.* being; **el — entero** one's entire being
serenarse to grow calm; **se fué serenando** gradually grew calm
sereno, -a serene, calm
serio, -a serious, serious minded, grave; **en —** seriously
serpiente *f.* serpent
servidor, -a; su seguro, -a — yours truly
servidumbre *f.* servants; servant staff
servir (i) to serve; **no — para** to be no good for; **— de** to serve as
sesión *f.* session
severidad *f.* severity
severo, -a severe
si if; **si bien** although
sí yes; indeed; **sí que ...** yes, indeed ...
sí (*refl. pr.*) himself, herself, itself, yourself, themselves, yourselves (*often reinforced by* **mismo, -a** *etc.*)
sidra cider
siempre always, still; **de —** usual; **para —** forever

VOCABULARY

sien f. temple (*of the forehead*)
sierra mountains
siesta afternoon nap
siete seven; **de a —** of seven each
sigiloso, –a silent
siglo century
signarse to cross oneself
signo sign
siguiente following; **al (día) —** on the following (day); **lo —** the following
sílaba syllable
silbar to whistle, hiss, crackle
silencio silence; **se hizo el —** there was a silence
silencioso, –a silent, silently
silueta silhouette
silvestre wild
silla chair
sima deep cavern
simetría symmetry
simétrico, –a symmetric
simpático, –a likeable, attractive
simple simple, mere
sin without; **— que** without (*sin que is always followed by subjunctive*)
sincero, –a sincere
siniestro, –a sinister
sinnúmero a great many, numberless
sino but, except; **— que** but; **no . . . — only**
siñá (señora) *Valencian* Mrs.
siñor (señor) *Valencian* Mr.
siquiera even, at least; **tan —** at least
sirena whistle, siren
sitio place, seat
sobar to soften, knead, pummel
soberano, –a sovereign
soberbiamente proudly, superbly

soberbio, –a fiery, furious (*horses*); superb, supreme
sobornar to bribe
sobre on, about, concerning, over; **— todo** especially, above all
sobremanera exceedingly, very much
sobresalir to stick out, top
sobresaltado, –a frightened
sobretodo especially, above all
sobrevenir to happen, assert itself
sobrevivir to survive
sobrino, –a nephew, niece
sociedad f. society
sociología sociology
socorro succor, assistance
sofocado, –a overcome
sofocar to stifle, overwhelm
sol sun; **al —** in the sun; **Vos, como —es** you, resplendent as the sun; **tomar el —** to bask in the sun
solamente only
solapado, –a crafty, sly
soldado soldier
soledad f. solitude; **en absoluta —** absolutely alone
solemnidad f. solemnity
soler (ue) to be accustomed to, be wont; to generally (usually) do a thing
sólido, –a firmly built, solid
solitario, –a solitary, isolated, lonely
sólo only
solo, –a only, sole, mere, single, along; **a solas** alone
soltar (ue) to let (come) loose, come out with (a remark); **— el trapo** to burst out; **— la carcajada** to burst out laughing
soltero, –a bachelor, old maid
solterón m. bachelor; **solterona** old maid

sollado orlop, lowest deck (*of a boat*)
sollozar to sob
sollozo sob
sombra shadow; **a la —** in the shadow (shade)
sombrero hat
sombrío, -a dogged, sombre, dark, gloomy, foreboding
someterse to submit
somnolencia drowsiness
son *m.* sound
sonar (ue) to sound; to ring; to blow; **— a** to sound like, sound full of, seem to give; **hago — unas fuertes palmadas** I clap my hands loudly
sonido sound
sonoro, -a loud; ringing, musical
sonreír (i) to smile
sonriente smiling, pleasant
sonrisa smile
sonrosado, -a blushing
soñador, -a dreamy
soñar (ue) (con) to dream (of, about)
soñoliento, -a sleepy, drowsy
soplar to blow, puff
sorber to sip; to gulp down
sorbo sip
sordidez gloominess, sordidness
sordo, -a dull, deaf, muffled; mute, silent
sorprender to surprise; **—se** to be surprised
sorprendido, -a surprised
sorpresa surprise
sosegado, -a peaceful, quiet
sosiego calm
sospechar to suspect
sostén *m.* support
sostener to sustain, support, maintain, hold up; **—se** to keep oneself afloat, hold oneself up

sotana cassock, priest's garment
su *poss. adj.* his, hers, yours, theirs, *etc.*
suave soft, gently
suavidad *f.* ease, slyness
subconsciente *f.* subconsciousness
subir to get in, go up, lift up, rise, send *or* bring up; **— a** to get in, climb
súbito, -a sudden; **de —o** suddenly
sublevarse to rebel
subordinado, -a subordinate
subrepticiamente surreptitiously, slyly
subsistir to subsist, last through, be present in
subyugado, -a captivated
suceder to happen; **—se** to follow each other, succeed each other
suceso event, occurrence
sucio, -a dirty, filthy; tangled
sucumbir to succumb
sudamericano, -a South American
sudar to perspire, sweat
sudor perspiration, sweat
sueldo salary
suelo ground, floor, soil, earth
suelto, -a loose, loosened
sueño sleep, dream; **tener —** to be sleepy
suerte *f.* luck, fate; *pl.* tricks; **de — que** so that; **de todas —s** at any rate, anyhow
suficiencia; con — getting the idea
suficiente sufficient
sufrir to suffer, endure
sugerir (ie, i) to suggest
sujetar to hold fast, fasten
suma sum; **en —** in fine, in short
sumado, -a added
sumisión *f.* submissiveness
sumiso, -a submissive, meek

supe (*from* **saber**) I learned, I found out
superchería fraud
superficial superficial
supersticioso, -a superstitious
suplicar to beg (for)
suponer (u) to suppose
suprimir to suppress
supuesto; por — of course
surco furrow
surgir to rise, give rise to, arise, come out, spring up
suscitar(se) to revive, stir up
suspender to fail; to suspend
suspenso hanging; **en —** suspended, in abeyance, in the air; **—s de sus labios** hanging on his words
suspirar to sigh
suspiro sigh; **dar un —** to sigh, to heave a sigh
sustituir to substitute (for)
susurrante *adj.* buzzing
susurrar to whisper
susurro whisper, murmur, mutter
sutil slender, subtle
sutilidad *f.* subtleness, suavity
suyo, -a *poss. adj. & pr.* his, hers, of his, of hers, *etc.;* theirs, of theirs, *etc.;* (**el, la —** *pr.* his, hers, yours, *etc.*); **muy —a** very much his own

T

tabacoso, -a tobacco-stained
taberna tavern
taco heel; wadding; **de — y de punta** of heel and toe
táctica tactics
tajo thrust
tal such, such a; **— vez** perhaps; **el** *or* **la tal** the aforesaid; **— cual** just as, perhaps a; **míster Tal o míster Cual** Mister So and So; **— o cual** this or that
talento talent
talero policeman's club, handle
tallado, -a sculptured, carved
tallador *m. S. A.* dealer (*in a card game*)
talle *m.* figure, form
taller *m.* workshop, studio
tamaño size
también also
tamborilero drummer
tamo chaff
tampoco neither; either
tan so, as, such; **— ... como** both ... and; **— de mañana** so early in the morning
tanto so, as (so) much; **en — que** whereas, while; **— ... cuanto** the more ... the more, as much ... as; **un —** somewhat, a little; **entre —** meanwhile; **mientras —** otherwise, meanwhile; **por lo —** therefore, consequently; **— me da** its all the same to me
tanto, -a so (as) much; **—os, —as** so (as) many
tapar to cover, stop up
tapete *m.* cover
tapia wall
tapiado, -a walled over, covered
tapiz *m.* tapestry, drapery, cover
tapizar to cover, carpet
tardanza delay
tardar (en) to take long in, be slow in
tarde *f.* afternoon, evening; **el caer de la —** dusk
tarde *adv.* late; **más —** later (on); **de — en —** rarely, from time to time
tarea work, task

tartamudear to stammer, stutter
tartana *a two-wheeled covered wagon*
tartanero *driver of a* **tartana**
taza cup
tazón *m.* vase, bowl
te *obj. pron.* you, to you, yourself
teatro theatre
techo ceiling
tejer to weave
tela cloth, material
temblar (ie) to tremble
temblequeteo quaking, trembling
tembloroso, –a trembling
temer to fear
temeroso, –a fearful, timid
temor *m.* fear
témpano icicle
temperamento temperament
tempestuoso, –a tempestuous
templado, –a mild, cool, tempered, steady
templo temple
temprano early
tenaz utter; stubborn, strong
tender(se) (ie) to stretch out
tendido, –a stretched out
tenebroso, –a dark, gloomy
tenedor *m.* fork
tener to have; — **que** to have to; — **razón** to be right; — **(cinco) años** to be (five) years old; — **para (por) qué** to have reason (to); — **cuidado** to be careful; — **gusto en** to be glad to; **no tenga cuidado** don't worry; — **miedo** to be afraid; **tengo para mí** it's my opinion, I think; ¿**Qué tiene?** What is wrong (with)?
teniente *m.* lieutenant
tensa; de — from the strain
tentador, –a enticing
tenue tenuous, thin; tinge (of)

teñir (i) to tinge, stain, dye
teósofo theosophist
tercero, –a third
terco, –a obstinate, stubborn
terminar to finish, end, terminate
término term, extent; **llegar a —s** to reach such an extreme
terneza tenderness
ternura tenderness
terracota terra-cotta
terregoso, –a rough, full of clods
terrorífico, –a terrible, horrible
tesoro treasure
testigo witness
tez *f.* skin; complexion
ti *pr. obj.* thee, you
tibio, –a mild, warm
tic-tac tick-tock, tick-tock
tiempo season, time, weather; **de — en —** from time to time; **desde hace un —** for some time past; **preparar con —** to prepare ahead of time; **a — que** in proportion as
tientas; a — groping
tierno, –a tender, early
tierra soil, earth, land; **poner pie en —** to alight, get out
tigre *m.* tiger; **— de caza** tiger out on a hunt
tildar to brand
tilde *f.* iota, tittle; tilde
tímido, –a timid, soft; **de —o** of timidity
tinta ink
tío fellow, man; uncle
típicamente typically
tipo type, fellow
tirador *m.* marksman
tirano tyrant
tirante tightening, tight
tirar to strike, throw, pull; ¡**tírale saliva!** spit on him!

tiro shot; **pegar un —** to shoot
tirón *m.* jerk
tirso thyrsus; vine shoot
titubear to stammer, reel, stagger; to hesitate
toalla towel
tobillo ankle
tocar to touch; to play (*a musical instrument*); to be one's turn; to be; to be up to one; **toca de Chopin** she plays Chopin
todavía still, yet
todo, -a all, every; **a —o esto** while all this was going on; **sobre —o** especially; **con —o** even so; **—o un señor catedrático** a full fledged professor; **—o un buen mozo** a fine looking young fellow; **hacer a —o** to serve for everything
todos, -as all, everyone, everybody
todopoderoso, -a all-powerful
toldilla round-house
tolerancia tolerance
tomar to take, drink; **— asiento** to take a seat; **— la palabra** to take the floor; **— el sol** to bask in the sun; **— en cuenta** to consider; **— aliento** to get (catch) one's breath; **— a chacota** to take as a joke
tomate *m.* tomato; red as a tomato
tomo volume
tonalidad *f.* color, hue
tonto, -a fool; foolish
topacio topaz
toque *m.* stroke
torbellino swirl, whirlpool
tordillo grayish (*horse*)
tormente anguish, torment
tornar to return, become; to twist, turn; **—se** to become; **— a** (*followed by infinitive*) **to . . . again**; **— a pensar** to think again, *etc.*
torno; **en — a (de)** around
toro bull; strong as a bull
torpe dull, stupid
torpeza dullness, stupidity
torre *f.* tower
torrente *m.* torrent
torturador, -a painful, in anguish
tosco, -a rough
tostar to toast, roast; to brown, tan
total in a word, in brief; total
traba shackle, bond
trabajador worker, tiller
trabajar to work, till
trabajo work
tradición *f.* tradition
traer to bring; to wear; to come; to have
tragar to swallow
tragedia tragedy
trágico, -a tragic
trago swallow
traje *m.* suit; **— de fiesta** holiday costume
trance *m.* peril, danger, critical moment
tranquilidad *f.* tranquillity, calm, peacefulness
tranquilizar to calm (down)
tranquilo, -a tranquil, calm, quiet
transatlántico *m.* ocean liner
transcurrir to pass
transformarse to be transformed
transitar to circulate
transmitir to transmit, pass on
tranvía *m.* street-car
trapiche *m.* grinding machine, an old style sugar mill
trapo; **soltar el —** to burst out
tras (de) after, behind; **— sí** along with him

trasandino, -a transandean, across the Andes
trasatlántico *m.* transatlantic liner
trasbocar *S. A.* to gag, vomit
trasero, -a rear, hind
trasponer(se) (u) to go behind, set behind
tratar to treat, associate with; — **de** to try to; —**se de** to be a matter of; **caso de que se trata** case under discussion
trato friendly intercourse, association; manner
través; a — de through, across
travieso, -a mischievous
tremendo, -a terrible, tremendous
trémulo, -a tremulous, quivering, shaking
tren train
trescientos, -as three hundred
tricornio three-cornered hat
trigueño, -a dark-skinned, brunette, dark
trinar to trill a song
trino trill, twitter
trípode *m. & f.* tripod
triste sad
tristeza sadness
triunfador, -a triumphant
triunfal triumphant
triunfante triumphant
triunfar to triumph
triunfo triumph
trocarse (en) to change (into)
trocha cut-off (of a road); gauge (*railroad*); — **angosta** narrow-gauge
tronco tree-trunk, stalk; trunk (of a body)
trono throne
tropa mob, troop
tropel *m.* mob; **en —** in a body
tropezar (ie) (con) to stumble (on)
tropical passionate, tropical
tropilla herd
trozo piece, slip
trueque; a — de exchange for
tu *poss. adj.* your
tú *pers. pr.* you
tumba tomb
tumbar to knock over (flat), kill
tumbo; dar —s to rock and jostle
tumultuoso, -a noisy, excited, tumultuous
túnel *m.* tunnel
turbación *f.* confusion
turbado, -a perturbed, confused
turbar to embarrass
turbio, -a turbid, muddy
turno turn
tuyo, -a *poss. adj. & pr.* your, yours, of yours

U

u or (*used before words beginning with sound of " o "*)
últimamente lately, recently
último, -a last; **por —o** at last
umbral *m.* threshold, doorway
umbrío, -a shady, somber
unanimidad *f.* unanimity, unanimously; **por —** unanimously
unción *f.* devotion
únicamente only
único, -a only, only one; unique, best; **lo —o** the only thing
unirse (a) to join
unísono; al — in unison
unitario, -a unitarian
universidad *f.* university
universitario, -a *adj.* university
uno, -a a, an, one; *pl.* some; a bunch of; a pair of; —**s cuantos** a few; —**s asesinos** a bunch of murderers

uña finger-nail
urbanidad *f.* urbanity, politeness
usar to use
uso use, custom; a — de pueblo in the small town way, style
usted, ustedes you
usual common
usurpar to usurp, take away from
útil useful, lawful
uva grape

V

vaca cow
vacilar to hesitate
vacío flank; void, gap; sentar un pie en el — to make a misstep
vacío, -a empty
vagabundo vagabond, wanderer
vagar to wander; to play on
vago, -a vague, faint
vagón *m.* railway coach
valenciano Valencian dialect
valentía courage
valer to be worth; — la pena to be worth the trouble
valiente courageous
valor *m.* valor, strength
valse (vals) *m.* waltz
vanidad *f.* vanity
vano, -a vain
vara yard
variar to vary
varilla fan stick
vario, -a varied; —s several
varonil masculine, manly
vasco, -a Basque
vascongado, -a Basque
vascuence *m.* Basque language
vaso glass
vasto, -a vast
¡vaya! what a! ¡ — si era pesado! he certainly was unbearable! — que indeed

vecindad *f.* neighborhood
vecindario neighborhood, town, neighbors
vecino, -a neighbor, neighboring, inhabitant; townsman, townswoman
vedija tuft
vegetal plant-like
vela candle
velillo veil
velo veil
velocidad *f.* velocity, speed
veloz quick, swift
vellón *m.* fleece
vena vein
vencedor, -a *adj.* exultant; *n.* winner
vencer to conquer, overcome, come out on top
vendar to bandage, blindfold
vender to sell
vendimia vintage, gathering season
vendimiador vintager
veneno poison
venganza vengeance
vengarse (de) to avenge, get vengeance on
venida coming
venir (i) to come
venta inn
ventana window
ventanilla window (*generally of automobile or train*)
ventura good fortune; por — o por desdicha by chance or by mischance
ver to see; a — let's see, go ahead; es de —se it's a sight to be seen; —se obligado a to be obliged to; echar de — to notice; — como to consider as
vera side, edge
verano summer

veras; de — for sure; really, really and truly
verdad truth, reality; true; **en —** indeed; **¿ — ?** Isn't it so? Won't you? Hasn't he? *etc.*
verdaderamente truly
verdadero, -a real
verde green
verdugo executioner, assassin, murderer
vereda sidewalk, path; **caminos y —s** highways and byways
versito verse
verso verse, poem
vértebra vertebra, spine
vestido dress; clothes
vestido, -a (de) covered, dressed (in); **iba —a** she was dressed
vestidura attire, dress
vestir(se) (i) to dress; **—se de** to dress in
veteado, -a tinged, shot through with
vetusto, -a old
vez time, turn; **tal —** perhaps; **a veces** at times; **una — once**; **a su —** in his turn; **en — de** instead of; **cada — más** more and more; **por primera —** for the first time; **otra —** again; **alguna —** ever; **en esta —** this time; **— hubo en que** there were times when; **a la —** at the same time
vía track, way; **— de trocha angosta** narrow gauge track; **— Láctea** Milky Way
viajar to travel
viaje *m.* trip; *Slang* thrust
viajero, -a *m. & f.* traveller
víbora snake, viper
vibrador, -a vibrant, tremulous
vibrante vibrant
vibrar to vibrate, pulsate

víctima victim
vid *f.* vine, grapevine; **— patriarcal** patriarchal vine
vida life
vide (*vi*) I saw
viejo, -a *adj.* old; *n.* old man, old woman
vientiño light wind
viento wind; **hacer —** to be windy; **correr un —** to blow
vientre *m.* belly, stomach; **el bajo —** the lower section of the abdomen
viernes Friday; **— santo** Holy Friday
vigilia watch, hours awake
vil vile, base
vindicta vengeance
vino wine
viñedo vineyard
violencia violence
violento, -a violent
violeta violet; of violet color
virgen *f.* virgin
viril *adj.* transparent; manly, virile; *n. m.* transparent glass
virtud *f.* virtue; **en — de que** in virtue of which
visita visit
visitación *f.* visitation, visit
visitar to visit
víspera eve; day or afternoon before an event
vista glance, view, sight; **pasar la —** to glance over; read; **de —** in sight, sight of; **perder de —** to lose sight of; **a la — de** in sight of
visto, -a (*past part. of* **ver**) seen
visviseo muttering
vital vital, full of life
viuda widow
viudita little widow
viudo widower

¡ Viva! Hurrah for! Hail to!
  dar —s to cheer
vivir to live
vivo, -a alive, lively
vocerío shouting
volar (ue) to fly
voltear to throw (*for a horse to throw a rider*)
voluntad *f.* will; **de buena —** willingly, gladly; **de mala —** unwillingly, against one's will
voluntario, -a intentional, willing
voluptuoso, -a voluptuous, romantic
volver (ue) to return, turn; **—se to** turn around, return; **se volvió a España** he returned to Spain; **— a** (*followed by an infinitive*) to do ... again (*repeats action of the following infinitive,* **volvió a hacerlo** he did it again); **— con bien** to return safely
vomitar to vomit, spit up
vómito spell of gagging, vomiting
vos (vosotros, -as) you
voto vow
voy (*from* **ir**) I'm coming
voz *f.* voice, word, story, rumor, news; **en — baja** in a low voice; **en — alta** aloud, in a loud voice; **a media —** in a whisper; **— de fiesta** a merry voice; **pasar la —** to pass the word along
vuelo flight; **dar —** to give more room *or* sweep to
vuelta return, turn, bend, winding; **de (a la) —** on the way back; **dar —** to go *or* to turn around; **estar de —** to be back; **—s y revueltas** turns and windings; **a la — de dos años** after two years
vuelto, -a (*past part. of* **volver**) returned, turned; **—a mujer** a woman now

vuestro, -a your, yours; **—a merced** you (your grace)
vulgar common, vulgar, ordinary

W

Wagner (Richard, 1813–1883) *German composer of several music-dramas based on German legends. Wagner is a master of full, sonorous orchestration.*

Y

y and
ya already, now, soon, in a moment; yes, indeed; **— no** no longer; **— que** since, so, even though; **— ... —** now ... now
yacer to lie; **yacía cuan largo era** was lying flat
yaguarete *S. A.* tiger, jaguar
yantar food, meal
yararacusú *a species of very poisonous South American snake*
yegua mare
yeguada stud
yema fingertip
yerba (*also* **mate** *or* **yerba mate**) *a South American tea*
yerguen (*from* **erguir**) they hold up, raise
yerno son-in-law
yesca tinder
yeso plaster of Paris
yo I
yokoameso, -a from Yokohama

Z

zaguán *m.* vestibule
zalamería coquetry; **con —** in a coquettish tone or way
zalema salaam, bow

zancadilla a sudden tripping; **echar la —** to trip up
zapato shoe
zarpa claw
zarza bramble, blackberry bush
zona sphere; zone
zoológico, –a zoological
zoólogo zoologist
zopenco *coll.* blockhead

zozobra anxiety
zumbido buzzing, throbbing
zumbón, –a waggish, jocose
zurcido darning
zurcidora darner
zurcir to darn
zurrar to tan; **— la badana** to tan one's hide, whip
zurriagazo lash, blow

135

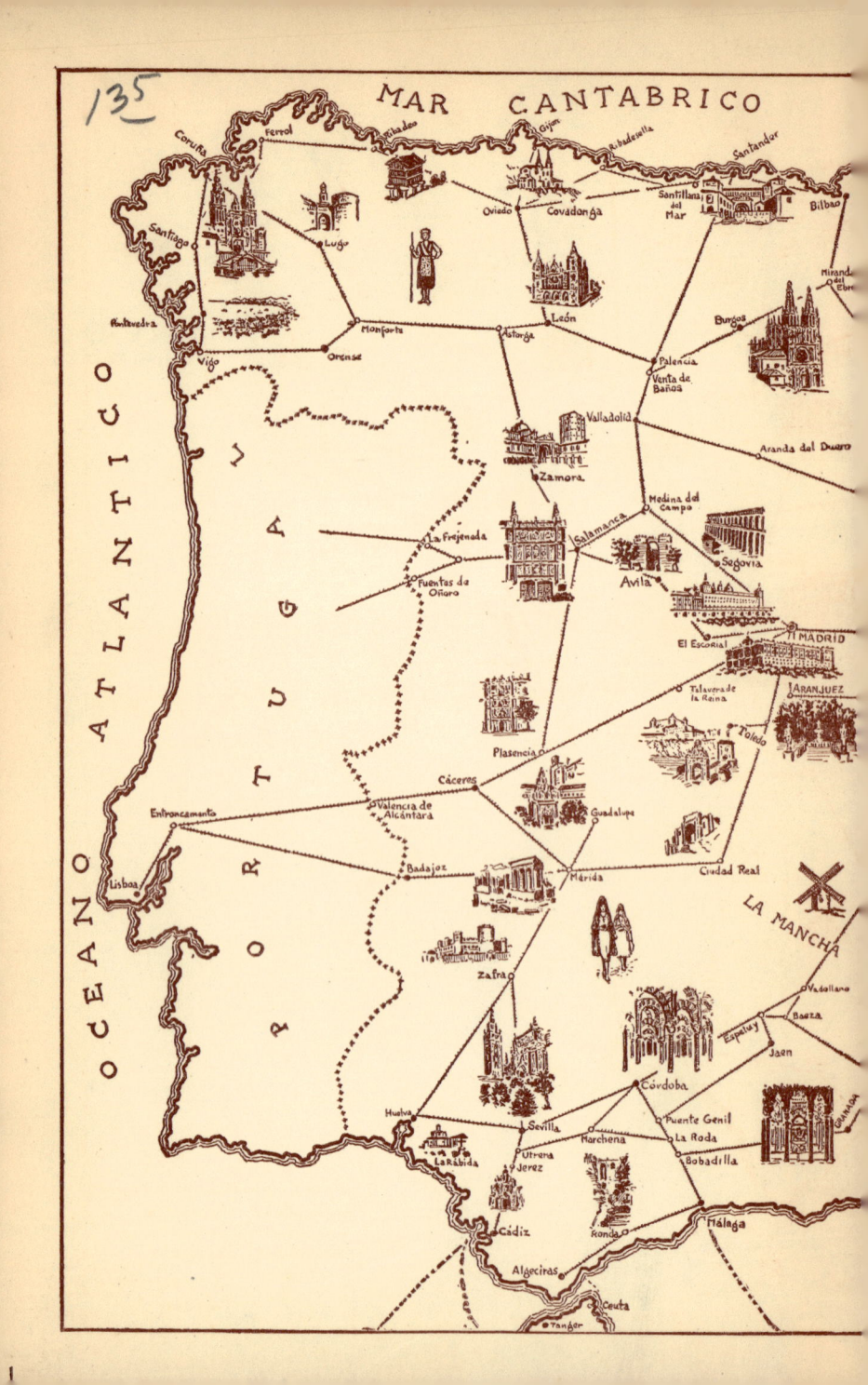